KB024479

데일 카네기
인간관계론

데일 카네기
인간관계론

초판 1쇄 발행 2020년 12월 14일
초판 14쇄 발행 2024년 12월 10일

지은이 데일 카네기
옮긴이 하소연
펴낸이 남기성

펴낸곳 주식회사 자화상
인쇄.제작 데이타링크
출판사등록 신고번호 제 2016-000312호
주소 경기도 고양시 덕양구 꽃마을로 34, 1006호,1007호(향동동, DMC스타팰리스)
대표전화 (070) 7555-9653
이메일 sung0278@naver.com

ISBN 979-11-91200-02-7 00320

데일 카네기 인간관계론

데일 카네기

자화
상

차례

1부 인간관계의 3가지 기본원칙

2부 인간관계를 잘 맺는 6가지 방법

3부 상대방을 설득하는 12가지 방법

4부 리더가 되는 9가지 방법

1부

인간관계의 3가지 기본원칙

1
꿈을 얻으려면
벌통을 걷어차지 마라

어떤 1931년 5월 7일 뉴욕 시에서는 전대미문의 대 범인 검거작전이 벌어졌다. 흉악한 살인범으로 사격의 명수인 일명 '쌍권총 크로울리'가 웨스트 앤드 거리에 사는 애인의 아파트에 몸을 숨겼다가 경찰에 포위당하였다. 경찰과 형사들 150여 명은 아파트 옥상에 구멍을 뚫고 최루가스를 쏟아 넣으며 크로울리를 아파트 밖으로 끌어내려고 안간힘을 쓰고 있었다. 주위의 빌딩 사이사이에 장치해 놓은 총구는 크로울리를 향해 일제히 화염을 뿜어내었다. 뉴욕의 고급 주택가인 웨스트 앤드 거리는 한 시간 이상 총소리로 요란했다. 크로울리는 두터운 대형 안락의자 뒤에 숨어서 경찰관들을 향해 쉴 새 없이 권총을 쏴댔다. 이 광경을 무려 1만 명에 이르는 시민들이 흥분하며 지켜보고 있었다.

크로울리가 체포되었을 때 경찰국장 말로니는, 이 쌍권총의 사나이는 뉴욕 시 역사상 가장 흉악한 범인 중 한 사람으로 '아주 하찮은 것'에서도 아무렇지도 않게 사람을 살해했다고 말했다.

그렇다면 '쌍권총 크로울리'는 자기 스스로를 어떻게 생각하고 있었을까? 우리는 그 해답을 알고 있다. 왜냐하면 경찰이 그가 숨어 있는 아파트를 향해 사격을 하는 동안 그는 '관계자 여러분에게' 보내는 편지를 썼기 때문이다. 그의 상처 난 몸에서 나온 피 묻은 편지의 내용은 이러했다.

"피로에 지쳐 있기는 하지만 나의 가슴속에는 온화하고 다정한 마음이 있다. 그것은 어느 누구에게도 해를 주지 않는 부드러움이다."

이 사건이 있기 전 크로울리는 롱아일랜드의 한적한 시골길가의 차내에서 여자 친구와 격렬한 애무를 하고 있었다. 경찰관이 그들의 차에 다가와 말했다.

"면허증을 보여 주십시오."

그러자 면허증 대신 권총을 꺼내 경찰관을 쏘았다. 경찰
관이 쓰러지자 그는 자동차에서 뛰쳐나가 경찰관의 총을
빼어 다시 한 번 총을 쐈다.

이런 지독한 살인범이 "피로에 지쳐 있기는 하지만 나의
가슴속에는 온화한 마음이 있다. 그것은 누구에게도 해를
주지 않는 부드러움이다."라고 말하고 있는 것이다.

크로울리는 전기의자에 의한 사형선고를 받았다. 싱싱
교도소의 사형수 감방에서 "나는 사람을 죽였기 때문에 당
연히 형벌을 받아야 한다."라고 말했을까? 천만의 말씀이
다. 그는 이렇게 말했다.

"나는 나 자신을 지킨 것뿐인데 이 꼴이 되었다."

'쌍권총 크로울리'는 결코 자신의 잘못을 인정하지 않았
다. 이러한 그의 태도가 범죄자들에게는 이례적인 것일까?
그러한 생각을 한다면 다음 얘기를 들어 보라.

"나는 내 생애의 황금기를 사회를 위해 헌신했다. 그러나
내게 돌아온 것은 세간의 차가운 시선과 비난, 그리고 범죄

자라는 낙인뿐이다."

이것은 알 카포네의 말이다.

알 카포네가 누구인가. 그렇다. 시카고의 암흑가를 지배한 잔인하기 이를 데 없는 갱단의 두목이다. 그도 자기 자신을 비난하지 않았다. 오히려 인정받지 못한 독지가, 오해받는 자선가로 생각했다.

또한 뉴욕 시에서 악명 높은 더치 슐츠도 예외는 아니었다. 그는 신문과의 인터뷰에서 자신은 자선가라고 말했다. 스스로도 그렇게 믿고 있었다.

나는 이 문제에 관하여 싱싱 교도소의 소장인 루이스 로즈와 여러 차례에 걸쳐 흥미 있는 서신을 교환하였다. 그는 다음과 같이 단언하였다.

"죄수들 중에 자신을 악인이라고 생각하는 사람은 거의 없다. 자기들도 선량한 일반시민과 다를 바 없다고 생각하며 자신을 합리화하고 있다. 그들은 왜 총을 쏠 수밖에 없었는지, 왜 금고를 털 수밖에 없었는지에 대하여 그럴듯하게 설명한다. 합당한 구실을 마련하거나 억지 논리를 내세워 반사회적 행동을 정당화하려고 하거나 억울하게 교도소에 수감되었다고 단호하게 주장하고 있다."

알 카포네, 크로울리, 더치 슐츠, 그리고 교도소의 절망적인 죄수들 모두가 자신에 대해 아무것도 비난하지 않는다. 그렇다면, 우리 주변의 일반 사람들은 어떠할까?

백화점 왕 존 워너메이커는 언젠가 이렇게 고백한 적이 있다.

"나는 30년 전에 사람을 비난하는 것이 매우 어리석은 짓이라는 것을 터득했다. 나는 하나님이 지능의 선물을 평등하게 나누어주지 않은 것을 탓하지 않고 나 자신의 한계를 극복하는 데 많은 노력을 기울였다."

내가 100명 중 99명은 자신의 잘못에 대하여 결코 스스로 비난하지 않는다는 것을 어렴풋이 알게 된 것은 한참 후의 일이었다. 그때까지 나는 이 세상에서 많은 실수를 저질렀다.

비판이란 피곤한 것이다. 왜냐하면 비판은 인간을 방어적 입장에서 자신을 정당화하도록 안간힘을 쓰게 만들기 때문이다. 또한 한 인간의 소중한 자존심에 상처를 입히고,

그의 자존심에 입힌 손상이 원한을 불러일으키기 때문에 매우 위험한 짓이다.

세계적인 심리학자 B. F. 스키너는 실험을 통하여 선행으로 칭찬을 받은 동물은 나쁜 행동에 대해 벌을 받은 동물보다 훨씬 빨리 배우고, 훨씬 효과적으로 배운 것을 익힌다는 것을 증명했다. 이러한 연구 결과가 인간에게도 적용된다는 것이다. 비판은 우리들의 지속적인 변화를 만들어내는 것이 아니라 종종 원한을 사게 된다.

또 다른 심리학자 한스 샐리는 이렇게 말했다.

"우리는 칭찬을 갈망하는 것만큼이나 비난을 두려워한다."

비판은 사람들의 사기를 저하시킬 뿐만 아니라 비판한 상황을 개선시킬 수도 없다.

기술회사의 안전 담당관인 존스톤의 임무 중 하나는 현장에서 종업원들의 헬멧 착용 여부를 감독하는 일이다. 미착용 종업원을 대할 때마다 그는 권위적인 태도로 규칙에 대해 설명하고 그 규칙에 따를 것을 강요했다. 그 결과 종업원들의 반감만 샀고 존스톤이 자리를 떠나면 곧 헬멧을 벗어버리곤 했다.

존스톤은 방법을 달리하기로 했다. 헬멧 미착용 종업원이 눈에 띄었을 때 그는 헬멧의 불편한 점은 없는지 또는 제대로 머리에 맞지 않는 것은 아닌지 등에 대하여 물어봤다. 그리고 나서 쾌활한 음성으로 헬멧은 작업 중의 부상으로부터 보호하기 위한 것임을 상기시키고, 작업 중에는 항상 착용하는 것이 안전하다고 설명하였다. 그 결과 나쁜 감정이나 불쾌감 없이 규칙을 준수하는 종업원이 늘어났음은 두말할 나위 없었다.

우리는 역사 속에서 비판의 무익함에 대해 수많은 예를 볼 수 있다. 시어도어 루즈벨트와 태프트 대통령 사이의 유명한 일화를 보기로 하자. 두 사람의 반목으로 공화당은 분열되고 민주당의 우드로 윌슨이 대통령이 되어 제1차 세계대전에 미국이 참전함으로써 세계 역사의 흐름이 바뀌었다.

1908년 루즈벨트는 대통령직에서 물러나면서 태프트를 지지하였고, 그 결과 태프트는 대통령에 당선되었다.

그 이후 루즈벨트는 사자 사냥을 하러 아프리카로 떠났다. 한동안의 아프리카 생활을 마치고 돌아온 루즈벨트는 태프트 대통령의 하는 일들이 너무나도 보수적 경향을 띠고 있는데 대하여 매우 화가 났다. 루즈벨트는 그를 비난했고, 차기 대통령 후보 지명을 획득하기 위하여 진보당을 조직하기에 이른다. 그 결과 공화당은 붕괴 직전의 위기에 처하게 되었다.

다음 대통령 선거에서 공화당의 태프트는 버몬트와 유타 2개 주에서만 승리를 거두었을 뿐, 나머지 주에서는 참패를 당했다. 이는 공화당 창당 이래 최대의 정치적 수모였다.

루즈벨트의 비난을 받은 태프트 대통령은 과연 자신의 잘못을 인정했을까. 물론 아니다.

태프트는 눈물을 흘리며 말했다.

"당시의 상황에서 나로서는 그 방법 이외에는 어찌할 도리는 없었네."

누가 비난을 받아야 할 것인가. 루즈벨트인가 태프트인가 아니면 다른 누구인가?

결국 내가 말하고자 하는 요점은 태프트에 대한 루즈벨트의 모든 비난이 태프트로 하여금 자신의 잘못을 시인하게 하는 데 실패했다는 것이다. 오히려 태프트로 하여금 자신을 정당화하는 빌미를 주었고 눈물을 흘리며 "나로서는 그럴 수밖에 없었다."는 말을 되풀이하게 만드는 것에 불과했다는 것이다.

1920년 초기에 세상을 떠들썩하게 만든 티포트 돔 유전 스캔들을 또 한 예로 들어보기로 하자. 미국 전체를 발칵 뒤엎은 이 사건은 일찍이 미국사회에서 일어난 적이 없는 전대미문의 사건이었다.

하딩 행정부의 내무장관이던 앨버트 B. 펄은 엘크 힐과 티포트 돔의 정부소유 유전지대 임대에 관한 권한을 위임받았다. 유전지대는 장차 해군에서 사용할 목적으로 특별히 보존되어 오던 곳이었다.

펄 장관은 경쟁 입찰을 허용했을까? 그렇지 않았다. 그는 입찰 형식도 받지 않고 친구인 에드워드 L. 도헤니에게 아주 유리한 조건으로 계약을 체결하였다. 그 대가로 도헤니는 펄 장관에게 대여금이란 명목으로 10만 달러를 쳤다. 그 후 펄 장관은 엘크 힐 유전지대 근처에서 석유를 채굴하고 있는 군소업자들을 고압적인 자세로 대했으며 끝내는 그들을 몰아내기 위해 해병대에 출동 명령을 내렸다. 군사적 위협에 의해 쫓겨난 군소 석유업자들이 끝내 이 사건을 법정으로 끌고 갔고 티포트 돔 스캔들은 세상에 폭로되었다.

전 국민을 분개시킨 이 사건은 비리의 규모가 너무 커 하딩 행정부를 망쳐 놓았고 공화당의 존립마저도 위협하는 지경에 이르렀다. 앨버트 B. 펄은 투옥되었으며 공직의 관리로서는 전례가 없을 만큼 중한 죄목에 처해졌다. 그가 죄를 뉘우쳤을까?

몇 년 뒤, 허버트 후버 대통령은 한 연설에서 하딩 대통령의 죽음은 절친한 친구에게 배신당한 정신적 고뇌 때문이었다고 말하였다. 이 이야기를 들었을 때 펄의 부인은 의자에서 벌떡 일어나 눈물을 콸콸 쏟으면서 주먹을 휘둘러대며 악을 썼다.

"하딩이 펄에게 배신을 당했다고? 천만에! 내 남편은 누구도 배신하지 않았어요. 이 방 안을 황금으로 다 채워준다

해도 내 남편에게 나쁜 짓을 시킬 순 없어요. 배신당한 건 오히려 내 남편입니다.”

인간이란 그런 것이다.

나쁜 짓을 하더라도 자신은 제외하고 다른 모든 사람들을 비난하는 경향이 있다. 우리들 모두 마찬가지다. 따라서 당신이나 내가 누군가를 비난할 마음이 생길 땐, 알 카포네나 쌍권총 크로울리나 앨버트 펄을 생각해 보자.

집비둘기가 언제나 자기 집으로 돌아오는 것처럼 비난은 자기에게로 다시 돌아오는 것이다.

내가 바로잡아 주려고 하거나 비난하려고 하는 사람은 아마도 그들 자신을 정당화하고 오히려 나를 비난하려고 할 것이라는 것을 명심하자. 그렇지 않으면 상대방은 태프트처럼 말할 수밖에 없을 것이다.

“나로서는 그렇게 할 수 밖에 없었네.”

1864년 4월15일 토요일 아침. 에이브러햄 링컨이 침대에서 임종을 바라보고 있었다. 부스가 쏜 총에 맞은 그는 포드극장 건너편 싸구려 여인숙에서 그렇게 숨을 거두고 있었다. 링컨의 기다란 몸은 침대가 짧아서 대각선으로 뉘어져 있었다. 그 침대 위로 론자 보뇌르의 유명한 그림인 '말 시장'의 싸구려 복사판이 걸려 있었고 희미한 가스등의 불빛이 누런색을 발하고 있었다. 이 안타까운 광경을 지켜보고 있던 국방장관 스텐튼이 말했다.

"여기에 세상에서 가장 완전하게 인간을 다스렸던 사람이 누워 있다."

사람을 잘 다루기로 유명한 링컨은 어떤 식으로 사람들을 관리했을까. 나는 지난 10년 동안 계속해서 링컨의 삶에 대해 연구해 왔다. 나는 링컨의 인간성과 사생활에 대해 어느 누구 못지않게 상세하고 철저하게 연구했으며 '세상에 알려지지 않은 링컨'이라는 제목의 책을 3년여에 걸쳐 집필하기도 하였다. 특히 링컨의 사람 다루는 방법에 대한 연구는 숙고하였다.

링컨도 남을 비판하기를 좋아했을까? 그렇다. 젊은 시절의 링컨은 남을 비평하기를 즐겨했을 뿐만 아니라 조롱하는 편지나 시를 써서 많은 사람들이 다니는 길거리에 뿌리고 다니기도 하였다. 그러한 편지 때문에 평생 링컨을 증오하는 사람도 생겼다. 또한 링컨은 그의 반대파 인사들에 대한 비판을 신문지상에 기고하곤 했는데 그 내용이 지나쳐 큰 말썽을 일으켰다.

1842년 가을. 제임스 쉴즈라는 정치가는 허영심이 많고 싸우기를 좋아하였다. 링컨은 그를 대상으로 《스프링필드 저널》지에 익명의 편지를 보내 인신공격하였다. 신문에 게재된 내용으로 사람들의 비웃음을 산 쉴즈는 분통을 터뜨리며 수소문 끝에 투서한 자가 링컨으로 밝혀지자마자 당장 달려가 결투 신청을 하였다. 링컨은 결투를 하고 싶지 않았고 결투에 반대하고 있었으나 피할 수는 없었다. 명예가 걸려 있는 문제였기 때문이다.

결투를 하기 위한 무기를 선택해야 했다. 남보다 긴 팔의 장점을 살리려고 기병대의 장검을 선택하였고 웨스트 포인트 졸업생에게 개인교습까지 받았다. 드디어 결투의 날. 링컨과 쉴즈는 미시시피 강변 모래사장 위에서 맞섰다. 죽고 죽이는 결투가 막 시작되려는 찰나 입회인들의 중재로 결투는 중지되었다.

이 사건은 링컨의 생애에 있어서 기억하기 싫은 몸서리 처지는 일이었다. 이후로 그는 사람을 대하는 방법에 대하여 귀중한 교훈을 얻게 된다. 두 번 다시 남을 모욕하는 편지를 쓰지 않았고, 남을 비웃지도 않았다. 비난이란 결코 자신에게 티끌만 한 도움도 안 된다는 것을 스스로 터득한 것이다.

남북전쟁 당시 링컨은 포토맥 지구의 사령관을 몇 번씩이나 임명하지 않으면 안 되었는데 이는 포프, 후커, 미드, 맥클래란, 번사이드 같은 장군들의 패전으로 링컨을 비관적인 상황에 몰아넣기 때문이었다. 국민들은 무능한 장군들을 통렬히 비난했다. 그러나 링컨은 '누구에게도 악의를 품지 말고 모두를 사랑하자'는 마음으로 침묵을 지켰다. 그리고 평소 좋아하는 인용구를 되뇌었다. '남을 심판하지 말라. 그러면 너희도 심판받지 않을 것이다.'

링컨은 주위 사람들이 남부 사람들을 나쁘게 얘기할 때면 이렇게 말했다.

"그들을 탓할 수만은 없네. 우리도 그 상황이었다면 같은 행동을 취했을 걸세."

1863년 7월 1일부터 3일간에 걸쳐 벌어진 게티스버그 전투는 북군의 우세로 기울어지기 시작했다. 남군을 이끌던 리 장군은 엎친 데 덮친 격으로 폭풍우가 몰려오자 남쪽으로 후퇴하기 시작했다. 포토맥에 도착했을 때, 강물이 범람하여 더 이상은 움직일 수 없었다. 뒤에서는 승승장구한 북군의 추격이 있고 앞에는 한 발자국도 나아갈 수 없는 강물이 막고 있고. 이 궁지에서 탈출할 방법은 없었다.

보고를 받은 링컨은 리 장군의 군대를 생포해 즉각 남북전쟁을 끝낼 수 있는 절호의 기회가 왔다고 쾌재를 불렀다. 희망에 부푼 링컨은 미드 장군에게 즉각 리 장군을 공격하라고 명령했다. 그러나 미드 장군은 명령에 따르지 않았다. 미드 장군은 공격하는 것을 정면으로 거부했으며 시간을 지연시켰다. 결국 시간이 흘러 범람했던 강물은 줄어들었고 리 장군은 병력과 함께 포토맥 강을 무사히 건너 퇴각할 수 있었다.

"도대체 이게 어찌된 일이냐?" 링컨은 격노하여 아들 로버트에게 소리쳤다.

"빌어먹을! 적은 독 안에 든 쥐였는데. 그런 상황에선 어떤 장군이라도 리의 군대를 격파시켰을 거야. 나라도 그를 생포할 수 있었을 게다. 그런데 내가 한 말이나 행동 어느 것도 군대를 움직이게 할 순 없었어."

낙담한 심정으로 링컨은 미드에게 다음과 같은 편지를 썼다. 이때의 링컨의 말씨는 매우 조심성 있었다는 것을 참고로 말해 둔다. 그러나 1863년에 쓴 이 편지는 화가 날대로 난 상태에서 쓴 것임에 틀림없다.

친애하는 장군께.

나는 리 장군의 탈출이 가져온 사태의 중요성을 귀하가 바르게 인식하고 있다고는 생각하지 않습니다. 리 장군은 우군의 수중에 들어와 있었으며, 그를 추격만 했더라면 우리의 최근 승전들과 관련시켜 볼 때 전쟁은 종결됐을 것이 틀림없습니다. 그럼에도 이 좋은 기회를 놓친 현재에는 전쟁 종결의 전망은 전혀 보이지 않게 되었습니다. 귀하로서는 지난 월요일 적장 리 장군을 공격하는 것이 가장 현명했던 것입니다. 그것을 하지 못했으므로 그가 강을 건너 도망간 지금 그

를 공격한다는 것은 절대로 불가능할 것입니다. 지금
은 그날 병력의 3분의 1밖에는 쓸 수 없기 때문입니
다. 앞으로 귀하의 활약을 기대한다는 것은 무리한 것
으로 여겨지며 나 또한 그것을 기대하지 않습니다. 귀
하는 천재일우의 좋은 기회를 놓치고 만 것입니다. 그
때문에 나는 더할 수 없는 실망을 느끼고 있습니다.

미드 장군이 편지를 읽고 어떻게 생각하였을까.

미드 장군은 그 편지를 받지 못했다. 링컨이 편지를 보내
지 않았기 때문이다. 그 편지는 링컨이 죽은 후 그의 서류
함 속에서 발견되었다.

이것은 나의 추측이지만, 링컨은 이 편지를 쓰고 나서 창
밖을 내다보며 이렇게 중얼거렸을 것이다.

"참자. 서둘지 않는 편이 나을 것 같다. 여기 백악관의 방
에 앉아 미드 장군에게 공격 명령을 내리는 것은 쉬운 일이
다. 그러나 전장인 게티스버그에 직접 가서 미드 장군이 본
것과 같은 유혈을 보고, 죽어가는 병사들의 비명과 신음소
리를 들었다면 나도 선뜻 공격명령을 내리지 못했을지도

모른다. 미드 장군과 같은 행동을 취하지 않을 수 없었을 것이다. 어쨌든 이제 그 일은 지나간 일이다. 이 편지를 보내면 내 마음이야 어느 정도 누그러지겠지만 미드 장군으로 하여금 자신의 정당성을 주장하게 만들 것이고 도리어 나를 비난하는 계기로 삼을 수도 있다. 또한 서운한 감정을 불러일으킬 것이고, 사령관으로서의 그의 직무 수행을 방해하여 결국 군을 떠나지 않으면 안 되게 될지도 모르는 일이다."

이러한 생각들로 링컨은 편지를 보내지 않았다.

링컨은 신랄한 비난과 힐책은 대개의 경우 아무 소용이 없음을 깨달았기 때문이다.

시어도어 루즈벨트는 재임 중 난관에 봉착하면 거실에 걸려 있는 링컨의 초상화를 바라보며 자신에게 물었다고 한다.

"링컨이라면 어떻게 했을까. 그는 이런 문제를 어떻게 풀어 나갔을까?"

'톰 소여의 모험'으로 유명한 마크 트웨인은 울화통이 터질 때마다 욕설로 가득 찬 편지를 썼다. "당신과 같은 사람에게 필요한 것은 매장 허가증이오. 필요하면 내가 당장이라도 얻도록 주선하겠소." 또 어떤 때는 그의 철자와 구두점을 고쳐 보려고 시도한 교정 직원의 담당 편집자에게 "지금부터는 내 원고를 고칠 생각을 말 것이며, 그따위 건방진 생각은 그 곯은 머릿속에 놔두라고 충고하시오."라고 명령하였다.

이러한 신랄한 편지는 마크 트웨인을 기분 좋게 만들었다. 편지들은 그의 울화를 충분히 해소시켰지만, 아무에게도 해를 입히진 않았다. 그 편지들은 보내지지 않았다. 그의 아내가 남편 몰래 편지를 빼놓았기 때문이다.

당신은 남의 결점을 보완, 개선시켜 주고 싶은 생각을 갖고 있는가. 그것은 참으로 좋은 일이다. 그런 마음에 동의한다. 그러나 자기 자신에게는 왜 그렇게 하지 않는가. 순수한 자기 본위적인 관점에서 볼 때, 이는 선불리 남을 개선하기보다는 이득이 훨씬 많고 상대적으로 위험이 적은 것이다.

동양의 현인 공자는 말했다.

"사람의 잘못은 그 자신의 인간관계에서 비롯된다. 남의 잘못을 보면 돌이켜 자신을 반성하라."

젊은 시절 나는 사람들에게 강한 인상을 주려고 객기를 부렸고, 당시 미국 문단의 인기 작가였던 리처드 하딩 데이비스에게 어리석은 편지를 보낸 적이 있었다. 나는 작가들에 관한 잡지기사를 취재 중이었으며 데이비스에게 보낸 편지는 창작 방법에 대한 기사를 이야기해달라는 내용이었다.

편지를 보내기 몇 주일 전, 나는 편지 끝에 다음과 같은 단서가 붙은 편지를 받은 적이 있었다.

'구술은 했으나 읽어보지는 않았음.'

나는 그 말에 깊은 감명을 받았다. 나는 그 글을 쓴 사람이 대단한 거물이며 매우 바쁜 일정에 쫓기는 비중 있는 사람이라고 생각했다. 나도 그렇게 되고 싶었다.

나는 리처드 하딩 데이비스에게 강렬한 인상을 남기고 싶었기 때문에 조금도 바쁘지 않았으나 편지 말미에 '구술은 했으나 읽어보지는 않았음'이라는 단서를 붙였다. 데이비스는 그 편지에 답장을 보내는 수고는 결코 하지 않았다. 다만 편지 하단에 몇 자 써넣었을 뿐이었다.

"무례한 짓은 적당히 하게."

내가 무례한 짓을 한 것은 사실이다. 비난을 받을 만도 했다. 그러나 나는 한 인간으로서 매우 서운했다. 그 원망스러움은 10년 뒤 데이비스가 사망했다는 기사를 읽었을 때, 내 마음속에 앙금으로 남아 있던 생각은─시인하기 부끄러운 일이지만─그가 나에게 입혔던 상처였다.

죽을 때까지 남에게 원망을 듣고 싶은 사람이라면 남을 신랄하게 비판하라. 그 비판의 강도가 세면 셀수록 효과는 더 커진다.

사람들을 대하는 경우 상대를 논리의 동물이라고 착각하면 안 된다. 사람은 감정의 동물이고 편견에 가득 차있으며 자존심과 허영심에 의해 행동한다는 것을 결코 잊지 말아야 한다는 것이다.

『테스』를 쓴 소설가이자 시인, 극작가인 토머스 하디가 영구히 소설을 쓰지 않게 된 것은 마음에 없는 비평 때문이었으며, 영국의 천재 시인 토마스 채터튼을 자살하게 한 것도 비평 때문이었다.

미국 건국의 아버지 중 한 명인 벤자민 프랭클린은 젊은 시절 무분별하기로 소문났었다. 그러한 그가 외교적 수완과 사람을 능숙하게 다루는 기술로 후에 프랑스 주재 미국 대사가 되었다. 그의 성공비결은 무엇이었을까.

"나는 상대의 단점을 결코 얘기하지 않는다. 장점에 대해서만 얘기한다."라고 그는 말했다.

상대에 대해 비난하고 비판하며 불평을 일삼는 것은 바보들만이 할 짓이다. 그러나 이해하고 용서하기 위해서는 인격과 극기심이 필요하다.

"위인은 소인을 다루는 태도에서 그 위대함을 발휘한다."고 칼라일은 말했다.

유명한 시험 비행사인 밥 후버는 샌디에이고에서 에어쇼를 끝내고 F-51 비행기로 로스앤젤레스의 집으로 돌아가고 있었다. 그는 《비행 기술》이라는 잡지에서 300피트 상공에서 일어난 그때의 긴박했던 순간에 대해 말했다. 갑자기 엔진이 멈춘 상황에서 무사히 기체를 착륙시킨 일을 두고 한 말이다.

일촉즉발의 위기 상황에서 비상 착륙을 한 뒤, 후버는 곧바로 엔진을 체크하였다. 그가 예측했던 대로 연료탱크에는 휘발유가 아닌 제트 연료가 들어 있었다. 그는 곧 비행기를 정비한 정비사를 불러오라 하였다. 젊은 정비사는 자신의 실수로 몹시 고민하고 있었으며 후버가 갔을 때 그의 얼굴은 눈물로 얼룩져 있었다. 자신의 크나큰 실수로 세 사람의 목숨과 비싼 비행기를 잃을 뻔했던 것이다. 후버의 분노는 오죽했으랴. 모두가 정비사에 대한 후버의 질책이 단호하리라고 생각했다. 그러나 그는 욕설도 없었고 책망조차 하지 않았다. 오히려 정비사의 어깨를 다독이며 이렇게 말했다.

"자네가 이번 같은 실수를 다시는 저지르지 않을 것이라는 것을 난 확신하네. 앞으로도 F-51은 자네가 맡아서 정비해 주게."

부모들은 흔히 자녀들의 눈에 차지 않는 행동들에 대해 가차 없는 비난을 하고 싶어 한다. 그러나 나는 그러한 부모들에게 이런 말을 권하고 싶다.

"자녀들을 비판하기 전에 미국 저널 잡지의 고전 중 하나인 '아버지를 잊어버린다'를 읽어보십시오."

《피플즈 홈 저널》지에 사설로 게재되었던 내용을 저자의 동의를 얻어 요약한 내용으로 옮겨 싣는다.

'아버지는 잊어버린다'는 진지한 내용을 단숨에 써 내려간 짧은 글로 많은 독자의 심금을 울리는 인기 글이다. 작가 W. 리빙스턴 라니드에 의해 발표된 이래 여러 잡지, 가정지, 일간신문 등에 수백 번 게재되었으며 모든 외국어로 번역, 출판되었다. 내용은 다음과 같다.

아버지는 잊어버린다.
W. 리빙스턴 라니드

아들아, 내 말을 듣거라. 나는 네가 잠들어 있는 동안에 이야기하고 있단다. 너의 작은 손은 뺨 아래에 끼어 있고 금발의 곱슬머리는 땀이 촉촉하게 배어 있는 이마에 붙어 있구나. 나는 네 방에 몰래 혼자 들어왔다. 조금 전 서재에서 독서를 하는 중에 후회의 거센 물결이 나에게 덮쳐왔단다. 나는 죄책감을 느끼며

네 잠자리를 찾아왔다.

아들아, 내가 생각해 오던 몇 가지 일이 있단다.

나는 너한테 너무 까다롭게 대해왔다. 아침에 일어
나면 얼굴에 물만 찍어 바른다고 하면서 등교준비를
하는 너를 꾸짖곤 했지. 신발을 아무렇게나 벗어 놓는
다고 너를 비난했고, 물건을 함부로 마룻바닥에 던져
놓는다고 화를 내기도 했었어.

아침 식사 때도 여지없이 난 너의 결점을 들춰냈다.
음식을 잘 씹지 않고 삼킨다거나 음식을 흘린다거나,
또 식탁에 팔꿈치를 올리고 빵에 버터를 바른다는 등.
그러나 너는 학교 교문에 들어설 때 출근하는 날 뒤돌
아보며 손을 흔들며 말했지.

"아빠, 잘 다녀오세요."

그때도 나는 얼굴을 찌푸리며 대답했지.

"어깨를 펴고 걸어!"

얘야, 기억하고 있니? 내가 서재에 있을 때 너는 경
계의 빛을 띠고 겁먹은 얼굴로 들어왔었잖니? 일을
방해당한 것에 짜증을 내면서 서류에서 눈을 뗀 나는

망설이고 서 있는 너에게 무슨 일이냐고 퉁명스럽게 말했지. 너는 아무 말도 없이 나에게 달려들어 두 팔로 내 목을 껴안고 키스를 했어. 너의 조그만 팔은 하나님이 네 마음속에 꽂피운 애정을 듬뿍 담아 나를 꼭 껴안았지. 그것은 어떠한 냉담함에도 시들 수 없는 애정으로 가득 차 있었단다. 그러고서 넌 문 밖으로 나가 계단을 쿵쾅거리며 네 방으로 뛰어 올라갔어.

쥐고 있던 서류를 마룻바닥에 떨어뜨리고 무서운 공포가 나를 엄습한 것은 바로 그 직후의 일이었단다. 내가 왜 이렇게 나쁜 버릇을 갖게 되었을까. 잘못만을 찾아내 꾸짖기만 하는 버릇을. 그것은 너를 착한아이로 만들려고 하다가 생긴 버릇이란다. 널 사랑하지 않아서 그런 게 아니야. 어린 너한테 너무 많은 것을 기대한 데서 생긴 불찰이야. 아빠는 아빠의 어린 시절을 바탕으로 널 재고 있었던 거란다. 너는 착하고, 따뜻하고, 진솔한 성격을 갖고 있는 착한 아이야. 너의 작은 가슴은 넓은 언덕 위를 비추는 새벽빛처럼 한없이 넓단다. 그것은 순간적인 생각으로 나에게 달려와 키스를 하던 네 행동에 잘 나타나 있어. 오늘 밤엔 다른 것이 필요 없구나. 애야, 나는 어두운 네 방에 들어와 무릎을 꿇고 나 자신을 부끄러워하고 있다.

이것은 작은 속죄에 불과할 뿐이야. 네가 깨어 있을 때 이야기해도 너는 내말을 이해하지 못하리라는 것을 나는 잘 알고 있다. 이제부터 나는 참다운 아버지가 되겠다. 너와 사이좋게 지내고, 네가 고통을 당할 때 같이 괴로워하고, 네가 웃을 때 나도 웃겠다. 너를 꾸짖는 말이 튀어나오려고 하면 혀를 깨물겠다. 그리고 의식적으로 계속 되뇌어야지. "우리 애는 착한 어린아이에 불과하다"고.

너를 어른처럼 대해 온 것을 부끄럽게 생각한다. 지금 네가 침대에서 천진난만하게 자는 모습을 보니 너는 아직 갓난애에 지나지 않는다는 것을 알겠구나. 어제까지 너는 엄마의 품에 머리를 기대고 옹알이를 했었지. 내가 너한테 너무나 많은 것을 요구했었어. 너무나도 많은 것을.

"왜 그런 행동을 했을까?"

사람들을 비난하기 전에 그들을 이해하려고 노력하는 생각을 가져보자. 그것은 비판보다는 훨씬 유익하고 흥미 있는 일이다. 또한 그것은 관용과 동정과 우애를 길러준다.

"모든 것을 안다는 것은 모든 것을 용서하는 것이다."라고 존슨 박사가 말한 것처럼, 하나님께서도 인간이 죽을 때까지 심판하지 않는다고 했다. 그런데 우리는 왜 심판하려고 하는가. 심판할 자격은 있는가?

원칙1
비난이나 비평, 불평을 하지 말라.

2
칭찬은
무쇠도 녹인다

누군가에게 어떠한 일을 하게 하기 위해서는 단 한 가지 방법밖에 없다.

단 한 가지 방법, 그렇다. 그것은 그 일을 스스로 원하여 하도록 하는 방법이다. 이것 이외에는 달리 방법이 없다는 것을 명심하라. 가슴에 권총을 들이대고 시계를 풀도록 할 수는 있다. 직원들에게 해고하겠다고 위협하거나 감시의 눈을 부릅떠 강압적으로 일의 협력을 강제할 수도 있다. 매질이나 협박 따위로 아이들에게 억지로 일을 시킬 수도 있을 것이다. 그러나 이러한 강압적인 방법은 결코 바람직하지 못하며 오히려 증오의 반발만을 일으키게 된다.

상대를 움직이게 하려면 상대가 바라고 원하는 것을 안겨주는 것이 가장 좋은 방법이다. 당신이 바라고 원하는 것은 무엇인가?

정신분석학파의 창시자 프로이드의 말에 의하면 모든 일은 두 가지 동기에서 나온다고 했다. 즉 성적인 욕구와 위대해지고 싶은 욕망이다.

미국의 위대한 철학자 중 한 사람인 존 듀이는 이것을 약간 달리 표현했다. 인간성의 내부에 존재하는 가장 강렬한 갈망은 '중요한 사람이 되려는 욕망'이라고 말했다. 중요한 사람이 되려는 욕망, 이 문구를 명심해 두도록 하라. 의미심장한 말이다. 이제부터 그것에 대해 깊이 있게 생각해 보고자 한다. 인간은 많은 것을 원하진 않으나 부정할 수 없는 강렬한 욕구로 인하여 추구하는 것이 몇 가지 있다.

1. 건강과 장수

2. 음식

3. 수면

4. 돈과 돈으로 살 수 있는 것

5. 내세의 생명

6. 성적 만족

7. 자녀들의 행복

8. 중요한 사람이 되려는 욕망

이상의 모든 욕구는 대개 충족될 수 있다. 그러나 한 가지 예외가 있다. 좀처럼 만족될 수 없는 욕구. 그것은 프로이드가 말한 '위대해지고 싶은 욕망'이며 듀이 박사가 '중요한 사람이 되려는 욕망'이라고 한 말이다.

언젠가 링컨은 편지 첫머리에 '모든 사람은 칭찬 듣기를 좋아한다'라고 쓴 적이 있다. 윌리엄 제임스는 '인간성에 있어서 가장 심오한 원칙은 다른 사람으로부터 인정받고자 하는 갈망이다'라고 하였다. 여기서 그가 소망이라든가 욕망 또는 동경이라는 단어를 쓰지 않고, 군이 '갈망'이라고 말한 것에 유의하기 바란다.

이것이야말로 인간에게 있어서 '타는 듯한 갈증'인 것이다. 이러한 타인의 갈등을 해소시켜 줄 수 있는 사람은 극히 드물지만, 그 사람이야말로 사람들을 마음대로 움직일 수 있으며 장의사조차도 그가 죽음에 애도를 표할 것이다. 이렇게 자신이 중요하다는 느낌에 대한 욕구는 인간과 동물을 구별하는 가장 큰 차이 중 하나이다.

나는 어린 시절 미주리 주의 농가에서 자랐다. 아버지는 흰머리를 가진 순 혈통 소와 듀록 저지종의 우량종 돼지를 키우고 있었다. 우리는 흰머리 소와 돼지를 지방 각지의 가축 쇼와 품평회에 참가시켜 여러 번 1등 상을 탔다. 아버지는 1등 상들을 흰 모슬린 천 위에 파란 리본으로 눌러놓고 친구들이나 손님들이 오면 자랑스럽게 보이곤 했다. 아버지가 자랑하는 동안 나는 아버지를 도와 천의 한쪽 끝을 잡고 덩달아 흐뭇하였다. 소나 돼지들은 상에 대하여 전혀 관심 없었으나 아버지는 그렇지 않았다. 그 상들은 아버지에게 자기 중요감을 심어 주었던 것이다.

우리 선조들이 자기 중요감에 대한 욕구가 없었다면 문명이란 존재하지 않았을 것이다. 그러한 욕구가 없었다면 하등동물과 다를 게 뭐 있겠는가.

무식하고 가난에 찌든 한 채소가게 점원을 법률공부에 빠져들도록 만든 것도 그러한 자기 중요감에 대한 욕구였다. 당신은 이 채소가게 점원 이야기를 들었을 것이다. 그의 이름은 에이브러햄 링컨이다.

영국의 소설가 찰스 디킨스에게 불멸의 소설을 쓰게 만든 것도, 명 건축가 크리스토퍼 랜 경에게 위대한 건축물을 설계할 영감을 준 것도, 록펠러로 하여금 막대한 부를 축적하도록 한 것도 모두 자기 중요감에 대한 욕구이다.

이러한 욕구는 도회지의 재산가들에게 필요 이상의 커다란 저택을 짓게 만들었다. 또한 최신 유행 옷을 입고, 최신형 자동차를 타고 다니며 교육받은 똑똑한 자녀들을 자랑하게 만들고 있다.

또한 많은 청소년들이 갱단에 가입하여 범죄활동을 하도록 유혹하는 것도 실은 이러한 욕구가 바탕을 이루고 있기 때문이다. 뉴욕 시경 국장을 지낸 멀루니에 의하면 보통 젊은 범죄자들은 자아의 덩어리로 꽉 차 있어서 체포된 후 그들의 첫 요구는 신문을 보여 달라는 것이었다고 한다. 자신의 범죄를 영웅 취급하여 기사화한 신문을 보면서 스포츠 계의 영웅이나 유명 배우나 정치가들의 사진과 함께 실려 있는 자신의 사진에 흡족해 하며 교도소 복역이나 형기 따위는 먼 세상의 일처럼 생각하는 것이다.

당신이 자기 중요감을 어떻게 충족시키는지 나에게 말해 준다면 난 당신이 어떠한 사람이라는 것을 말해 줄 수 있다. 그것은 당신의 성격을 결정하는 것으로 가장 중요한 일인 것이다.

록펠러는 중국 북경에 최신식 병원을 건립하여 수백만 명의 사람들을 치료하는 데 막대한 돈을 아낌없이 기부함으로써 자기 중요감을 획득했다.

딜린저라는 사나이는 도둑, 은행 강도, 살인자가 됨으로써 자기 중요감을 찾았다. FBI수사관들에게 쫓기던 그는 미네소타 주의 한 농가로 뛰어들며 이렇게 소리쳤다. "나는 딜린저다!" 그는 자신이 민중의 적이라는 사실에 긍지를 느끼고 있었던 것이다. "당신들을 해치지 않겠다. 하지만 나는 딜린저다!"라고 그는 자랑스럽게 말했다.

그렇다. 록펠러와 딜린저를 구분 짓는 중요한 차이점은 그들이 택한 방법이다.

유명인들이 자기 중요감을 충족시키기 위해 애쓴 흥미 있는 에피소드 몇 가지를 들어보자.

콜럼버스는 '해군 제독 및 인도 총독'이란 칭호를 탐냈으며 조지 워싱턴도 '미합중국 대통령 각하'라고 불리길 원했다. 러시아의 캐더린 여왕은 '여왕 폐하'라는 칭호가 없는 편지는 뜯어보지도 않았다. 링컨 부인은 백악관 시절, 그랜트 장군의 부인을 사납게 노려보며 "내가 앉기도 전에 내 앞에서 의자에 앉다니, 괘씸하군!" 하고 매섭게 소리쳤다.

미국의 백만장자들은 1928년 버드 제독이 이끄는 남극 탐험대의 자금 지원을 남극의 빙산에 자신들의 이름을 붙여 준다는 조건하에 들어줬다. 레미제라블의 빅토르 위고는 파리 시의 이름을 자신의 이름으로 바꾸려는 엄청난 야심을 보이기도 했다. 문호 셰익스피어도 가문을 위한 문장을 획득함으로써 자신의 이름에 영광을 더하려고 노력했다.

동정과 주의를 끌어 자기 중요감을 채우기 위해 병을 앓는 사람들도 있다. 맥킨리 부인은 자기 중요감을 만족시키기 위해 대통령인 남편으로 하여금 국사를 미루고라도 자신이 잠들 때까지 몇 시간이고 침대 옆에서 간호하게 하였다. 이빨을 치료받을 때도 남편을 옆에 두려고 하였는데, 어느 날 남편이 국무장관과의 긴급한 면담을 위해 그녀를 치과 의사에게 맡겨두고 자리를 떠났을 때 한바탕 소동을 벌이기도 했다.

작가인 라인하트는 젊고 활기 찬 한 여성이 자기 중요감을 얻기 위해 병을 앓게 된 얘기를 들려줬다. "어느 날 그 여성은 원인을 알 수 없는 어떠한 문제에 부딪혔는데 그녀의 나이 때문이었었나 봐요. 혼기를 놓치고 희망 없는 고독한 세월을 보내면서 기대할 거라곤 전혀 남아 있지 않았지요. 결국 그녀는 몸져눕고 말았어요. 그 후 10년간 그녀의 노모는 음식 접시를 들고 3층까지 오르내리며 정성껏 간호했어요. 그러던 어느 날, 나이 든 노모는 쓰러져 죽고 말았지요.

그녀는 비탄에 젖어 몇 주일 동안 괴로워했어요. 그리고 결국엔 침대에서 일어나 전과 다름없는 건강한 삶을 되찾았습니다."

전문가에 의하면, 사람들은 각박한 현실에서 거부당해 자기 중요감을 상실했을 때, 환상의 세계에서 만족을 얻으려고 실제로 미치는 경우가 허다하다고 한다. 미국에는 정신 질환으로 고통받는 환자가 다른 모든 질병 환자를 합친 것보다 많다고 한다.

정신이상의 원인은 무엇일까?

이러한 막연한 질문에 그 누구도 선뜻 대답할 수는 없지만, 우리는 매독 같은 종류의 병이 뇌세포를 파괴하여 정신 질환을 일으킨다는 것을 알고 있다. 모든 질환의 절반가량은 뇌 조직 장애, 알코올, 독극물, 외상 같은 신체적 원인에 의해서 발생한다. 그러나 나머지 절반은—이것이 이 이야기의 놀라운 부분이다—명백히 뇌 조직과는 무관하다는 것이다. 해부를 하거나 초정밀 현미경으로 그들의 뇌세포를 연구해 보아도 보통 사람의 뇌 세포와 아무런 차이가 없다.

그렇다면 그 사람들은 왜 정신이상을 일으켰을까?

일류 정신 병원 원장에게 그 이유를 물어봤다. 그 분야에서 최고의 영예와 학위를 받은 그 의사는 환자들이 왜 정신 이상을 일으키는지 솔직히 자기도 모른다고 했다. 그러나 많은 사람들이 현실에서 충족되지 않는 자기 중요감을 찾기 위해 정신병 환자가 된다고 말하면서, 나에게 이런 얘기를 들려줬다.

"지금 나의 병원에 결혼에 실패한 환자가 한 분 있습니다. 그녀는 완전한 사랑과 자녀와 사회적 지위를 갈망했습니다. 그러나 그러한 꿈은 산산이 부서지고 말았지요. 그녀의 남편은 그녀를 사랑하지 않았고, 함께 식사하는 것조차 거부하며 2층의 자기 방으로 식사를 가져오도록 명령했다는 겁니다. 그녀에겐 아무것도 없었습니다. 귀여운 자녀들도 사회적 지위도, 결국 그녀는 정신분열증을 일으켜 상상속에서 남편과 이혼하고, 처녀 시절의 이름을 쓰며 아직도 처녀라고 믿고 있었습니다. 지금은 영국 귀족과 결혼을 했다고 믿으면서 자신을 스미스 백작 부인으로 불러달라고 하고 있습니다. 그리고 자녀에 대해서는 매일 밤 새 아기를 낳았다고 상상하고 있어서 내가 갈 때마다 '의사 선생님, 저는 어젯밤에 아기를 낳았어요.'라고 말해요."

그녀의 꿈을 가득 실은 배는 현실이라는 암초에 부딪쳐 모조리 산산조각이 났지만, 또 다른 꿈을 실은 배는 광기라는 휘황한 공상의 세계 속에서 순풍에 돛을 달고 서서히 다음 항구에 안착하고 있는 것이다.

그 의사는 이렇게 말했다.

"설령 내게 그녀를 제정신으로 돌아오게 할 수 있는 능력이 있다 해도 나는 결코 그렇게 하지 않을 것입니다. 그녀는 지금 그대로가 훨씬 더 행복하니까요."

만일 어떤 사람이 자기 중요감을 얻기 위해 실제로 미쳐버릴 정도로 그것을 갈구하고 있다면, 광기의 사람을 정당하게 평가함으로써 어떤 기적을 이루어낼 수 있을 것인가 상상해 보라.

찰스 슈왑은 미국 실업계에서 최초로 연봉 100만 달러 이상을 받은 사람 중 한 사람이다. 당시는 일주일에 50달러를 받으면 높은 봉급으로 생각되던 때였다.

슈왑은 불과 38세 때인 1921년에 앤드루 카네기에 의해 채용되어 신설된 '미국 강철 회사'의 사장이 되었다. 그 후 회사를 나와 고전을 하고 있던 '베들레헴 강철 회사'를 인수하여 미국에서 가장 수익 높은 회사로 재건시켰다.

앤드루 카네기는 찰스 슈왑에게 연봉 100만 달러, 즉 하루에 3,000달러 이상의 급여를 왜 지불했을까. 슈왑이 천재였기 때문에? 아니다. 제철의 최고 권위자였기 때문에? 그것도 아니다.

슈왑은 자기보다 강철 제조에 관하여 훨씬 더 많이 알고 있는 사람들을 직원으로 채용하고 있다고 말했다. 그는 사람들을 움직이는 자신의 능력 덕택에 그와 같은 많은 봉급을 받을 수 있다고 하였다. 나는 그에게 사람을 다루는 방법에 대하여 물었다.

다음은 그가 말한 비결이다. 이 말이야말로 동판에라도 새겨 미국의 모든 가정과 학교, 사무실과 상점 등에 걸어 놓아야 할 것이며, 학생들이 라틴어의 동사 변화나 브라질의 연간 평균 강우량을 외우는 데 시간을 낭비하는 대신 이 말을 기억해야 될 것이다. 우리의 활용 여하에 따라 우리 인생의 전환점을 마련할 수 있는 명언이다.

"나에게는 사람들로부터 열정을 불러일으키게 하는 능력이 있는 것 같습니다. 그것은 내가 소유하고 있는 것 중 가장 중요한 재산입니다." 얘기는 계속되었다.

"사람들에게 그들 최고의 가능성을 계발하게 할 수 있는 동기는 격려와 칭찬입니다."

"상사로부터 질책을 당하는 것만큼 인간의 향상심을 해치는 것은 없습니다. 나는 결코 누구도 비판하지 않습니다. 대신 사람들에게 일을 할 수 있는 동기부여가 주어져야 한다고 생각하고 있어서, 가능한 한 칭찬하려고 노력하고 결점을 들추어내는 것을 절대 금기시합니다. 상대가 한 일이 마음에 들면 진심으로 찬사를 보내고 아낌없이 칭찬합니다."

이것이 바로 슈왑의 행동 철학이다. 그러나 보통 사람들은 어떻게 하는가. 정확하게 그 반대로 한다. 일을 마음에 들지 않게 했을 땐 무자비하게 몰아세운다. 그렇다면 잘했을 땐? 칭찬은커녕 입 꽉 다물고 모르쇠로 아무 말도 하지 않는다.

"사업 관계로 세계 각국의 저명인사들을 만났는데 아무리 훌륭하고 지위가 높은 사람일지라도 잔소리를 들으며 하는 일보다 칭찬을 들으면서 하는 일이 즐겁고 능률도 나고 스스로 더 노력을 기울인다는 것을 발견했습니다." 슈왑의 말이다.

슈왑의 말이야말로 앤드루 카네기가 대성공을 이룬 중요한 이유 중 하나인데 카네기는 공석, 사석을 막론하고 직원들에 대한 칭찬을 아끼지 않았다. 자신의 묘비에까지 직원들의 칭찬을 써넣었는데 그 내용은 다음과 같다.

'자기보다도 현명한 사람들을 주변에 모이게 하는 법을 터득한 자, 이곳에 잠들다.'

사람들을 다루는 데 있어서 존 D.록펠러 1세가 거둔 성공비결 중 하나가 바로 진심에서 우러나오는 감사였다. 사업 동료 중인 한 사람이 물건을 잘못 구입하여 회사에 100만 달러의 손해를 입혔다. 그는 비난받아 마땅하였다. 그러나 록펠러는 그가 최선을 다 했다는 것을 알고 있었고 사건은 이미 끝나 있었다. 그래서 그는 오히려 칭찬거리를 찾았다. 록펠러는 그가 투자한 돈 가운데 60퍼센트를 회수하게 된 것을 축하했다.

"훌륭하네. 그만큼 회수하게 된 것도 큰 수완이야." 하고 록펠러는 말했다.

　내가 수집한 기사 중에 실제 이야기는 아니지만 그것이 진실을 말해주기 때문에 소개해 본다.

　한 농장의 주부가 하루의 고된 일을 마치고 돌아와 식탁에 둘러앉아 있는 가족 앞에 건초더미를 던지듯 올려놓았다. 황당한 가족들은 화를 내며 미쳤느냐고 소리치자, 그녀는 이렇게 대답했다.

　"그게 어떻게 건초더미인 줄 알았지? 지난 20년 동안 나는 당신들을 위해 음식을 만들어 받쳐왔는데, 당신네들이 건초를 먹지 않는다는 이야기는 한 번도 들어본 적이 없는 걸."

　가출을 한 주부들에 대하여 연구를 한 적이 있는데, 주부들이 집을 나가는 큰 이유가 무엇이라고 생각하는가. 그것은 바로 '칭찬의 부족'이었다. 집 나간 남편들도 마찬가지 이유일 것이라는 것이 틀림없는 내 생각이다. 우리는 흔히 배우자에게 감사한 마음을 말하지 않는 것을 너무나 당연시하고 있다.

우리 코스에 들어온 한 사람이 부인의 요구에 대해 이야기했다.

그의 부인은 교회의 자기계발 프로그램에 참여하고 있었다. 어느 날, 자신이 훌륭한 가정주부가 되는데 고쳤으면 하는 필요한 여섯 가지 요구사항을 적어달라고 남편에게 부탁했다. 남편은 그 강좌에서 이렇게 말했다.

"요구사항을 적어달라는 말에 긴장했습니다. 솔직히 말해 아내가 고쳐주었으면 하고 생각하고 있는 여섯 가지를 말하는 것은 쉬운 일입니다. 그러나 제 경우, 내가 고쳤으면 하고 바라는 아내의 요구는 수백 가지는 될 것 같다는 생각이었습니다. 그래서 아내에게 이렇게 말했습니다. 생각할 시간이 필요하니 내일 아침에 대답하겠소.

이튿날 아침. 나는 꽃집에 전화를 걸어 붉은 장미 여섯 송이를 아내에게 보내달라고 부탁했습니다. 꽃다발에는 카드 한 장을 덧 붙였지요.

'당신에겐 고쳐야 할 것이 하나도 없소. 난 지금 그대로의 당신 모습을 사랑하오.'

그날 저녁 집에 도착했을 때 누가 집 문 앞까지 마중 나왔을 거라고 생각하십니까. 물론 눈물을 가득 담은 사랑스런 눈으로 절 쳐다보고 있는 저의 아내였지요. 아내의 말대로 요구사항 여섯 가지를 적지 않은 것이 무척 다행이란 생각이 들었습니다.

일요일, 교회에서 아내의 과제에 대한 발표가 있은 후 아내와 함께 연구하던 몇몇 여성들이 저를 찾아와 이렇게 말했습니다. '우리가 들은 것 중 가장 사려 깊은 대답이었습니다.' 그때 비로소 저는 찬사의 힘이 얼마나 위대한지 깊이 깨달았습니다."

브로드웨이를 현혹시킨 대흥행사 플로렌즈 지그펠트는 '여성을 미화'시키는 뛰어난 재능으로 명성을 얻었다. 그는 아무도 거들떠볼 것 같지 않은 초라한 소녀를 찾아냈는데, 그 소녀는 무대에 서기만 하면 신비스런 매력을 지닌 여인으로 돌변했다.

칭찬과 자신감의 가치를 알고 있던 지그펠트는 정중한 태도와 깊은 호의를 보임으로써 여성들 스스로 아름답다는 자신감을 갖게 해주었다. 또한 현실적이어서 코러스 걸의 봉급을 주 30달러에서 최고 175달러까지 올려주기도 했다. 공연이 시작되는 첫날에는 쇼의 배우들에게 전보를 보내고, 모든 코러스 걸들에게 화려한 장미꽃과 축전을 보냈다.

단식을 해 볼 호기심으로 6일간 굶어본 적이 있었다. 그다지 어려운 일이 아니었다. 단식 이틀째 되는 날보다 6일째 되는 날이 배가 덜 고팠다. 만일 누군가에 의해서 자기 가족이 6일 동안 음식을 굶게 되었다면 그것은 범죄를 저지르는 것이라고 생각할 것이다. 그런데 음식 못지않게 갈망하고 있는 것. 바로 진심 어린 찬사이다. 그 찬사를 6일간 혹은 6주간 심지어는 60년간이나 아무 생각도 없이 지나쳐 버리는 것이다.

명배우 알프레드 런트가 〈비엔나의 재회〉에서 주인공 역을 맡았을 때 '내가 가장 필요로 하는 것은 나의 자부심을 키워주는 말이다.'라고 했다.

우리는 가족과 회사의 직원들의 신체에 영양분을 주고 있지만 그들의 자부심에 영양분을 주는 데는 얼마나 인색한가. 그들에게 고기나 감자를 주어 에너지를 축적하게 만들지만, 샛별처럼 오랜 세월 동안 그들의 기억 속에서 반짝이게 될 친절한 감사의 말을 하는 데는 인색하다.

폴 하비는 진지한 칭찬이 한 사람의 인생을 어떻게 바꾸는지에 대해서 자신의 라디오 프로 〈남은 이야기〉에서 얘기했다.

디트로이트의 어느 학교 교사가 스티비 모리스라는 학생에게 교실에서 없어진 쥐를 잡는 일을 도와달라고 요청했다. 교사는 어떤 학생도 갖고 있지 않지만 신이 스티비에게만 내려준 재능을 알고 있었던 것이다. 신은 스티비에게 눈을 못 보는 대가로 뛰어난 청각을 내려 주었다.

그러나 그는 이 재능에 대해 칭찬받은 일은 그때가 처음이었다.

오랜 세월이 흐른 후, 스티비는 그때의 그 칭찬이 새로운 인생의 시작이었다고 회상한다. 그때부터 그는 청각 재능을 발전시켜 마침내 '스티비 원더'라는 70년대 가장 훌륭한 팝송가수이자 작곡가가 되었다.

혹자들은 위의 예를 읽고 투덜댈지도 모른다.

"아첨을 하라고? 날더러 비위를 맞추라고? 말도 안 돼! 나도 이미 그런 정도의 수법은 다 써 봤어. 전혀 효과가 없더라고. 적어도 머리에 글줄이나 든 사람들에게는!"

물론 아첨은 분별력 있는 사람에게는 천박하고 이기적이며 무성의한 것으로 받아들일 수 있다. 그러나 세상에는 목 타는 사막에서 물을 찾듯 칭찬에 굶주리고 있는 사람들이 더 많다.

빅토리아 여왕도 아첨을 좋아해 당시의 수상인 벤자민 디즈렐리는 알현할 때마다 아첨을 했다고 고백했다. 그의 수사로는 '흙손으로 벽을 바르듯이' 아첨했다고 한다. 그러나 그는 대영제국의 재상들 가운데 가장 세련되고 인격적이었으며 사교의 천재였다. 물론 그에게 유효했던 방법이 우리에게도 똑같이 적용될 수는 없을 것이다. 결국 아첨은 이익보다 해를 더 많이 안겨줄 것이다. 아첨은 허위이며 위조지폐와도 같아서 그것을 타인에게 넘기면 반드시 곤경에 처하게 된다.

그렇다면, 칭찬과 아첨의 차이는 무엇일까? 그것은 간단하다. 칭찬은 진지하고 아첨은 무성의한 것이다. 한쪽은 마음으로부터 나오는 것이고, 다른 한쪽은 입 사이에서 새어 나오는 것이다. 이기적인 것과 이기적이 아닌 것의 차이이며, 환영받고 배척당하는 차이인 것이다.

멕시코의 영웅 알바로 오브레곤 장군의 동상에는 장군의 현명한 철학에서 따온 그의 신조가 새겨져 있다.

'적을 두려워하기보다 감언으로 아첨하는 자를 두려워하라.'

나는 절대로 감언으로 아첨할 것을 권하는 게 아니다. 내가 말하는 것은 '새로운 생활법'이다.

영국 국왕 조지 5세의 버킹엄 궁의 서재 벽에는 여섯 가지 금언이 걸려 있다. 그중 하나는 이런 내용이다.

'싸구려 칭찬은 하지도 말고 받지도 말라.'

언제 보아도 가치가 있다고 생각되는 아첨에 관한 정의다.

'아첨이란 그 사람에게 그가 생각하고 있는 것을 말해주는 것이다.'

랄프 왈도 에머슨은 "자기가 하고 싶은 말을 하라. 인간은 어떤 말을 해도 본심을 속일 수는 없다."라고 말했다.

만약 아첨으로 모든 일이 해결된다면 아첨 안 할 사람이 없을 것이며, 우리 모두가 인간관계의 전문가로 자처해도 좋을 것이다.

인간은 대부분 자신에 대해 생각하면서 보낸다. 잠시 자기 생각을 접고 다른 사람의 장점에 대하여 진지하게 생각해 보자. 그렇다면 결코 그 사람에게 천박하고 허위에 찬 아첨 따위는 하지 않게 될 것이다.

일상생활에서 쉽게 하지 않는 것이 칭찬하는 일이다. 아이가 좋은 성적을 받아 왔을 때도 칭찬하기를 게을리하며 아이가 과자를 굽거나 처음으로 새집을 만드는 데 성공을 했을 때도 격려에 인색하다. 아이들에게 있어서 부모의 관심이나 칭찬만큼 기쁜 것도 없는데 말이다.

식당의 음식이 맛있었을 때는 주방장에게 맛있다고 얘길 해 주길 바란다. 또한 피로에 지친 판매원이 이례적인 친절을 베푼다면 그 점에 고맙다고 인사를 하라. 성직자들이나 직업적인 강사, 대중연설가들은 청중에게 자신의 모든 것을 쏟아붓고서도 아무런 감사의 말 한마디 듣지 못했을 때의 실망감을 알고 있다. 이러한 직업적인 사람들도 그러한데 우리 가족이나 친구 주변 사람들은 오죽하겠는가.

대인관계에 있어서 우리 주변의 모든 사람들은 칭찬을 갈망하고 있다는 사실을 잊어서는 안 될 것이다. 그것은 모든 인간이 바라고 즐겨하는 본능적인 요구인 것이다.

일상생활 속에서 조금이라도 우호적인 감사의 자취를 남기도록 하자. 그러면 그 작은 우호의 자취가 장밋빛 횃불이 되어 길을 비춰 주는 것을 보고 깜짝 놀랄 것이다.

파멜라 던헴은 업무상 일솜씨가 서툰 직공들을 감독하게 되었다. 한 직공의 하는 일이 신통치 않아 다른 종업원이 놀려대는 것은 물론, 그가 만든 물건을 들고 작업장을 뛰어다니며 핀잔을 주기도 했다. 그것은 여러 가지로 해를 끼쳐 작업장의 생산성을 빼앗고 있었다. 파멜라는 그 직공에게 동기부여를 하기 위해 여러 가지 방법을 시도해 봤으나 소용없었다.

그러던 중 그 직공이 특별히 일을 해낼 때가 있다는 것을 알게 되었다. 그때마다 다른 직공들 앞에서 그를 칭찬했다. 그의 솜씨는 날로 좋아졌고 곧 모든 일을 훌륭하게 해낼 수 있게 되었다. 드디어는 뛰어난 작업 능력으로 다른 직원들도 그를 칭찬해 주며 실력을 인정하기에 이르렀다.

이처럼 비판이나 비웃음이 없는 '정직한 칭찬'은 좋은 결과를 가져다준다. 감정을 상하게 하는 것은 그 사람을 변화시키기는커녕 오히려 적대감만 불러일으킨다.

내가 매일아침에 볼 수 있도록 거울에 붙여 놓은 격언이 있다.

'나는 이 길을 단 한 번만 지나갈 수 있을 뿐이다. 그러므로 사람들에게 좋은 일을 하거나 친절을 베풀 수 있다면 지금 바로 행하겠다. 지체하거나 게을리할 수 없다. 이 길을 다시는 지나가지 못할 것이기에.'

에머슨은 이렇게 말했다.
"내가 만난 모든 사람은 나보다 우수한 사람들이며, 나는 그들에게서 모든 것을 배운다."
그것이 에머슨에게 있어서 진실이었다면 우리 같은 사람에게는 몇 백 배나 더 진실이 아니겠는가. 상대의 장점을 찾아내려고 노력하자. 아첨 따위는 잊어버리자. 솔직하고 진지한 마음으로 칭찬을 하자.

'진심으로 찬사를 보내고 아낌없이 칭찬하자'

그러면 사람들은 당신의 말을 마음속 깊이 소중이 간직하고 인생의 지침으로 삼아 평생을 되뇌일 것이다.

원칙2
솔직하고 진지하게 칭찬하라.

3
상대방의 입장에서
사물을 보라

여름이 오면 나는 가끔 메인 주에 낚시를 간다. 나는 딸기와 초콜릿을 좋아하는데, 물고기는 지렁이가 더 좋은 모양이다. 그래서 낚시 갈 때에는 내가 좋아하는 것보다 물고기가 좋아하는 것을 더 생각하게 되고 챙기게 된다. 낚시바늘에는 딸기나 초콜릿을 매달지 않고 지렁이나 메뚜기를 드리워 놓고 맛있게 먹으라고 말한다. 그런데 왜 사람들에게는 이와 같은 방법으로 대하지 않는가?

이 방법이야말로 제1차 세계대전 당시 영국의 수상인 로이드 조지의 인생처세론이었다.

그에게 잊혀진 지 오래된 지도자들과 달리 현재에도 변함없이 권력의 자리에 앉아 있는 비결에 대해서 물었다. 그러자 그는 한마디로 말하길, 낚시 바늘에 물고기의 입맛에 맞는 미끼를 달아 두는 법을 배운 덕이라고 했다.

우리는 자신이 원하는 것에 대해서만 얘기한다. 그것은 어린애의 장난처럼 유치하고 우스꽝스런 짓이다. 물론 인간은 자신이 원하는 것에 관심을 갖고 그 관심은 영원할 것이다. 그러나 타인은 당신의 관심 따위엔 아무런 흥미도 없다. 모든 세상 사람들도 당신이 그러하듯 자신의 것에만 관심을 갖고 있는 것이다. 따라서 사람을 움직일 수 있는 방법은 그들이 원하는 것에 대해서 얘기하고, 원하는 것을 손에 넣는 비법을 알려주는 것이다. 이것을 등한시하고서는 사람을 움직일 수 없다. 당신이 누구에게 일을 시키려 할 때 이 점을 명심하라.

당신이 자녀에게 담배를 피우지 못하게 하고 싶다면 지루한 설교 따위나 당신의 희망에 대해 얘기를 해선 안 된다. 다만 담배를 피우면 농구 팀에 가입하는 데 지장이 있을 수 있으며 100미터 달리기에서 낙오될지도 모른다는 것을 얘기해줘야 한다.

짐승을 다루는 방법에 대하여 한 가지 예를 들어보기로 하자.

어느 날, 에머슨은 아들과 함께 송아지 한 마리를 외양간에 끌어넣으려고 애를 쓰고 있었다.

그러나 두 사람은 그들이 원하는 방법만으로 송아지를 몰았다. 에머슨은 밀고, 아들은 있는 힘껏 잡아끌었다. 송아지도 그 부자와 똑같은 행위를 하고 있었다. 송아지도 자기가 원하는 것만 생각하고 있기 때문에 네 다리를 버티고 풀밭을 떠나려 하지 않았다. 이 광경을 가정부가 보았다. 그녀는 에세이나 책을 쓸 능력은 없었지만 적어도 이 같은 상황을 해결하는 방법에 있어선 에머슨보다 더 나았다. 그녀는 송아지가 원하고 있는 것을 알아내고 송아지 입 속에 자신의 손을 넣어 빨도록 하고서는 아주 쉽게 외양간으로 끌고 들어갔다.

당신이 태어날 때부터 해 온 모든 행동은 당신이 무엇인가를 원했기 때문에 한 것이다.

당신은 적십자사에 많은 돈을 기부했다. 그 행위의 발로도 이 법칙의 예외는 아니다. 돈을 기부한 것은 도움주기를 원했기 때문이다. 당신은 아름답고 비이기적이며 신성한 일을 하고 싶었던 것이다.

'가난한 형제를 돕는 것은 주님에게 주는 것과 같으니라.'

아름다운 행위로 얻어지는 기쁨보다 돈이 더 좋은 사람은 기부 같은 것을 하지 않을 것이다.

물론 거절하는 것이 창피해서, 또는 그렇게 하기를 요구당했기 때문에 기부할 수도 있을 것이다. 그러나 한 가지 명백한 것은 당신이 무엇인가를 원했기 때문에 기부를 한 것이다.

오버스트리트 교수는 그의 저서 『인간의 행동을 지배하는 힘』에서 이렇게 말했다.

"인간의 행동은 강한 욕구에서 생긴다. 따라서 가정에서나 직장 그리고 학교에서나 정계에서 장차 리더가 되려는 사람에게 해 줄 수 있는 충고는, 사람의 마음속으로부터 강한 욕구를 불러일으키라는 것이다. 그것을 할 수 있는 사람은 전 세계를 얻을 수 있고, 그렇지 않은 사람은 외로운 길을 걷는다."

스코틀랜드의 가난한 노동자였던 앤드루 카네기는 사람을 움직이는 유일한 방법은 그들이 원하고 있는 것에 대해 이야기하는 것이라는 사실을 이미 인생 초기에 깨달았다. 학교라고는 4년 밖에 다니지 않았지만 사람을 다루는 방법에 대해선 누구보다 잘 알고 있었다.

카네기의 형수는 두 아들 때문에 걱정이 많았다. 예일 대학에 재학 중인 두 아들은 자신들의 일에 너무 바쁜 나머지 편지 쓸 시간조차 없어 어머니가 아무리 몸이 달아 편지를 보내도 답장 한 번 하지 않았다는 것이다. 이야기를 들은 카네기는 특별히 답장을 보내라는 요구 없이도 자신은 답장을 받을 수 있다면서 100달러 내기를 제의했다. 내기에 응하는 사람이 나서자 카네기는 별 내용이 없는 잡담 비슷한 편지를 썼다. 다만 추신으로 두 사람에게 각각 5달러씩 보낸다고 썼다. 돈은 보내지 않았다. 답장은 지체 없이 왔다.

"친애하는 숙부님. 보내주신 편지 감사합니다……."

그 다음 문장은 상상에 맡기겠다.

또 다른 예는 우리 강좌의 참가자인 스탠 노바크의 이야기다. 스탠이 집에 돌아오니 막내아들 팀이 거실에서 발버둥 치며 악을 쓰고 있었다. 아들은 다음 날부터 유치원에 가기로 되어 있는데 그것이 싫어서 떼를 쓰는 것이었다. 보통의 대응 방법은 아이를 자기 방안에 가두어두고 유치원에 가겠다고 할 때까지 타이르는 것이었다. 그 방법이 최선책이었다.

그러나 그날 밤에는 그렇게 해보았자 아들을 유치원에 보내기는 틀렸다는 생각이 든 스탠은 조용히 다른 생각해보았다. '유치원에 가고 싶은 마음이 생기려면 어떻게 하는 것이 좋을까.'

스탠은 아내와 큰아들을 불러 앉힌 후 아들이 유치원에서 즐길 수 있는 놀이 즉, 손가락으로 그림 그리기, 노래 부르기, 새로운 친구 사귀기 등 리스트를 만들고 그것을 행동으로 옮겼다.

"우리들은 식탁에 둘러앉아 그 놀이를 시작했습니다. 무관심하던 팀이 곁눈질로 우리를 훔쳐보기 시작하더니 자기도 끼워 달라고 졸랐습니다. '안 돼. 손가락으로 그림을 그릴 수 있으려면 유치원에 가서 먼저 그리는 법을 배워야

해.' 그리고 팀이 알아들을 수 있게 리스트에 있는 놀이에 대하여 재미있게 설명을 해 주었습니다. 다음 날 아침, 일찍 일어나 아래층에 내려가 보니 아들 팀이 의자에 앉아 있는 것이었습니다.

'얘야, 너 여기서 뭐하고 있니?'

'응, 유치원에 가려고 기다리고 있어요. 지각하면 안 되잖아요.'

온 가족의 사랑의 열의가 강제나 억지 설득으로는 해결할 수 없는 팀의 열렬한 의욕을 불러일으킨 거지요."

당신은 언제나 누군가를 설득해야 할 상황에 처할지 모른다. 그때는 말하기 전에 잠시 숨을 가다듬으며 자기 자신에게 물어보라.

'어떻게 하면 이 사람에게 이 일을 하도록 만들 수 있을까.'

이러한 스스로의 질문은 쓸데없는 잔소리나 경솔한 행동을 미연에 방지해 줄 것이다.

계속되는 강의를 위해 매 시즌 20일 동안 밤에만 뉴욕의 한 호텔을 빌려 쓰곤 했다.

어느 계절에는 갑자기 사용료를 3배 가까이 인상하겠다는 통지를 받았다. 그때는 강좌를 알리는 전단지의 배부가 모두 끝나 광고가 모두 나간 상태였다. 나로서는 당연히 인상된 임대료에 불만을 가졌다. 그러나 호텔 담당자에게 얘기를 해봤자 무슨 소용이 있단 말인가. 그들은 자신들의 주장에만 몰입했다. 나는 이틀 정도 지난 다음 지배인을 만났다.

"저는 당신의 편지를 받고 약간 놀랐습니다. 그러나 당신을 탓하고 싶진 않아요. 당신의 입장이라면 나 역시 당신과 같은 행동을 했을 겁니다. 호텔 지배인으로서의 의무는 가능한 한 많은 이익을 올리는 데 있지요. 이익을 올리지 못한다면 해고를 당할 것이고, 또 해고당해야 마땅한 것이지요. 자, 당신이 임대료를 군이 올리겠다면 당신에게 생길 이익과 손해를 따로 적어 비교해 보도록 하지요." 하고 말했다.

그리고 나는 종이의 가운데에 세로로 줄을 긋고 한쪽엔 이익, 다른 한쪽엔 손해라고 적었다. 나는 이익 란의 첫머리에 '큰 홀 비어 있음'이라고 적어 넣었다. 그리고는 말을 계속했다.

"당신은 큰 홀이 비었으니 그곳을 연회장이나 회합을 위해 빌려줄 수 있는 호조건이 생겼습니다. 큰 이익이 기대되지요. 또한 그러한 규모의 모임이라면 시시한 강좌보다는 많은 돈을 지불할 테니까요. 그러나 내가 시즌 20일 동안 밤에 호텔의 대강당을 차지한다면 당신은 분명 이익이 많이 나는 사업을 놓치는 결과가 되겠지요.

자, 이번에는 손해가 나는 부분을 생각해 보기로 하지요. 저는 그 강당을 비워줄 수밖에 없게 됩니다. 당신이 요구하는 임대료를 지불할 수 없기 때문이죠. 저는 부득이 이 코스를 다른 호텔을 물색하여 열 수밖에 없게 되겠죠. 그렇게 될 경우 당신에게도 손해가 가겠지요. 저의 강좌에는 많은 지식인과 문화인들이 참석합니다. 호텔로서는 좋은 선전이지요. 실제로 당신이 5,000달러를 들여 신문에 광고를 낸다고 해도 저의 강좌가 끌어들이는 만큼의 많은 사람들을 호텔로 불러들일 수는 없을 겁니다. 그것만으로도 호텔로서는 커다란 이익이 아닐까요."

나는 이익과 손해가 적힌 종이를 지배인에게 건네주며 말했다.

"당신에게 발생할 이익과 손해를 신중히 검토해서 최종적인 결정을 알려주시기 바랍니다."

다음 날 지배인의 편지 내용은 임대료 인상 건을 당초의 300퍼센트 대신 50퍼센트만을 인상하겠다는 것이었다.

당신은 내가 원하는 것은 한마디도 없이 내가 원하는 것을 얻어냈다는 것에 주목하기 바란다. 나는 처음부터 끝까지 상대방이 원하는 것과 그것을 어떻게 얻을 수 있는지에 관해서만 이야기 했다.

내가 사람들이 흔히 취하는 행동을 했다고 가정해 보자. 그 사람의 사무실로 뛰어 들어가 "전단지의 배부가 이미 끝났고 광고도 나간 지금 임대료를 300퍼센트나 올리다니 이게 무슨 짓이오. 말도 안 되는 얼빠진 짓이지. 한 푼도 더 낼수 없소!"라고 목청을 높여 소리쳤다고 가정해 보자. 그러면 어떠한 결과가 나타났을까. 서로 간에 옥신각신 논쟁만벌일 뿐 그 어떤 바람직한 결과도 나오지 않았을 것이다. 설령 지배인을 설득하여 그가 옳지 못하다는 것을 알게 했다 하더라도 그는 자존심 때문에 양보하지 않았을 것이다.

훌륭한 인간관계를 위한 최상의 충고를 들어보자.

"성공의 유일한 비결은, 다른 사람의 생각을 이해하고 상대방의 입장에서 사물을 바라볼 줄 아는 능력이다."라고 헨리 포드는 말했다. 참으로 옳은 말, 한 번 더 되풀이해 보자.

"성공의 유일한 비결은, 다른 사람의 생각을 이해하고 상대방의 입장에서 사물을 바라볼 줄 아는 능력이다."

이 말은 너무나 간단명료하기 때문에 말에 담긴 진실을 금방 알 수 있음에도 불구하고 열 명 중 아홉은 이 말을 무시해 버리고 만다.

예를 들어보기로 하자. 전국에 지사를 둔 한 광고회사의 라디오 광고국장이 보낸 다음의 편지를 실례로 들어보겠다. 이 편지는 전국 지방 라디오 방송국의 국장들에게 보낸 편지 내용이다(편지의 각 문단 말미에도 내 생각을 적어 넣었다).

인디애나 주 블랭크빌 존 블랭크 귀하

친애하는 블랭크 씨

저희 회사는 라디오 광고 분야에서 선도적인 광고 대행사의 위치를 견지하고자 합니다.

(당신네 회사가 뭐 어쩌겠다는 것을 내가 왜 알아야 하는데? 나는 내 문제만으로도 골치가 아파. 우리 집 저당권이 말소지경에 이르렀고, 증권시장도 폭락했어. 아침엔 통근버스를 놓쳐 애먹었고 어젯밤 존슨네 댄스파티에는 초대도 못 받았어. 게다가 의사는 내가 신경통, 고혈압 그리고 비듬까지 있다고 하더군. 그런데 이건 또 뭐야? 신경이 날카로워져서 사무실에 오니 웬 주제 넘은 사람이 온통 자기네 회사가 원하는 내용뿐인 편지를 놓고 갔잖아. 흥! 이 사람 편지가 나에게 어떤 인상을 주고 있는지 알기나 하는지 원, 답답한 친구, 광고계를 떠나 세제나 만들라고!)

우리 회사의 전국 광고 구좌는 현저하게 높아져 업계의 수위에 올라 있습니다. 광고 시간을 집계해 보더라도 매년 정상을 고수하고 있습니다.

(자본이 많고 정상을 차지하고 있다고? 그래서? 제 너럴 일렉트릭사와 제너럴 모터스사, 그리고 미 합동 참모부까지 다 합친 것보다 막강하더라도 내가 알게 뭐냐고? 당신이 조금이라도 눈치가 있다면 내가 관심을 갖는 것은 당신네가 얼마나 막강한가가 아니라 내가 얼마나 큰 존재인가 하는 것임을 알아야지. 당신네가 만들었다는 엄청난 성공 이야기를 듣고 보니 내가 더 왜소하고 보잘 것 없는 존재로 느껴지잖아.)

우리는 최신의 라디오 방송 정보로 고객에게 서비스하기를 바랍니다.

(바란다고? 이 멍텅구리 같은 사람아! 당신이 뭘 바라든, 미국 대통령이 뭘 바라든지 내가 알게 뭐냐고. 내가 관심 있는 내가 바라는 일에 대해서란 말이오. 그런데 당신이 보낸 그 가당치도 않은 편지에는 이 점에 대해서는 일언반구도 없잖소?)

그러므로 귀사가 주간 방송 정보를 송부하는 회사의 우선순위 리스트에 저희 회사를 넣어 주십시오. 모든 자세한 정보는 저희 회사가 지혜롭게 방송시간을 예약하는데 유용하게 사용될 것입니다.

(우선순위? 참 뻔뻔스럽기도 하군. 자기회사에 대해 허풍을 떨면서 나를 주눅 들게 하더니 이제는 '우선순위'에 끼어달라고? 그것도 부탁하는 주제에 간곡한 말 한마디 없이!)

귀사의 최근 '방송광고현황'과 함께 본 서신에 대한 회신을 바로 보내 주시면 서로 간에 도움이 될 것입니다.

(참 답답한 친구로군. 낙엽만큼이나 흔해빠진 편지를 보내 놓고서, 그것도 내가 저당권, 증권, 고혈압 등으로 걱정하고 있는 판국에 회신을 보내 달라고? 그것도 '바로'? 나도 당신 못지않게 바쁜 사람이란 걸 몰라? 나도 내가 바쁘다고 생각하는 사람이야. 말이 나온 김에 하는 말이지만, 당신이 대체 뭔데 나한테 이

래라 저래라 하는 거야. 서로 도움이 될 것이라고? 이
제야 내 입장을 이해해 주는구먼. 그러나 당신은 어떻
게 해야 내게 이득이 되는지 아직 잘 모르고 있군.)

그럼 이만 줄입니다.

라디오 광고국장 존 도우 배상

추신 : 동봉한 블랭크빌 저널지 사본은 귀하에게
도움이 되리라 생각되며 귀 방송국에서 방송하셔도
좋을 것입니다.

(편지 마지막에서야 내 골칫거리를 해결하는 데 도
움이 될 방안을 제시하는군. 편지 모두에 왜 진작 이
이야기를 하지 않았나. 그러니 지금 말해봐야 무슨 소
용이 있겠어. 당신같이 이런 실수를 연발하는 광고쟁
이는 필경 숨골에 이상 질환을 갖고 있을 게 틀림없
어. 당신에게 필요한 것은 최근의 '방송광고현황'이
적힌 회신이 아니라 갑상선 치료를 위한 약이겠지.)

평생을 광고계에 몸담아오며 구매를 설득하는 일에 전문가라고 자처하는 사람들이 이런 내용의 편지를 쓴다면 장사꾼이나 자동차 수리공들에게는 무엇을 기대할 수 있을까.

어느 대형 화물 터미널 소장이 우리 강좌에 참가한 적이 있는 에드워드 버밀렌 씨에게 보낸 편지를 소개해 보기로 하자. 이 편지를 받는 사람이 어떻게 느꼈을까. 잘 읽고 나의 이야기를 들어보기 바란다.

뉴욕 시 브루클린 11201 프론트 가 28번지

A. 제레가스 선즈 주식회사

에드워드 버밀렌 귀하

안녕하십니까.

대부분의 물량이 오후 늦게야 폐사에 도착하고 있어 폐사 화물 터미널 방송작업이 늦어지고 있습니다. 그로 인해 화물체증상태, 연장근무, 배차지연, 심지어는 화물운송이 지연되기도 합니다. 11월 10일, 510개

의 귀사 박스를 오후 4시 20분에 받았습니다. 화물접
수가 늦어짐에 따라 생기는 바람직하지 못한 결과를
해소하는 데 협조해 주시기 부탁드립니다. 화물을 보
내실 때는 아침 일찍 보내 주시든지, 혹은 일부라도
아침에 보내 주십시오.

　　위와 같이 배려해 주시면 귀사의 트럭 대기시간도
단축되고 화물도 당일 발송됩니다.

　　그럼 이만 줄입니다.

J.B. 소장 드림

이 편지를 읽고 제레가즈 선즈 회사의 영업부장인 버밀
렌 씨는 다음과 같은 코멘트를 나에게 보내왔다.

"이 편지는 의도한 바와는 전혀 다른 반대 효과를 가져
왔습니다. 우리에게는 전혀 관심이 없는 자기 화물터미널
의 애로사항으로 시작하고 있습니다. 우리 회사의 사정은
고려하지 않은 채 협조만 구하고 있고, 편지의 말미에 가서
야 협조를 해주시기만 한다면 보다 많은 이익을 주겠다고

쓰고 있습니다. 다시 말해 저희가 관심을 갖고 있는 부분을 맨 나중에 언급함으로써 전체적으로 협조를 구하기보다는 반발심만 일으켰습니다."

이 편지를 한번 다시 고쳐 써보기로 하자. 우리의 문제를 이야기함으로써 시간을 허비하지 말자. 헨리 포드의 말대로 타인의 입장을 이해하고 자신의 입장과 동시에 타인의 처지에서 사물을 보고 판단하자.

여기에 수정된 편지를 소개하기로 하겠다. 최상의 것은 아니더라도 좀 나아진 형태의 편지라고 생각한다.

뉴욕 시 브루클린 11201 프론트 가 28번지
A. 제레가스 선즈 주식회사
에드워드 버밀렌 귀하

안녕하십니까. 지난 14년 동안 아낌없는 귀사의 성원에 깊이 감사드립니다. 언제나 성원에 보답하고자 신속하고 효율적인 서비스를 위해 노력하고 있습니다.

　그러나 11월 10일 같이 오후 늦게 한꺼번에 대량의 화물을 보내 주시면, 죄송하오나 기대하시는 바에 못 미칠 경우가 생길수도 있습니다. 다른 회사에서도 오후 늦게야 화물을 보내기 때문입니다. 작업 체증의 원인이 되는 거지요. 이렇게 되다 보면 어쩔 수 없이 귀사 트럭이 하역부두에 묶여 있게 되고 화물 선적은 지연됩니다. 이것은 유감스러운 일이긴 하나 예방할 수 있습니다.

　가능한 한 트럭을 아침에 보내주신다면 순조로운 작업이 이루어져 화물은 바로 선적될 것이고, 인부들도 제때에 퇴근해 귀사에서 생산하는 맛있는 이탈리아 국수를 저녁으로 먹을 수 있을 겁니다. 항상 기쁜 마음으로 성심 성의껏 귀사에 신속한 서비스를 해드리겠습니다. 바쁘시니 일부러 답장을 주시지 않아도 됩니다. 그럼 이만 줄이겠습니다.

J.B. 소장 드림

뉴욕에서 은행원으로 일하는 바바라 앤더슨 여사는 아들의 건강 문제로 애리조나 주 피닉스로 이사하고 싶었다. 그녀는 강좌에서 배운 원칙들을 이용하여 12개 은행에 다음과 같은 편지를 보냈다.

존경하는 은행장님께

저의 10년 동안의 실무경력은 귀 은행과 같이 급속도로 발전하는 회사에 도움이 될 것입니다. 뉴욕에 있는 뱅커스 트러스트 회사에서 상당히 많은 은행 실무를 익혀 현재 지점장의 직책에 이르기까지 본인은 고객관리, 신용계, 대부계 그리고 관리업무 등과 같은 은행실무의 제반사항을 익혀왔습니다. 저의 소중한 경험은 귀 은행의 성장과 수익에 이바지할 수 있으리라 자부합니다.

저는 피닉스로 5월 중 이사하게 되며, 4월 첫째 주경 피닉스에 갈 때 귀 은행에 얼마나 도움을 드릴 수 있는가에 대해 말씀드릴 기회를 주시면 대단히 감사하겠습니다.

그럼 안녕히 계십시오.

바바라 L. 앤더슨 올림

앤더슨 여사는 이 편지의 회신을 몇 통이나 받았을까.

12개 은행 중 11개가 그녀에게 인터뷰 요청을 했고, 선택권은 여사에게 쥐어졌다. 어떻게 이러한 결과가 나왔을까. 그녀는 자신이 원하는 것은 전혀 쓰지 않고 대신 상대방을 도우는 일과 그들의 요구사항에만 초점을 맞춰 편지를 썼기 때문이다.

오늘도 많은 세일즈맨들이 충분한 수입도 없이 실망에 지친 어깨를 축 늘어뜨린 채 거리를 걷고 있다. 문제가 무엇일까. 그들은 항상 자신의 원하는 것을 우선으로 생각하고 있기 때문이다. 그들은 우리가 아무것도 사고 싶지 않다는 것을 깨닫지 못하기 때문이다. 우리는 구매하고 싶은 것이 있으면 직접 나가서 산다. 우리는 자신의 문제를 해결하는 데 끊임없는 관심을 갖고 있다. 만일 외판원들이 그들의 서비스 내용이나 상품이 우리의 문제를 해결하는 데 도움이 된다는 것을 보여 줄 수만 있다면 우리에게 찾아다니며 팔려고 애쓸 필요가 없을 것이다. 우리가 직접 가서 구입할 것이기 때문이다. 그리고 고객이란 대개 타인의 권유에 의해서보다는 자기 스스로 사고 싶어 산다고 생각하기를 좋아하는 법이다. 그러나 많은 세일즈맨들은 구매자의 입장에 서지 않고 판매하면서 세월을 보낸다.

나는 수년간 뉴욕시의 번화가인 포리스트 힐즈에서 살았다. 어느 날 아침 지하철역으로 달려가는 도중에 그 마을에서 수년간 부동산업을 하고 있는 사람과 만났다. 그는 포리스트 힐즈에 대해 잘 알고 있어서 내가 살고 있는 집의 건축 재료가 무엇인지 물었다. 그는 잘 모른다고 하면서 주택협회로 전화를 하면 알 수 있을 것이라고 말했다. 다음 날 아침, 그로부터 편지가 왔다. 내가 알고 싶어 했던 정보를 보냈을 거라고 생각하겠지만 그게 아니었다. 전화 한 통이면 알 수 있음에도 불구하고 나에게 그 협회로 전화를 걸면 알 수 있다고 다시 말한 뒤, 내 보험 건을 자기에게 넘겨달라고 부탁했다. 이 부동산 업자는 나에게 도움을 주는 것에는 관심 없고, 자신에게 도움이 되는 일에만 흥미가 있었던 것이다.

조그만 회사의 관리직으로 있는 하워드 루카스는 한 회사에 다니는 두 명의 세일즈맨이 동일한 상황에서 각각 어떠한 방법으로 대처하였는지를 나에게 말해 주었다.

보험회사의 칼과 존이라는 사람들의 얘기였다.

"어느 날 아침 칼이 나의 사무실로 와서는, 자기네 회사에서 이번에 임원급을 위한 신종 생명보험을 취급하게 됐다면서 나중에 관심을 가지시게 될 테니 좀 더 상세한 정보를 위해 다시 한 번 들르겠다고 했습니다.

같은 날, 커피를 마시고 돌아오는 길에서 존이 나를 보더니 '루카스 씨, 잠깐만 기다리세요. 굉장한 뉴스가 있어요!' 하고 소리치더군요. 존은 허둥지둥 다가와서 자기에 회사에서 신상품으로 내놓은 임원급을 위한 신종 생명보험에 대해 흥분된 어조로 말하더군요(바로 칼이 말한 그 보험이었습니다). 존은 내가 제일 먼저 가입하기를 원했습니다. 보험 배상 범위에 대해 몇 가지 중요한 내용을 덧붙이면서 '이 보험은 임원급을 위한 신종 보험으로, 본사에서 내일 사람이 와 직접 설명하도록 할 작정입니다. 그러니까 이 신청서에 사인을 해주시면, 그 사람이 와서 많은 정보를 드릴 겁니다.' 하고 말했습니다. 존의 열성은 나로 하여금 더 자세한 내용은 모르더라도 그 보험에 들고 싶은 욕구를 불러일으키기에 충분했지요. 나중에 더 세세한 내용을 알게 되었을 때, 처음 존이 설명한 보험의 내용이 정확한 것임이 증명되었습니다. 물론 존은 나를 그 보험에 가입시켰을 뿐만 아니라 보험배상 범위도 두 배로 늘려주었습니다. 칼도 나에게 그 보험에 가입하도록 할 수 있었지만, 그는 내가 그 보험을 들고 싶은 욕구가 일어나도록 어떤 노력도 하지 않았던 것입니다."

이 세상은 이기적인 사람들로 가득 차 있다. 그래서 다른 사람들을 위하는 소수의 이타적인 사람들에게는 이루 말할 수 없는 좋은 기회가 따른다. 그런 사람에게는 경쟁상대가 없다.

저명한 변호사인 오웬 D. 영은 언젠가 "다른 사람의 입장에 서서 그들의 마음이 움직이는 것을 간파할 수 있는 사람이라면 장차 자기 앞에 어떠한 일이 닥치더라도 걱정할 필요가 없다."고 했다.

이 책을 다 읽고 난 뒤, 당신이 드디어 다른 사람의 입장에서 사물을 보려고 한다면 이 책이 당신 인생에 귀중한 주춧돌이 되었음을 깨닫게 될 것이다.

다른 사람의 입장에 서서 그로 하여금 어떤 것에 욕구가 생기게 만드는 것이, 그 사람을 기만하여 그에게는 해가 되고 나에게는 이익이 되는 일이라고 이해해선 안 된다. 쌍방 협상을 통해 서로 이익을 추구해야 한다.

버밀렌에게 보낸 편지를 보더라도 양쪽이 제시한 요구사항을 충족시킴으로써 상호 이익을 얻고 있다. 앤더슨 여사와 은행과의 관계에 있어서도 은행은 유능한 고용인을 얻은 셈이고, 앤더슨 여사로서도 흡족한 직업을 갖게 된 것이다. 루카스를 보험에 가입하도록 만든 존의 경우도 모두 이 거래를 통해서 서로 이익을 얻고 있는 것이다.

상대의 마음에 열렬한 욕구를 불러일으키는 이 원리를 이용하여 상호 모두 이익을 얻을 수 있었던 또 한 가지 예를 들어보기로 하자.

마이클 E. 위든은 셸 석유회사의 지역 담당 판매원이다.

자기 지역에서 첫째가는 판매원이 되고 싶었으나 주유소 한 곳이 말썽이었다. 이 주유소는 노인이 경영했는데 그는 아무리 주유소를 청결하게 관리하라고 해도 막무가내였다. 지저분한 외양 탓에 판매량이 눈에 띄게 감소하였다. 주유소를 개선시켜 달라는 마이클의 애원에도 노인은 아랑곳하지 않았다. 경고와 진심 어린 대화가 수차 오갔으나 소용이 없었다. 고민 끝에 그 지역에서 가장 청결한 주유소로 노인을 안내했다. 그 주유소 시설에 충격적인 감동을 받은 노인은 마이클이 다음번에 찾아갔을 땐, 자신의 주유소를 깨끗이 치워 놓고 판매량도 올려 놓았다. 그 후 마이클은 지역 내에서 첫째가는 판매원의 자리에 올랐다.

마이클의 이야기나 토론 따위는 노인에게 아무런 자극을 주지 못했지만 현대적 시설의 주유소를 보여줌으로써 노인의 마음속에 욕구를 불러 일으켰고, 마이클은 당초의 목표를 달성할 수 있었다. 결국 둘은 서로 큰 이익을 얻게 된 것이다.

대부분의 사람들은 대학에서 버질의 작품을 읽고 미적 분법 이론을 배우면서도 막상 그들 자신의 마음이 어떻게 움직이는지는 깨닫지 못한다. 예를 들어보겠다.

나는 캐리어 에어컨 제조회사의 신입사원들을 상대로 '효과적인 대화법'이란 강의를 하였다. 참석자 중의 한 젊은이가 다른 사람을 설득하여 함께 농구를 하고 싶어 했다. 그는 대충 이렇게 말했다.

"여러분과 농구를 하고 싶습니다. 농구를 하고 싶어서 몇 번 체육관에 가 봤는데 사람들이 몇 명 되지 않아 할 수 없었습니다. 며칠 전에도 두세 사람밖에 되지 않아 서로 공 던지기를 하였는데 공에 맞아 눈가에 시퍼런 멍이 들었습니다. 여러분 내일 밤에는 꼭 나와 주십시오. 나는 농구를 하고 싶습니다."

그가 당신이 원하는 것에 대해 이야기한 부분이 있는가? 사람이 가지 않는 농구장에 당신도 가고 싶지 않을 것이다. 당신은 그가 원하는 것에는 관심도 없고, 눈가에 멍이 들고 싶지도 않다.

당신이 체육관을 이용함으로써 얻게 될 이점을 그가 이야기했는가? 차라리 맑은 두뇌, 왕성한 원기, 강력한 식욕, 재미 등을 강조했으면 좋았을 것이다.

오버스트리트 교수의 현명한 충고를 다시 들어 보자.

"먼저 사람의 마음에 열렬한 욕구를 불러일으켜라. 이것을 할 수 있는 사람은 세상을 얻을 수 있고, 그렇지 못한 사람은 외로운 길을 걷는다."

나의 강좌 참석자 중엔 세 살인 어린 아들 문제로 걱정을 하는 사람이 있었다. 아이는 체중 미달인 상태인데도 음식을 제대로 먹으려 하지 않았다. 아이의 부모는 흔히 쓰는 방법을 썼다. 즉 아이를 야단치면서 "엄마는 네가 이것을 먹기를 바란다." "아빠는 네가 튼튼하게 크기를 원한다." 하며 아이에게 잔소리를 해댔다. 아이가 부모의 이러한 말에 과연 귀를 기울였을까. 아마도 당신이 해안의 모래알에 무관심한 것이나 마찬가지였으리라.

판단력을 갖춘 사람이라면 세 살배기 아이가 서른 살 아빠의 생각에 제대로 반응을 보이리라고는 기대하지 않을 것이다. 그러나 이 아이의 아빠는 고대하고 있었다.

마침내 아빠는 자신의 어리석음을 깨달았다. 그래서 스스로에게 '이 아이가 원하는 것이 무엇일까, 어떻게 하면 내가 원하는 것과 아이가 원하는 것을 하나로 만들 수 있을까 하고 물었다. 아빠가 이런 생각을 하게 되자 문제는 쉽게 풀렸다.

아이는 자기 집 앞에서 자전거 타기를 좋아했다. 하지만 몇 집 건너에 사는 개구쟁이가 아이를 밀어뜨리고는 자전거를 빼앗아 타곤 했다. 그럴 때마다 아이는 울면서 엄마에게 달려갔고 엄마는 달려 나와 말썽꾸러기 녀석에게 자전거를 빼앗아 아들을 앉혀주곤 했다. 이러한 일이 거의 매일 되풀이되었다. 이 아이가 원하는 것은 무엇일까. 셜록 홈즈가 아니더라도 알 수 있을 만큼 간단한 일이다.

아이의 자존심, 분노, 자기 중요감—이런 내적인 강렬한 감정—에다 복수심을 일으켜 그 개구쟁이 녀석의 코를 멋지게 한방 먹이고 싶은 욕구를 불러일으키면 되는 것이다. 그래서 아빠는 네가 엄마가 바라는 대로 잘 먹기만 하면, 너를 못살게 구는 너보다 덩치 큰 그 녀석을 언젠가는 해치울 수 있다고 말해주었다. 그러자 아이는 더 이상 식사 문제로 말썽을 부리지 않았다. 아이는 이제 덩치 큰 그 녀석을 이기기 위해 무슨 음식이든 가리지 않고 잘 먹게 되었다.

아이는 이불에 오줌을 싸는 버릇도 있었다. 할머니와 같이 자다가 아침에 할머니에게 오줌 싼 걸 들키면 오히려 할머니가 쌌다고 우겨대기 일쑤였다. 부모가 아이를 꾸짖기도 하고 엉덩이를 찰싹찰싹 때리기도 하고, 무안을 주면서 다시는 오줌을 싸지 말라고 잔소리를 해대도 아무 소용이 없었다. 부모는 스스로에게 자문을 하였다.

'어떻게 하면 이부자리에 오줌을 싸지 않게 할 수 있을까. 아이가 원하는 것은 무엇일까?'

아이는 할머니의 나이트가운보다는 아빠처럼 파자마를 입고 싶어 했다. 손자의 오줌버릇에 진저리가 난 할머니는 버릇을 고치기만 하면 파자마를 사주겠다고 약속했다. 둘째로 아이는 자기 침대를 갖고 싶어 했다. 할머니는 쾌히 승낙했다.

엄마는 아이를 데리고 백화점으로 가 점원에게 눈짓을 보내며 "우리 꼬마신사가 쇼핑을 하고 싶대요." 하고 말했다. "어서 오세요, 꼬마 신사님. 무엇을 사시려고요?"하면서 점원은 아이에게 중요한 사람이라는 느낌이 들도록 해주었다. 아이는 키가 커보이도록 발뒤꿈치를 들며 "제 침대를 사고 싶어요."라고 대답했다. 아이가 원하는 침대를 보자 엄마는 점원에게 눈짓을 보냈다. 결국 아이는 자기가 고른 마음에 쏙 드는 침대를 사게 되었다.

그날 저녁 아빠가 퇴근을 하자 기다렸다는 듯 아빠를 마중하며 "아빠! 아빠! 2층에 가서 제가 산 침대를 보세요!"라며 기뻐서 소리쳤다. 아빠는 침대를 보면서 찰스 슈왑의 권고에 따라 '진심으로 찬사를 보내고 아낌없이 칭찬'을 했다.

"이젠 너도 이부자리에 오줌을 싸지 않겠구나. 그렇지?"

"그럼요. 이제부터는 안 그럴게요."

아이는 자신의 자존심이 걸려 있기 때문에 그 약속을 잘 지켰다. 왜냐하면 자신의 침대이고 더욱이 직접 골라서 산 침대가 아닌가. 아빠처럼 파자마도 입었다. 그는 어른과 같이 행동하고 싶었던 것이다. 그래서 그대로 되었다.

세 살 먹은 딸아이에게 아침밥을 먹이는 일로 애를 태우던 부모는 여느 때와 마찬가지로 꾸짖고 애원도 해보고 달래보아도 모두 허사였다. 그래서 부모는 자신들에게 다음과 같이 자문을 해보았다.

'어떻게 하면 아이에게 아침밥을 먹도록 할 수 있을까?'

이 꼬마 아가씨는 엄마 흉내 내기를 즐겨했고 어른이 된 것처럼 생각했다. 그래서 어느 날 아침 아이에게 식사준비를 하도록 했다. 아이는 아빠가 부엌에 들어왔을 때 절호의 기회를 놓칠세라 죽을 저으면서 "아빠, 오늘 아침에 제가 죽을 만들었어요." 하고 말했다.

이날 아침 아이는 죽을 두 그릇이나 먹었다. 이 일에 흥미를 느끼고 있었기 때문이다. 아이는 죽을 만듦으로써 자기 중요감을 성취했고, 자기표현 방법을 발견했던 것이다.

윌리엄 윈터는 '자기표현 욕구는 인간의 중요한 욕망 중 하나이다.'라고 말한 적이 있다. 우리는 어째서 이러한 심리를 사업상의 거래에 적용하지 못하는가. 나에게 멋진 아이디어가 떠오를 때 상대에게 그 생각이 나의 것이라는 생각이 들게 하지 말고, 오히려 상대가 멋진 아이디어를 생각한 것으로 하고 그 생각을 마치 자기 자신의 것으로 여기게 하라. 그러면 그는 그것을 좋아하게 되고, 그것을 실행하게 될 것이다.

이 말을 기억해두기 바란다.

"먼저 사람의 마음에 열렬한 욕구를 불러일으켜라. 이것을 할 수 있는 사람은 세상을 얻을 수 있고, 그렇지 못한 사람은 외로운 길을 걷는다."

> **원칙3**
> 다른 사람들의 열렬한 욕구를 불러일으켜라.

2부

인간관계를 잘 맺는 6가지 방법

1
어느 곳에서나
환영받는 방법

사람 사귀는 방법을 터득하기 위해 이 책을 읽는가. 그러면 세상은 왜 사람을 가장 잘 사귀는 방법을 연구하지 않을까. 능숙하고 노련한 사람이란 과연 어떠한 사람일까?

내일 길거리에서 그를 만날지도 모른다. 당신이 다가가면 그는 매우 반가워할 것이다. 걸음을 멈추고 다정한 인사라도 하면 그는 얼마나 당신을 좋아하는지 보여주기 위해 펄쩍펄쩍 뛰며 좋아할 것이다. 이런 애정표현에는 어떤 계산된 생각도 전혀 없다는 것을 곧 알게 된다. 그는 당신에게 물건을 팔려는 것도 아니고, 결혼을 원하는 것도 아니다.

생존을 위해 일하지 않는 동물이 개라는 것을 생각해 본 적이 있는가. 닭은 알을 낳고, 소는 우유를 공급하며, 카나리아는 노래를 불러야 한다. 그러나 개는 오직 당신에게 충성을 다 해 헌신함으로써 살아가고 있다.

내가 5살 때 아버지는 노란 털복숭이 강아지를 50센트를 주고 샀다. 강아지 티피는 곧 나의 기쁨이 되었고 매일 오후 4시 반쯤이면 앞뜰에 나와 귀여운 눈으로 하염없이 길 쪽을 바라보다가 내 모습이 보이면 총알같이 뛰어나와 헐떡거리면서 언덕배기까지 달려와선 나에게 안기며 반가워했다. 티피는 5년 동안 나의 변함없는 친구였다. 그런데 어느 날 밤 티피는 벼락을 맞아 죽고 말았다. 나는 그 비극적인 밤을 결코 잊을 수 없다. 티피의 죽음은 내 소년 시절의 비극이었다.

'티피, 너는 심리학 서적을 읽어본 적이 없지. 그럴 필요도 없었겠지만 말이야. 다른 사람이 너에게 관심을 갖기 위해 2년간 애쓰는 것보다 네가 다른 사람에게 관심을 보임으로써 2달 만에 더 많은 친구를 사귈 수 있다는 것을 알고 있었지. 그러나 사람들은 평생을 〈다른 사람들이 자신에게 관심을 갖기를〉 바란다는 거지.' 그들은 당신이나 내게는 아무런 관심이 없다. 오로지 자기 자신에게만 관심을 가질 뿐이다.

뉴욕의 전화회사에서 통화 중 가장 많이 쓰이는 단어에 대해 조사했는데, 예상대로 1인칭 대명사인 '나는' 또는 '내가'라는 말이 가장 많이 쓰였다. 이 단어는 500통화 중에 무려 3,900번이나 쓰였다. '나', '나는', '내가', '나와' 등등.

당신은 당신이 찍힌 단체사진을 볼 때 누구를 제일 먼저 찾는가.

내가 다른 사람에게 영향을 주어 그가 나에게 관심을 갖도록 한다면 실로 진실하고 성실한 친구를 사귈 수 없다.

나폴레옹은 조세핀을 마지막으로 만난 자리에서 "나는 이 세상의 누구보다 운이 좋은 사람이었소. 그러나 이제 이 세상에서 내가 의지할 수 있는 사람은 오직 당신뿐이오."라고 말했다. 그러나 역사가들은 과연 나폴레옹이 조세핀에게조차 의지할 수 있었는지에 대해 의문점을 갖고 있다.

심리학자 알프레드 아들러는 『인생의 의미는 무엇인가』라는 책을 썼다. 이 책에 다음과 같은 글이 있다.

'다른 사람들에게 관심이 없는 사람은 인생을 사는 데 어려움을 겪게 되고, 다른 사람에게도 해를 끼치게 된다. 인간의 모든 실패는 바로 이러한 유형의 인물에서 비롯된다.'

심리학 책들 중 이보다 더 의미심장한 글을 찾기란 쉽지 않다. 그만큼 아들러의 말은 심오한 뜻을 지니고 있기에 다시 한 번 되풀이해 음미할 가치가 있다.

'다른 사람들에게 관심이 없는 사람은 인생을 사는 데 어려움을 겪게 되고, 다른 사람에게도 해를 끼치게 된다. 인간의 모든 실패는 바로 이러한 유형의 인물에서 비롯된다.'

나는 뉴욕 대학에서 단편소설 창작에 관한 강좌를 수강한 적이 있다. 강사는 《콜리어즈》라는 일류 잡지사의 편집장으로 그는 매일 책상 위에 올라오는 독자 투고 단편들 중 하나를 집어 들고 몇 구절만 읽어 보면, 이미 그가 사람들을 좋아하는지 아닌지를 알 수 있다고 했다.

"작가가 사람들을 좋아하지 않으면 사람들 역시 그의 작품을 좋아하지 않는다." 하고 그는 말했다. 이 편집장은 강의가 막바지에 이르렀을 때 두 번이나 강의를 중단하고 이렇게 말했다.

"설교조가 되어 미안하지만 꼭 이 말을 명심하십시오. 소설가로 성공하려면 반드시 타인에게 관심을 가져야 합니다."

관심이 소설을 쓰는 데 필요하다면 사람을 다룰 때도 얼굴을 맞댈 필요가 있다고 생각해야 할 것이다.

나는 하워드 더스톤이라는 유명한 마술사를 그의 분장실에서 만난 적이 있다. 40년 동안 전 세계를 순회공연 하면서 환상을 만들어 냈고, 청중을 현혹시켜 손에 땀을 쥐게 만들었다. 6000만 명 이상이 그의 공연을 보았고, 약 200만 달러의 수익을 올렸다.

나는 성공비결을 물었다. 학교 교육이 그의 성공과는 아무런 관계가 없음이 명백했다. 그는 어렸을 적에 가출하여 부랑아로 떠돌며 건초더미에서 잠을 자고 문전걸식도 했으며 표지판 등을 보고 글자를 익혔다고 했다.

또한 그가 남보다 뛰어난 마술법을 지닌 것도 결코 아니었다. 그는 속임수에 관한 책들이 수없이 많고 모든 마술사들이 이 정도는 다 알고 있다고 하였다. 그러나 그는 다른 사람들이 갖고 있지 않은 두 가지를 갖고 있었다. 첫 번째는 자기의 개성을 무대 위에 올려 놓는 능력이었다. 그는 인간의 본성을 이해했다. 그는 마술의 대가였다. 그의 모든 동작, 목소리, 표정, 눈썹의 움직임 하나조차도 모두 사전에 치밀하게 연습된 것들이었다. 따라서 그의 동작 하나하나는 몇 분의 1초까지도 타이밍이 계획된 것이었다. 두 번째로 그는 인간에 대해 진실한 관심과 애정을 가지고 있었다.

더스톤은 마술가들이 마술을 시작할 때 관중들을 보면서 "아하, 얼빠진 사람들이 꽤 많이 모였군. 저런 멍청이들을 속이는 일은 아주 쉬운 일이지."라고 말한다고 한다. 그러나 그는 달랐다. "나를 보러 온 사람들이 이렇게 많다니 얼마나 고마운 일인가! 저들이야말로 나로 하여금 하고 싶은 일을 하면서 살게 해 주고 있으니 나도 최선의 연기를 보여드려야지." 하고 스스로 다짐했다고 한다. 관중 앞에 나서기 전 몇 번이고 '나는 관중을 아끼고 사랑하고 있어.'라는 말을 몇 번이고 되풀이했다고 한다. 우스운 행동이라고? 어리석다고? 물론 생각은 당신 마음대로이다. 나는 그저 이 위대한 마술가의 진정한 비법을 말하고 싶을 뿐이다.

조지 다이크란 사람은 경영하던 주유소 자리에 고속도

로가 건설되는 바람에 30년 동안이나 일하던 직장을 떠나야만 했다. 시간이 흐르자 지루함이 괴롭히기 시작했다. 그는 오래된 바이올린을 꺼내 연주하면서 무료한 시간을 달랬다. 이곳저곳을 다니면서 음악도 감상하고 재능이 풍부한 바이올린 연주가들과도 친목을 도모하게 되었다.

겸손하고 다정한 다이크는 자신의 사귀게 된 음악가들의 배경과 관심에 점점 흥미를 갖게 되었다. 뛰어난 연주가는 아니었지만 친구를 많이 사귈 수 있었고, 경연대회 등에도 참석하게 되어 얼마 지나지 않아 동부 지역의 음악 애호가들로부터 '바이올린 주자 조지 아저씨'란 별명을 갖게 되었다. 다이크는 72세였고 여생을 즐겼다.

다른 사람에게 끊임없는 관심을 가진 덕분에 대부분의 사람들이 이제 생산적인 시절은 다 갔다고 생각할 때, 그는 새로운 인생을 창조해 낼 수 있었던 것이다.

시어도어 루즈벨트 대통령이 인기를 누린 비결도 바로 여기에 있다. 하인들까지도 그를 사랑했으니까. 루즈벨트 대통령의 시종인 제임스 아모스는 『시종의 영웅인 루즈벨트 대통령』이라는 책에서 다음과 같은 감동적인 일화를 소개하고 있다.

대통령께 저의 아내가 메추라기에 대해 여쭤 본 적이 있습니다. 메추라기를 한 번도 본 적이 없는 아내에게 대통령께서는 상세하게 설명을 해 주셨습니다. 어느 날 집으로 전화가 걸려왔더군요(아모스 내외는 대통령 관저 안의 조그만 집에 살고 있었다).

아내가 대통령의 전화라고 했습니다. 우리 집 창문 밖에 메추라기가 앉아 있으니 내다보라고 대통령께서 직접 말씀하셨답니다. 이렇게 세밀한 배려를 해주시는 분이 바로 루즈벨트 대통령입니다. 우리 집 옆을 지나가실 때는 우리가 눈에 띄지 않을 때에도 '안녕, 애니!' 혹은 '안녕, 제임스!' 하고 부르시는 음성을 듣게 됩니다. 지날 때마다 이렇게 다정한 인사를 해주시는 겁니다.

고용인들이 이런 사람을 어떻게 좋아하지 않을 수 있겠는가. 고용된 사람이 아니더라도 누구나 좋아하지 않고는 못 견딜 것이다.

민간인이 된 루즈벨트는 어느 날, 태프트 대통령부처가 출타 중일 때에 백악관으로 전화를 걸었다. 루즈벨트가 자신이 데리고 있던 하인들, 심지어는 식모까지도 이름을 부르면서 인사하는 것을 보면 평범한 사람들에게도 진솔한 애정을 품고 있음을 알 수 있었다.

아치버트는 이렇게 회고했다.

"그분이 주방 하녀인 앨리스를 만났을 때 요즘도 옥수수빵을 만드냐고 물었지요. 가끔 하인들을 위해 만들기는 하지만 윗분들은 드시지 않는다고 앨리스가 말했습니다. 루즈벨트는 우렁찬 음성으로 말씀하시길 '맛을 모르는 사람들이로구먼, 내가 대통령을 만나면 말해주겠네.' 앨리스가 빵을 쟁반에 담아드렸더니 그 빵을 드시면서 걷다가 만나는 정원사와 일꾼들에게도 일일이 인사를 하셨답니다. '과거에 부르시던 그대로 사람들의 이름을 부르셨습니다.' 하고 40년 백악관 집사를 지낸 아이크 후버는 말했습니다. '2년 동안 이렇게 기쁜 날은 없었습니다. 그래서 저희들은 천만금을 준다 해도 아무도 이날과 바꾸지 않을 겁니다.' 후버의 눈시울이 붉어지고 있었어요."

영업사원 에드워드 M. 사익스는 별로 중요하지 않은 위치의 사람들에게도 관심을 보이면서 거래처와의 지속적인 관계를 유지해 왔다.

"몇 년 전, 저는 존슨 앤 존슨사의 직원으로 매사추세츠 지방의 고객들을 담당하고 있었습니다. 거래선 중 약국 하나가 힝햄에 있었는데, 이 약국에 들를 때마다 점원들과 먼저 얘기를 나누고 나중에 주인과 면담을 하곤 했습니다. 그후 어느 날, 약국 주인이 더 이상 존슨 앤 존슨사의 제품에는 관심이 없으니 거래를 중단하겠다는 것이었습니다. 이유인 즉, 존슨사 측에서 주로 식품가게와 할인매장에만 신경을 써서 자기네 같은 작은 약국에 손해를 입히고 있다는 것이었습니다. 저는 낙심하여 몇 시간을 차를 타고 돌아다녔습니다. 그리고 용기를 내어 그 약국의 주인에게 다시 찾아가 제 입장을 설명하기로 했습니다.

다시 들어가서 여느 때와 마찬가지로 점원들에게 인사를 했습니다. 그리고 주인에게 갔을 때 주인은 반갑게 맞으며 평상시의 두 배나 되는 주문을 하는 것이었습니다. 저는 깜짝 놀라 어떻게 된 일이냐고 물었습니다. 주인은 한 젊은 점원을 가리키면서 이렇게 말했다는 것이었습니다.

'유일하게 우리 점원들에게도 인사를 하는 세일즈맨입니다. 어떤 영업사원이 우리 약국과 거래를 할 자격이 있다면 바로 그 사람입니다.'

그 후, 약국 주인은 단골 고객이 되었습니다. 세일즈맨이 갖추어야 할, 아니 모든 사람이 갖추어야 할 가장 중요한 자질은 상대에게 진실한 마음에서 우러나오는 관심을 가지는 것이라는 사실을 잊을 수가 없었습니다."

나는 냉정한 사람들이라도 진실된 마음으로 관심을 가지면 그들로부터 협조를 얻을 수 있다는 사실을 경험을 통해 얻었다. 한 예로, 나는 브루클린의 예술과학 재단에서 소설 창작기법에 관한 강의를 개최한 적이 있었다. 패니 허스트, 캐더린 노리스, 앨버트 페이슨 터훈, 아이다 타벨, 그리고 로버트 휴즈와 같은 저명한 작가들을 모셔오기로 했다. 나는 그들의 작품을 좋아하며 성공의 비결을 가르쳐 달라는 내용의 편지를 보냈다. 편지마다 150여 명의 학생들이 서명을 했다. 그리고 그들이 너무 바쁜 분이라 강의를 준비

할 시간이 없을 것이라고 편지에 덧붙였다. 그래서 우리는 그들이 자신과 자신만의 소설 창작기법에 대하여 말할 수 있도록 일련의 설문지를 동봉했다. 그들은 이것을 좋아했다. 어느 누가 싫다고 하겠는가. 그들은 기꺼이 브루클린까지 와서 우리에게 도움을 주었다.

나는 이러한 방법으로 테오도어 루즈벨트 내각의 재무장관 레슬리 M. 쇼. 태프트 내각 법무장관인 조지 W. 위커샴, 윌리엄 제닝스 브라이언, 프랭클린 D. 루즈벨트 등 수많은 저명인사들을 초대하여 나의 강좌에서 연설하도록 하였다. 우리 모두는 노동자이든 사무원이든 혹은 왕관을 쓴 임금이든 자신을 존경하는 사람을 좋아하게 마련이다.

독일 황제의 예를 들어보자. 제1차 세계대전이 끝나갈 무렵, 황제는 전 세계적으로 가장 경멸받는 인물이 되었다. 심지어 목숨을 부지하기 위해 네덜란드로 도망을 갔을 때도 대중들은 그를 배척했다. 많은 사람들의 증오심은 갈기갈기 찢어서 화형에 처하고 싶을 정도로 격렬한 분노로 표출되었다. 이러한 때에 한 소년이 황제에게 찬

미와 존경심이 가득 담긴 편지를 보냈다. 그를 황제로서 사랑하고 존경하고 있다고 썼다. 황제는 감동하여 소년을 초청했다. 어머니와 함께 갔는데 그 후 황제는 이 소년의 어머니와 결혼했다.

이 소년은 친구를 사귀고 사람을 설득하는 법에 관한 책을 읽을 필요가 없었다. 본능적으로 알고 있기 때문이다. 친구를 사귀고 싶으면 자신을 버리고 상대를 위해 무언가를 해 주어라. 이런 일에는 시간, 노력, 희생 그리고 사려 깊은 마음이 필요하다.

영국의 황태자 윈저 공이 남미로 여행할 계획이 있었다. 그는 떠나기 몇 달 전부터 그 나라 말로 연설하기 위해 스페인어를 배웠다. 그 결과 남미에서의 공의 인기는 대단하였다.

나는 친구들의 생일을 모두 기억하고 있다. 점성술을 믿는 건 아니지만 친구들에게 생일이 인격이나 기질과 어떤 관계가 있는지 등을 얘기하다가 슬쩍 생일을 물어보는 것이다. 가르쳐 준 생일을 계속 되뇌이다가 헤어진 후에는 바로 이름과 생년월일을 노트에 옮겨 적었다. 그리고 달력에 표시를 해놨다가 그날이 오면 편지나 전보를 쳤다. 그 결과는 놀랄 만했다.

친구를 사귀고 싶다면 생기 넘치고 열정적인 태도로 상대를 맞이하라. 전화를 받을 때도 마찬가지다. 전화를 걸어 매우 밝고 기쁜 감정으로 '여보세요!' 하고 말해 보라.

회사의 전화교환원에게 오는 전화마다 관심과 열의를 가진 목소리로 응답하게 하는 훈련을 하면, 전화를 건 사람들은 이 회사가 자신에게 관심을 갖고 있다고 믿게 된다.

전화를 받을 땐, 이 사실을 기억하라. 모든 사람에게 진심으로 관심을 보이면 친구를 사귈 뿐만 아니라, 그를 회사의 훌륭한 단골 고객으로 만들 수 있다.

뉴욕 노스 아메리카 내셔널 뱅크의 사보에 그 은행의 예금주인 로즈데일 부인이 보낸 편지가 실려 있다.

"귀하의 은행직원에게 뭐라고 감사의 말씀을 드려야 할지 모르겠군요. 모든 분들이 예의 바르고 정중하게 대해 주시고 극히 친절하십니다. 작년에 저희 어머니께서 다섯 달 동안 병원에 입원한 적이 있습니다. 그래서 어머니

대신 출납계 지원인 페트루첼로 양을 만나는데, 그때마다 그녀는 어머니 건강을 걱정해 주면서 차도가 있는지 물어보더군요."

로즈데일 부인이 이 은행과 계속 거래할 것이라는 것에 의심의 여지가 있을까.

은행원 월터스는 모 회사에 대한 기밀문서를 작성하는 임무를 맡게 되었다. 그는 급히 처리해야 할 이 문서 작성에 꼭 필요한 정보를 갖고 있는 유일한 사람을 알고 있다. 월터스가 그의 사무실에 들어서자 비서가 사장에게 그날은 우표가 없다고 하는 말이 들렸다.

"열두 살 먹은 아들 녀석을 위해 우표를 수집하는 중이라오." 사장은 월터스에게 말하였다.

월터스는 용건을 말하고 질문을 시작했지만 사장은 듣는 둥 마는 둥 무관심한 태도였다. 그는 사장이 인터뷰를 하고 싶지 않은 눈치라 어떻게 해 볼 도리가 없었다. 결국 인터뷰는 단시간에 끝났고 얻은 것이라곤 아무것도 없었다.

"솔직히 말해서 그땐 어떻게 해야 할지 막막했습니다."

월터스는 우리 강좌에 나와 말했다.

"그러자 문득 비서가 한 말이 생각나더군요. 우표, 열두 살 아들…… 그리고 우리 은행의 외환계가 전 세계에서 날아오는 편지의 우표를 모으고 있다는 사실이 문득 생각났어요.

이튿날 오후 다시 그 사장을 찾아가 아들에게 줄 우표를 갖고 왔다고 말했죠. 물론 열렬한 환영을 받았습니다. 그의 악수는 뜨거웠으며 환한 얼굴로 저에게 호의를 보였습니다. '아들 녀석이 무척 좋아하겠군요. 이 우표는 정말 훌륭합니다. 보물이에요.'하며 기뻐했습니다. 우리는 우표 얘기를 나누고 그의 아들 사진을 보면서 30분을 보냈습니다. 그후로 사장은 무려 한 시간 넘게 제가 원하는 정보를 제공하며 상세히 설명까지 해 주었습니다. 그는 자신이 알고 있던 모든 정보를 제게 말해 주더니 직원을 불러 의문점은 더 물어보고 자기 친구에게까지 전화를 걸어 제가 필요로 하는 사항들, 숫자, 보고서 그리고 서신을 다 보여 주었습니다. 저로선 그야말로 소위 기자들이 말하는 특종기사를 얻어낸 셈이죠."

여기에 또 하나의 예를 들어보기로 하자.

필라델피아에 사는 크나플이라는 사람은 어느 대형 연쇄점에 연료를 팔기 위해 수년 동안 애를 썼다. 그러나 연쇄점 측은 어느 해외업자로부터 연료를 구입하고서는 빈 드럼통을 싣고 보란 듯이 그의 사무실 앞을 지나곤 하는 것이었다. 화가 난 크나플은 미국의 연쇄점들은 암적인 존재라고 악담을 퍼부었다. 크나플은 그때까지도 자신이 왜 그 연쇄점에 연료를 팔지 못하고 있는지 이유를 모르고 있었다. 나는 그에게 다른 방법을 시도해보라고 권유했다. 그래서 다음과 같은 상황이 전개되었다.

우리는 강좌에 모인 수강생들끼리 이 연쇄점의 확장이 지역발전에 이득보다는 손해를 끼치지 않느냐는 문제에 대해 토론을 벌이기로 하였다. 그는 이 토론에 반대하는 입장에 서서 연쇄점들을 옹호하는 역할을 하기로 했다. 그리고는 자기가 경멸하는 연쇄점의 간부를 찾아가 "오늘은 연료를 팔러 온 게 아닙니다. 부탁을 들어주십사 하고 찾아온 것입니다." 하고 말했다.

그리고는 강좌의 토론내용에 대해 이야기를 하고는

"제가 알고 있는 사람들 중에서 저에게 필요한 조언을 해 줄 수 있는 분은 이사님뿐이라서 이렇게 도움을 청하러 왔습니다. 저는 이 토론에서 반드시 이기고 싶습니다. 이 사님께서 절 도와주신다면 진심으로 감사하겠습니다."라 고 말했다. 나머지 이야기는 크나플의 말을 그대로 옮겨 보기로 하자.

"저는 이사님께 꼭 1분만 시간을 빌리기로 약속하고 면 회했습니다. 제 이야기를 듣고 난 이사는 의자에 앉으라고 권하고는 정확히 한 시간 사십칠 분 동안 이야기를 하더군 요. 이사는 연쇄점에 관한 저서를 쓴 다른 중역 한 명을 불 러오고, 전 미국 체인스토어 협회에 조회하여 이 문제에 관 한 토론기록사본도 구해 주었습니다. 그는 연쇄점이 고객 들에게 진실되게 봉사하고 있는 것으로 믿고 있었습니다. 자기가 하고 있는 일에 자긍심이 있어서 말할 때마다 그의 눈은 빛났으며, 제가 미처 생각해 본 적이 없던 일에 대해 저의 시야를 넓혀 주었습니다. 그의 행동은 저의 정신적 태 도를 변화시키는 데에 결정적 역할을 했지요.

제가 연쇄점을 나설 때, 그는 문까지 따라 나와 어깨에 다정히 손을 얹으며 한 번 더 찾아와 결과를 알려 달라고 했습니다. 마지막으로 그분이 해 준 말은 '봄이 오면 다시 들르시오. 그때 당신한테 연료를 주문할 수 있을 겁니다.'였습니다.

저로서는 마치 기적이 일어난 것 같았습니다. 부탁하지도 않았는데 연료를 주문하다니! 저와 우리 제품에 관심을 가져달라고 10여 년 동안 애쓴 것보다, 단 두 시간 동안 그와 그의 문제에 제가 관심을 보인 것이, 훨씬 효과적인 결과를 이룬 것입니다."

크나플이 새로운 진리를 터득한 것이 아니다. 예수가 태어나기 100년 전에, 이미 로마의 저명한 시인 푸블리우스 시러는 말했다.

"우리는 우리에게 관심을 갖는 사람에게 관심을 갖는다."

관심의 표현은 진지해야 한다. 관심을 가진 사람뿐이 아니라 관심을 바라는 이들에게도 도움이 되어야 한다. 양자 모두에게 이익이 되어야 한다.

나의 강좌에 참가한 적이 있는 마틴 킨즈버그는 한 간호원이 그에게 특별한 관심을 가져준 일이 그의 인생에 커다란 영향을 주었다고 말했다.

"제가 열 살 되던 해의 추수감사절이었어요. 저는 시립병원의 복지병동에 입원해 다음 날 정형수술을 받게 되었습니다. 수술 후엔 몇 달 동안 꼼짝없이 누워 고통을 이겨내며 회복되기를 기다려야 함을 잘 알고 있었습니다. 아버지는 이미 돌아가셨고, 어머니와 저는 구호대상자였는데 그날따라 어머니는 절 찾아오실 수 없었습니다.

시간이 흐름에 따라 고독감과 절망, 두려움이 엄습해 왔습니다. 내 주위엔 아무도 없었고, 추수감사절을 지낼 돈도 없었습니다. 눈물이 한없이 흘렀습니다. 머리를 베개 속에 묻고 이불을 끌어올려 소리를 죽여 가며 흐느꼈습니다. 온몸에 통증이 오기 시작했어요.

그때 한 간호원이 우는 소리를 듣고 저에게로 다가와 이불을 걷고 눈물을 닦아 주었습니다. 간호원은 자기도 외로워하며 그날은 당번이라 가족과 함께 지낼 수 없다고 하더군요. 그녀는 함께 저녁을 먹자고 하면서 칠면조 고기, 감자요

리, 크랜베리 소스와 디저트용 아이스크림을 담아 두 접시 가져왔습니다. 제게 이야기를 해 주며 공포심을 가라앉혀 주었어요. 간호사는 오후 4시에 퇴근할 예정이었지만 저와 함께 게임도 하고 이야기도 하면서 제가 잠들 시간인 거의 11시까지 있어 주었습니다.

그날 이후 추수감사절이 오면 저는 그 특별했던 추수감사절과 절망감, 두려움 그리고 고독을 견딜 수 있게 해 준 그 간호원의 따뜻한 마음을 잊을 수가 없답니다."

다른 사람이 당신을 좋아하기를 바란다면, 진실한 우정으로 그 사람을 도와주고 싶다면 마음속에 다음의 원칙을 꼭 기억해 두기 바란다.

> **원칙1**
> 다른 사람들에게 순수한 관심을 기울여라.

2
첫인상을 좋게 하는
간단한 방법

막대한 유산을 상속받은 한 부인이 있었다. 그녀는 여러 사람들에게 좋은 인상을 주려고 무진 애를 쓰고 있었다. 사치스런 모피와 다이아몬드 그리고 진주 등 값진 장신구로 몸을 감싸고 있었지만 얼굴에는 이기심과 심술이 더덕더덕 붙어 있었다. 그녀는 사람들의 알고 있는 것, 즉 표정이 비싼 옷이나 장신구보다 훨씬 더 중요하다는 사실을 모르고 있었다.

찰스 슈왑은 자신의 미소는 100만 달러짜리라고 말했다. 아마 그는 그 사실을 알고 있었던 것 같다. 그의 인격과 매력 그리고 사람들이 그를 좋아하게 만드는 능력이 그로 하여금 남들보다 더 큰 성공을 하도록 만들었던 것이다. 슈왑의 특성 중 가장 훌륭한 것은 사람을 사로잡는 바로 그 미소였다.

미소는 '나는 당신을 좋아해요. 당신은 나를 행복하게 만들어 줍니다. 뵙게 되어 반갑습니다.'라고 말하는 것과 같다.

강아지가 사랑받는 이유도 바로 그 때문이다. 우리를 보면 무척 반가워하며 깡충깡충 뛴다. 그래서 자연히 우리도 개를 보면 반가운 마음이 들게 되는 것이다. 아기가 짓는 미소에도 이와 똑같은 효과가 있다.

수의사 스프라울은 그의 병원 대기실이 강아지의 예방 접종을 맞히기 위해 온 사람들로 붐볐던 상황에 대해 이야기하였다. 사람들은 아무도 옆 사람과 이야기를 하지 않았다. 사람들은 대기실에 앉아 낭비하는 시간이면 다른 여러 가지 일을 할 수 있을 텐데 하고 생각하는 것 같았다. 그 수의사는 우리 강좌에서 이렇게 말했다.

"젊은 부인이 9개월 된 아이와 고양이를 데리고 왔을 때

6, 7명의 손님들이 있었습니다. 이 부인은 한 신사 옆에 앉았는데 그 신사는 진료 순서로 오랫동안 기다렸던 탓에 약간 짜증이 나 있었습니다. 그때 부인의 아이가 그 신사를 보더니 아이들 특유의 함박웃음을 지었습니다. 신사는 어떻게 반응했을까요. 물론 우리가 하게 될 행동과 똑같은 행동을 했습니다. 즉 신사도 아이에게 미소를 보내며 아이와 자기 손자들에 대해 부인과 이야기를 나누게 되었고, 대기실의 모든 사람들도 기분이 좋아져 즐겁고 재미있는 경험을 하게 된 것이지요."

위선적 미소는 안 된다. 그런 미소에 속을 사람은 없다. 그것이 형식적인 미소라는 것을 알기 때문에 우리는 그 미소를 받아들이지 않는다. 나는 진실한 미소와 마음을 녹여주는 미소, 진심에서 우러나오는 미소, 다시 말해 '매우 값진 미소'에 대해 이야기하는 것이다.

맥코넬 심리학 교수는 미소에 대한 그의 느낌을 이렇게 얘기하고 있다.

"미소를 지을 줄 아는 사람은 경영이나 가르치는 일이나 세일즈를 보다 효과적으로 할 수 있으며, 아이를 더욱 행복하게 기를 수 있습니다. 따라서 벌을 주는 것보다는 격려해 주는 것이 훨씬 더 효과적인 교육방법입니다."

뉴욕의 한 일류백화점 주인은 나에게, 무표정한 얼굴의 대학원 출신을 고용하기보다는 차라리 초등학교도 제대로 졸업하지 못했더라도 미소를 짓는 사람을 고용하겠다고 말했다.

미소의 효과는 강력하다. 미국의 전화기 제조업체들은 '전화의 힘'이라는 프로그램이 있는데 이 프로그램은 전화를 이용해 제품 또는 서비스를 판매하려는 사람에게 제공되고 있다. 내용은 전화로 이야기할 때도 미소를 지으라는 것이다. 당신의 '미소'가 목소리를 통하여 전달되기 때문이다.

컴퓨터회사의 전산부장으로 있는 크라이어는 자기 부서에서 일할 사람들을 어떻게 찾아낼 수 있었는가에 대해 다음과 같이 말했다.

"저는 컴퓨터 부문의 박사학위를 가진 사람을 채용하려고 애를 썼습니다. 대학 졸업을 앞둔 이상적인 자격의 젊은 이를 찾아냈지요. 서너 차례 그와 통화를 하면서 그가 우리 회사보다 규모가 크고 유명한 회사들로부터 채용제의를 받고 있음을 알게 되었습니다. 그러한 그가 저의 제의를 받아들였을 때 놀라지 않을 수 없었지요. 저는 그에게 우리 회사를 택하게 된 이유를 물었습니다. 그는 잠시 말없이 있다가 이런 말을 했습니다.

'다른 회사 부장들은 냉정하고 사무적인 어조로 전화를 하더군요. 사업상 거래를 하는 것 같은 느낌뿐이었습니다. 그런데 부장님은 저와 이야기하는 것이 무척 기쁜 듯한 음성이었지요. 그리고 부장님은 제가 이 회사의 일원이 되어 주기를 진심으로 원하는 것 같았습니다.'

선생님께서 아시다시피 전 요즘도 미소를 지으면서 전화를 받습니다."

미국 최대의 고무회사 사장은 일을 하는 게 재미있어 못 견딜 정도가 되지 않으면 절대로 성공하지 못한다고 했다. 이 실업계의 거물은 '근면만이 희망의 문을 여는 유일한 열쇠'라는 속담을 그다지 믿고 있지 않는 투였다. 그러면서 그는 말했다. "마치 술 마시고 떠들썩하게 노는 것처럼 일하는 것을 즐기면서 성공한 몇 사람을 알고 있는데, 그런 사람이 재미없게 일을 하게 되면 차츰 일에 흥미를 잃고 나중엔 실패하더군요."

만일 사람들이 당신을 만나 좋은 시간을 보내기를 원한다면 당신도 반드시 사람을 만나 즐거운 시간을 보내야 한다.

나는 사업가들에게 사람을 정해놓고 1주일 내내 그에게 미소를 지으라고 권한 다음 그 결과를 내 강좌에서 이야기해줄 것을 요청했다. 어떻게 되었을까.

뉴욕에 사는 증권 중개인 윌리엄 스타인하트가 보낸 편지를 소개하겠다. 특별한 케이스가 아니다. 수백 가지 경우의 한 예일 뿐이다.

"결혼한 지 18년째입니다. 그동안 저는 아침에 일어나서 출근할 때까지 아내에게 웃어 본 적도 말을 해 본 적도 거의 없습니다. 저는 브로드웨이로 출근하는 사람들 중 가장 무뚝뚝한 사람일 것입니다. 선생님이 저에게 미소에 관한 경험을 이야기해보자고 제안했을 때, 전 일주일 동안은 노력해 봐야겠다는 생각이 들더군요. 다음 날 아침, 머리를 빗으면서 거울 속의 무표정한 제 얼굴을 보며 '이봐 빌, 오늘부터는 제발 그 뚱한 표정은 집어치우게. 자넨 이제 웃을 거야 곧 웃게 될 거라고.' 하며 혼잣말을 했습니다. 식탁에 앉으면서 아내에게도 '여보 잘 잤소?' 하고 말하면서 미소를 지었습니다. 선생님께서는 아내가 놀랄 거라고 미리 말씀하셨죠. 그건 아내의 반응을 과소평가한 것이었습니다. 아내는 충격을 받은 것 같았고 당황하는 빛이 역력했습니다. 저는 아내에게 지금부터는 매일 이렇게 하겠다고 말했고, 그 후로도 매일 아침 거르지 않고 인사를 건넸습니다.

이 방법을 시도한 지 두 달 만에 우리 가정의 행복은 지난 한 해 동안 느꼈던 행복과는 비교할 수 없을 정도가 되었지요. 출근할 때에는 아파트의 엘리베이터 안내양에게 미소를 지으면서 아침인사를 하고, 수위에게도 미소를 보입니다. 지하철 매표원에게도 잔돈을 받으며 미소를 짓고, 사무실에 가서 최근 들어 한 번도 웃어 본 적이 없는 사람에게도 미소를 지어 보냅니다.

그러면서 제가 알게 된 것은 내가 미소를 지으면 상대도 미소를 지어 준다는 사실을 알게 된 것입니다. 그 후로 저는 불평이나 애로사항을 들고 찾아오는 사람들에게 아주 명랑한 태도를 대합니다. 미소를 지으며 그들의 말을 듣다 보면 문제해결도 훨씬 쉬워지는 것을 느꼈습니다. 미소는 매일 돈을 많이 벌 수 있도록 해주는 소중한 자산이지요.

저는 지금 다른 중개인과 함께 사무실을 쓰고 있습니다. 그 사람의 사원 중에 호감을 주는 젊은이가 있는데, 저는 제가 이룬 성과에 대해서 의기양양해 하며 그 젊은이에게 새로운 인간관계 철학에 대해 말해 주었습니다. 그때서야 그도 말하더군요. 사무실에 처음 나왔을 때 저를 고약한 인상을 가진 사람이라고 생각했는데 최근에는 그 생각이 달라졌다면서 솔직한 심정을 보였습니다. 그는 제가 웃을 땐 참으로 인간적으로 보인다고도 말해 주었습니다.

이제 저는 비난하지 않기로 했습니다. 이젠 칭찬과 감사의 말을 할 것입니다. 제가 원하는 것을 말하지 않습니다. 상대의 입장에서 사물을 보려고 애를 씁니다. 그렇게 하니까 저의 생활에는 혁명적인 변화가 일어났습니다. 저는 전혀 다른 사람이 되었으며, 보다 행복하고 부유하며 우정과 행복에 넘쳐 있습니다. 결국 이런 것이 가장 중요한 것이죠."

당신은 미소 짓고 싶지 않은가. 미소를 지으려면 어떻게 해야 하는가.

방법은 있다. 먼저 억지로라도 미소를 지어 보아라. 혼자일 때 강제로라도 휘파람이나 콧노래를 흥얼대도록 노력하라. 당신이 이미 행복한 것처럼 행동하면 정말로 행복해진다.

심리학자며 철학자인 윌리엄 제임스는 이렇게 말하고 있다.

"행동이 감정에 따르는 것 같지만 실제로 행동과 감정은 병행한다. 따라서 우리 의지의 직접적인 통제하에 있는 행동을 조정함으로써 우리는 직접적인 통제하에 있지 않은 감정을 간접적으로 조정할 수 있다. 따라서 유쾌한 상태가 아니더라도 기분을 유쾌하게 만드는 최상의 방법은 유쾌한 마음을 갖고 이미 유쾌해진 것처럼 행동하고 말하는 것이다."

모든 사람은 행복을 추구한다. 이 행복을 구하는 방법은 당신의 생각을 조절하는 것이다. 행복은 외부조건에 달려 있는 것이 아니라 자신의 마음가짐에 달려 있기 때문이다.

당신의 행복이나 불행은 갖고 있는 재산이나 지위 따위에 달려 있는 것이 아니다. 생각하기 나름이다. 동일한 장소에서 같은 작업을 하고 있는 두 사람의 예를 들어보자. 재산과 지위가 거의 비슷한데 한 사람은 행복했고 한 사람은 비참했다. 왜? 마음가짐이 다르기 때문이다. 열대지방의 황폐한 농지에서 원시적 도구로 진땀을 흘리며 땅을 일구는 농부들도 대도시의 냉방시설이 완벽한 사무실에서 일하는 사람들과 마찬가지로 행복할 수 있다.

"세상에는 좋고 나쁜 것이 없다. 다만 생각이 그렇게 만들 뿐이다."라고 셰익스피어는 말했다.

에이브러햄 링컨은 '대부분의 사람들은 마음먹기에 따라 행복해진다.'라고 말했다. 그의 말이 옳다. 나는 뉴욕의 롱아일랜드 역 내의 계단을 오르면서 그 말이 사실임을 입증하는 장면을 목격하였다. 바로 내 앞으로 3, 40명의 불구 소년들이 지팡이나 목발을 짚고 애를 쓰며 힘겹게 계단을 오르고 있었다. 그들의 웃음소리는 맑았으며 하나같이 밝은 표정으로 여느 정상적인 아이들의 분위기와 전혀 다를 바 없었다. 인솔자가 의아해 하는 나에게 말했다.

"아, 네. 처음에는 저 아이들도 일생을 불구로 보내야한다는 생각에 충격이 컸지요. 하지만 그 충격을 극복하고 나면 대개 자신을 운명에 맡기며 정상인들과 똑같이 행복해지게 됩니다."

나는 그 소년들에게 경의를 표하고 싶었다. 그 아이들은 내게 결코 잊을 수 없는 교훈을 가르쳐 주었다.

회사의 격리된 사무실에서 홀로 일한다는 것은 외롭기도 하고 직원들과 사귈 기회를 빼앗기는 것이다. 마리아 곤잘레스는 이러한 난감한 처지에 놓여 있었다. 그녀는 직원들의 잡담과 웃음소리가 들려올 때마다 그들이 함께 나눌 수 있는 동료애를 부러워했다. 첫 출근 후, 몇 주일 동안 복도에서 직원들 옆을 지나갈 때마다 수줍음에 고개를 다른 쪽으로 돌리곤 했다.

어느 날 그녀는 자신에게 말했다. '마리아, 다른 사람들이 너에게 다가올 것이라고 기대해서는 안 돼. 네가 먼저 그들에게 다가가서 인사하렴.'

그 이후부터 그녀는 만나는 사람마다 '안녕하세요?' 하며 환한 웃음을 보냈다. 효과는 바로 나타났다. 답례로 웃음과 인사가 돌아왔으며 복도도 더 밝아진 것처럼 느껴졌고 하는 일에도 더 많은 애착이 생겼다. 동료들과의 관계의 폭이 넓어졌고 몇몇 사람들과는 우정으로까지 발전했다. 그녀의 삶은 즐거웠고 하는 일마다 보람과 행복을 느낄 수 있었다.

수필가이며 출판사를 경영하는 엘버트 허바드로부터 지혜로운 충고를 들어보자. 이 충고는 실제로 활용하지 않으면 아무런 의미가 없다는 것을 명심하라.

외출할 땐 턱을 당기고 머리를 꼿꼿이 세운 다음 심호흡을 크게 하여라. 친구를 대할 땐 햇살처럼 환한 미소로 맞고, 악수를 나눌 때마다 온 정성을 다해라. 오해받을까봐 두려워 말고, 상대에 대해서 생각하느라고 단 1분 1초도 허비하지 말라.

무엇을 하고 싶은가에 대해 마음속에 확실히 심어두어라. 그런 후 목표를 향해 곧장 나아가라. 당신이 하고 싶은 위대하고 찬란한 일에 대해서만 생각하라. 그러면 시간의 흐름에 따라 당신도 모르는 사이에 원하는 것을 이루는 데에 필요한 기회를 잡고 있음을 발견할 것이다.

이는 마치 산호충의 조류에 몸을 맡기고 필요로 하는 것을 취하는 것과 같다. 마음속에 당신이 되고 싶어 하는 유능하고 정직한 사람을 그려 보라. 그러면 당신이 갈망하는 그러한 생각이 시간의 흐름에 따라 당신을 그런 인물이 되게 해줄 것이다.

생각이란 아주 중요한 것이다. 용기, 정직, 그리고 명랑한 정신자세를 가져라. 올바르게 생각하는 것은 창조하는 것이다. 모든 것은 욕망으로부터 얻어지며 모든 진지한 기도는 응답된다. 우리는 우리가 마음먹은 대로 된다. 턱을 바짝 안으로 잡아당기고 고개를 꼿꼿이 세워라. 우리 인간은 미완성의 신들이다.

옛날 중국인들은 지혜롭게 처세하며 살았다. 그들은 우리가 기억해야 할 금언을 남겼다.

'웃지 않는 사람은 장사를 해선 안 된다.'

당신의 미소는 호의를 전달하는 전령이다. 미소는 쳐다보는 이들의 삶을 빛나게 해 준다.

당신의 미소는 인상을 찌푸리며 외면하는 얼굴을 보아온 사람들에게 마치 구름 속을 뚫고 나오는 햇빛과도 같은 것이다. 사람들에게 있어서 미소란 세상에 절망적인 것만 있는 것이 아니라 기쁨도 있다는 사실을 깨닫게 해주는 것이다.

뉴욕의 한 백화점이 크리스마스 대목으로 붐비는 동안 판매원들이 시달리는 것을 깨닫고 다음과 같은 정겹고 소박한 광고를 냈다.

크리스마스에 보내는 미소의 가치

미소는 아무런 대가를 치르지 않고서도 많은 것을 이루어 냅니다. 미소는 받는 사람의 마음을 풍족하게 해 주지만 주는 사람의 마음을 가난하게 만들지는 않습니다. 미소는 순간적으로 일어나지만 미소에 대한 기억은 때때로 영원히 지속됩니다. 미소 없이 살아갈 수 있을 만큼 부자인 사람 없고 그 혜택을 누리지 못할 만큼 가난한 사람도 없습니다. 미소는 가정의 행복이며 사업에서는 호의를 갖게 하고 우정의 표시로 나타나기도 합니다. 지친 사람에게는 안식이며 절망에 빠진 사람에게는 희망입니다. 슬픈 사람에게는 위로일 수 있고 일상의 문제에 대한 자연의 묘약이기도 합니다. 미소는 살 수도 없고 구걸할 수도 없으며 빌리거나 훔칠 수도 없습니다. 미소는 주기 전에는 아무 쓸모가 없는 것입니다.

그러므로 크리스마스 쇼핑의 막바지 혼잡으로 저희 판매원들 중 누군가가 지친 나머지 미소를 보내드리지 못하게 되면, 그들에게 당신의 미소를 보내 주시지 않으시겠습니까.

왜냐하면 너무나 많은 미소를 준 나머지, 더 이상 줄 수 있는 미소가 없는 이들이야말로 누구보다도 더 미소가 필요하기 때문입니다.

원칙2

미소를 지어라.

3
상대방의 이름을
잘 기억하라

1898년 뉴욕의 로크랜드에서 불행한 일이 발생했다.

한 어린이의 사망으로 마을사람들은 장례식 준비를 하고 있었다. 그런데 짐 팔리는 마구간에서 말을 끌어내는 도중 아이의 아버지가 갑자기 난폭해진 말의 발에 차여 그 자리에서 즉사하고 말았다. 두 사람의 장례를 치러야 하는 비극이 생긴 것이다. 결국 짐 팔리에게는 미망인과 아들 셋 그리고 약간의 보험금이 남았다.

10살의 큰 아들 짐은 벽돌 공장에서 벽돌을 햇볕에 말리는 일을 했다. 짐은 교육을 받을 기회가 전혀 없었다. 그러나 천성적으로 쾌활했고 사람들에게 호감을 갖게 하는 재능이 있어서 마침내 정계에 입문했다. 그는 사람들의 이름을 외우는 데 신비한 능력이 있었다. 고등학교 문 앞에도 가 본 일이 없었지만 마흔여섯 살이 되기 전에 네 개의 대학에서 학위를 수여받았고 민주당 전국위원회의 의장과 미합중국 체신부 장관이 되었다.

나는 그와의 인터뷰 자리에서 그의 성공비결을 물었다. 그는 "열심히 일하는 것이지요." 라고 말했다. 내가 "농담이지요?" 하고 말하자 그는 도리어 나에게 물었다.

"당신은 나의 성공비결이 뭐라고 생각하십니까?"

"의장님은 수천 명의 사람들의 첫 이름자만 말해도 그의 얼굴을 기억할 수 있는 분이라고 알고 있습니다."라고 대답했다.

"틀렸소. 5만 명의 이름을 기억할 수 있소."라고 그가 말했다.

짐은 이러한 능력으로 프랭클린 D. 루즈벨트 대통령 선거 유세운동을 성공적으로 이끌어 루즈벨트를 백악관의 주인이 되게 하는 데 크게 기여했다.

짐은 석고 외판원 시절과 스토니 포인트 지역에서 가게를 하던 때에 사람들의 이름을 기억하는 방법을 고안해 냈다. 처음에는 무척 간단한 것이었다. 그는 새로운 사람을 만날 때마다 성과 이름, 가족상황, 직업과 성품 정치적 견해 등을 알아냈다. 이것들을 모두 마음속에 그림을 그리듯 새겨 두었다가 다음 번에 그를 만날 때는 비록 1년이 지난 뒤라 할지라도 그와 악수하면서 가족들의 안부를 묻거나 뒤뜰에 핀 해바라기 꽃에 대해 물었다. 그의 지지자가 늘어난 것은 당연한 일이었다.

루즈벨트가 대통령 선거 유세를 시작하기 몇 달 전부터 짐은 하루 수백 통의 편지를 서부 및 서북부 지역의 유권자들에게 보냈다. 그 지역을 방문해서는 이륜마차, 기차, 자동차, 배를 타고 1만 2,000마일을 다녔다. 한 마을에 도착하면 바로 그 마을 사람들과 식사나 차를 마시며 흉금을 털어놓고 허심탄회한 대화를 나누었으며 그 일이 끝나면 또 바로 다른 마을로 옮겼다.

동부에 도착하는 즉시 짐은 각 마을의 대표에게 편지를 띄워 회합에 참석했던 사람들의 명부를 만들어 보내주도록 부탁했다. 명부에는 수만 명의 이름이 적혀 있는데 그 사람들 하나하나는 모두 짐의 다정다감한 내용의 편지를 받는 기쁨을 맛보았다.

짐은 사람이란 지구상의 모든 이름보다 자신의 이름에 더 많은 관심을 갖고 있다는 사실을 어렸을 때부터 깨달았다.

사람들의 이름을 기억하고 자주 불러라. 그러면 당신은 많은 찬사를 받을 것이다. 그러나 이름을 잊거나 잘못 쓰면 곤란에 처하게 된다.

나는 파리에서 대중연설법 강좌를 개최한 일이 있었다. 그때 그곳에 사는 모든 미국인들에게 편지를 보냈다. 그런데 영어를 모르는 프랑스인 타이피스트가 그들의 이름을 잘못 타이핑하는 실수를 범했다. 파리 주재 미국은행의 한 지배인은 나에게 항의편지를 보내왔다.

때로는 발음하기 힘든 이름의 경우엔 기억하기도 어려울 수 있다. 이런 경우 사람들은 그 이름을 알려고 하는 대신 그 이름을 무시해 버리거나 손쉬운 별명을 부르는 것이 보통이다. 시드 레비는 '니코데무스 파파둘로스'라는 이름을 가진 고객을 찾아갔다. 대다수의 사람들은 그를 '닉'이라고 불렀다. 레비는 우리에게 말했다.

"나는 그를 만나기 전에 몇 번이고 그의 이름을 외우려고 특별한 노력을 했습니다. 내가 '안녕하십니까 니코데무스 파파둘로스?' 하고 인사를 하자 그는 굉장히 놀라는 표정이었습니다.

얼마 간 그는 아무 반응이 없더군요. 잠시 후 그는 눈물을 글썽이며 '레비, 나는 15년 동안이나 이곳에 살았지만 정확히 내 이름을 불러주는 사람은 당신 외엔 단 한 사람도 없었소.'라고 말하더군요."

앤드루 카네기의 성공비결은 무엇이었을까.

카네기는 강철왕이라고 불렸다. 그러나 그 자신은 강철 제조에 있어서 아는 바가 거의 없었다. 그는 자기보다 강철 제조에 대해 월등히 많이 알고 있는 수백 명의 사람들을 거느렸을 뿐이다. 카네기는 사람을 다루는 법을 알았기에 큰 돈을 벌 수 있었다. 그는 어릴 적부터 조직을 운영하는 능력과 리더십에 있어서 천재성을 발휘했다. 열 살 때부터 그는 사람들이 자신의 이름에 놀랄 만큼 중요한 의미를 부여하고 있음을 발견하고 이를 방편으로 다른 사람들의 협조를 구했던 것이다.

어린 시절 카네기는 어미 토끼 한 마리를 갖게 되었다. 얼마 지나지 않아 새끼토끼들을 많이 기르게 되었는데 먹이를 구하기가 난감했다. 이때 멋진 생각이 떠올랐다. 동네 아이들에게 클로버 잎과 민들레를 가져다주면 토끼들에게 그 아이들 이름을 붙여 주겠다고 말했다. 이 계획은 마술 같은 효과가 있었으며 카네기는 그 일을 한 번도 잊은 적이 없었다.

카네기는 사업에서도 이러한 심리를 이용하여 막대한 돈을 벌었다. 카네기는 에드가 톰슨이 사장인 펜실베이니아 철도회사에 강철레일을 팔기를 원했다. 카네기는 피츠버그에 거대한 강철공장을 설립하여 그 공장의 이름을 '에드가 톰슨 강철공장'이라고 명명하였다.

문제 하나를 내보겠다. 풀 수 있는지 한번 생각해보라.

펜실베이니아 철도회사에서 강철레일이 필요했을 때 당신은 에드가 톰슨 씨가 어디에서 레일을 구입했으리라고 생각하는가.

　카네기와 조지 폴먼이 침대열차 사업으로 경쟁을 벌일 때, 카네기는 토끼에 얽힌 교훈을 다시 상기했다. 카네기의 센트럴 철도회사와 폴먼의 회사는 사업상의 경쟁 상대였다. 두 회사 모두 유니온 퍼시픽 철도회사의 침대열차 사업 건을 따내기 위해 서로 입찰가격을 깎아내려 이익을 볼 수 없는 상황에 처해지게 되었다. 둘은 유니온 퍼시픽 이사회의 면담을 위해 뉴욕으로 갔다. 호텔에서 폴먼을 만난 카네기는 "안녕하십니까? 폴먼 씨. 우리가 바보짓을 하고 있는 건 아닙니까?" 하고 말했다. "무슨 말씀이십니까?" 하고 폴먼이 물었다.

　카네기는 생각하고 있던 각자의 이익을 함께 추구하는 방법을 말하였다. 서로 반목하지 말고 협조함으로써 얻을 수 있는 상호간 이익에 대해 진지하게 얘기했다. 폴먼은 귀를 기울였으나 완전히 확신할 수는 없었다. 그는 "새 회사의 이름을 뭐라고 정할 건가요?" 하고 물었으며 카네기는 즉시 대답했다. "아, 네 물론 '폴먼 팰리스 차량회사'죠."

　폴먼은 얼굴이 환해지면서 "제 방으로 가 좀 더 이야기

합시다."라고 했다. 결국 이 대화로 새로운 산업의 역사가 이루어진 셈이다.

사람들의 이름을 기억하고 존중하는 일이야말로 카네기가 성공한 비결 중의 하나였다. 카네기는 자기 공장에서 일하는 인부들의 이름만 대도 그들의 얼굴을 생생히 기억하는 것을 자랑으로 여겼고, 그가 책임자로 있던 공장이 한 번도 파업을 한 적이 없음을 자랑으로 여겼다.

텍사스 주 상공회의소 회장인 벤톤 러브는 다음과 같이 말했다.

"기업에 활력을 불어넣어 주기 위한 한 방법은 직원들의 이름을 잘 기억하는 것이다. 이름을 기억하는 데 서툴다고 말하는 경영자는 사업의 중요한 부분을 모르고 있다는 것이며, 언제 도산에 빠질지 모르는 사람이다."

캘리포니아에 사는 카렌 키어슈는 TWA항공사의 스튜어디스인데 그녀는 승객들의 이름을 가능한 한 많이 외워 시중을 들 때마다 이름을 사용했다. 그러자 항공사에 그녀에 대한 찬사가 쏟아졌다. 어느 승객은 "나는 TWA는 잘 타지 않았는데 이제부턴 이 항공사만 이용할 겁니다. 귀 항공사는 승객을 무척 위하는 회사라는 느낌이 들었고, 나는 이 점을 높이 평가하고 싶습니다."라는 편지를 보내왔다.

사람들은 자신의 이름을 자랑스럽게 여기기 때문에 어떠한 대가를 치르더라도 그 이름을 오랫동안 남기고 싶어 한다. 심지어는 당대 최고의 흥행가로서 고집이 세고 허풍이 심했던 P. T. 바넘도 자신의 이름을 이어 줄 아들이 없어 실망한 나머지 손자 C. H. 실리에게 '바넘 실리'로 개명해 준다면 2만 5,000달러를 주겠다는 제의를 했다.

오랜 세월 동안 귀족이나 명사들은 화가와 음악가 작가들에게 자신을 봉헌할 작품을 만들 수 있도록 물심양면으로 지원해 주어 후원자 역할을 했다.

도서관과 박물관의 가장 값비싼 소장품들은 자신의 이름이 인류의 기억에서 사라질 것이라는 생각을 참을 수 없는 사람들이 기증한 것이다. 뉴욕 시립도서관에는 애스터와 레녹스 소장품들이 많다. 메트로폴리탄 박물관에는 벤자민 알트만과 J. P. 모건의 기증품들이 기념 보전되어 있다. 거의 모든 교회마다 헌금을 많이 낸 사람들의 이름을 새긴 유리장식들이 붙어 있다. 각 대학 건물들도 거액의 돈을 기증한 사람들의 이름을 따서 짓는다.

대부분의 사람들은 이름을 외우는 데 필요한 시간과 노력을 기울이지 않기 때문에 잘 기억하지 못한다. 그러고는 항상 자신들은 바쁜 몸이라고 변명만 늘어놓는다. 그들이 프랭클린 D. 루즈벨트보다 더 바쁘지는 않을 것이다. 루즈벨트는 기계공들의 이름까지 전부 기억하고 있었다.

예를 들기로 하겠다. 루즈벨트는 다리가 불구였으므로 보통차로는 운전할 수가 없었다. 크라이슬러 자동차회사에서 대통령을 위한 특수차를 생산했다. W. F 챔벌레인과 기계공 한 명이 차를 백악관으로 배달했다. 이 일에 관해 챔벌레인 씨가 나에게 보낸 편지를 소개한다.

"저는 루즈벨트 대통령에게 특수자동차 운전법을 가르쳐 드렸고, 그분은 저에게 사람 다루는 방법을 가르쳐 주셨습니다. 제가 백악관으로 찾아갔을 때 대통령께서는 매우 기분이 좋으셨습니다. 제 이름을 불러 절 편안하게 해주셨고, 자동차에 큰 관심을 갖고 계시는 것에 깊은 인상을 받았습니다. 자동차는 전부 손으로 수동조작 할 수 있도록 설계된 것이었습니다. 차를 구경하러 사람들이 모여들자 대통령께서는 '아주 멋지군. 버튼만 누르면 움직이니 손쉽게 운전할 수 있겠어. 정말 굉장해. 어떻게 만들었는지 궁금하군. 속을 뜯어내 어떻게 움직이는지 봤으면 좋겠어.' 하고 말씀하셨습니다. 대통령의 주변 사람들이 자동차를 칭찬하자 그들 앞에서 나에게 말씀하셨습니다.

"챔벌레인 씨, 이 차를 개발하느라고 당신이 애쓴 시간과 노력에 감사를 드리고 싶군요. 대단히 훌륭하십니다."

난방기와 특별히 제조된 백미러, 시계, 조명등, 실내장식, 운전자의 좌석 위치 그리고 대통령의 이름 첫 글자를 새긴 옷가방 등도 칭찬하셨습니다. 다시 말해 그분은 제가 상당히 신경 쓴 세세한 부분까지도 놓치지 않았던 것입니다. 대통령은 이런 여러 가지에 대해 루즈벨트 여사, 퍼킨스 양, 노동부 장관, 그리고 비서에게도 말을 했습니다. 심지어 수위에게도 '이봐 조지, 이 가방을 좀 특별히 잘 부탁하네.' 하고 말씀하셨습니다.

운전교육이 끝나자 대통령은 '챔벌레인 씨, 내가 연방 준비 위원회를 30분이나 기다리게 했군요. 그곳에 가 봐야 할 것 같소.' 하셨습니다. 나는 같이 간 기계공을 대통령께 소

개하였습니다. 이 기계공은 대통령께 말을 못했고 대통령
께서는 그의 이름을 딱 한 번 들으셨습니다. 수줍음이 많은
기계공은 말없이 뒤뜰에 서 있었는데, 떠나기 전, 대통령은
그를 찾더니 이름을 부르면서 따뜻하게 악수하고는 와 주
어서 고맙다고 인사를 건넸습니다. 그 인사는 형식적이 아
닌 진심에서 우러나오는 것이었습니다.

뉴욕으로 돌아온 며칠 후, 저는 루즈벨트 대통령의 친필
이 든 사진과 저의 도움에 다시 한 번 감사한다는 쪽지를
받았습니다. 대통령이 이런 일을 할 시간이 있다는 것이 저
에게는 신기했습니다."

프랭클린 D. 루즈벨트 대통령은 상대의 호의를 누릴 수
있는 가장 간단하고 중요한 방법이 이름을 기억하여 그로
하여금 중요한 느낌이 들도록 하는 것이라는 사실을 알고
있었다. 과연 우리들 중에 그렇게 하는 사람은 몇이나 될까.

우리가 낯선 사람들과 인사를 나눈 다음 대개는 몇 분
동안 잡담하다가 헤어질 때는 그 사람의 이름조차 기억하
지 못하는 경우가 허다하다.

정치가가 배워야 할 첫 번째 교훈이다. '유권자의 이름을

기억하는 것.' 이름을 잊는다는 것은 그가 곧 잊혀진다는 것을 의미한다.

이름을 기억하는 능력은 기업 활동과 사회적인 관계에서도 중요하다.

황제 나폴레옹의 조카였던 나폴레옹 3세는 국사를 친히 살피는 것은 물론, 만나는 사람들의 이름을 모두 기억할 수 있음을 자랑했다. 그의 비결은 무엇이었을까. 간단하다. 이름을 분명히 못 들었으면 "미안하네, 이름을 잘못 들었네. 한 번 더 말해주게나."라고 말한다. 그리고 특이한 경우엔 "어떻게 쓰나?" 하고 되묻곤 했다.

대화 도중 그는 몇 번이고 이름을 되풀이 말해 자신의 마음속에 그 사람의 특징과 표정, 전체적인 모습을 각인시키려고 노력했다. 상대가 중요한 인물이라면 더 많은 노력을 했다. 혼자일 때 이름을 종이에 써서 신경을 집중시켜 마음에 단단히 새겨 놓은 후, 그 종이를 찢어 버렸다. 그는 이러한 방법으로 귀를 통해서 뿐만 아니라 눈을 통해서도 그 이름에 대한 인상을 간직했던 것이다. 이러한 모든 일에는 시간이 걸리지만 "좋은 습관은 약간의 희생을 지불함으로써 만들어진다."라고 에머슨은 말했다.

　이름을 기억하고 관심을 갖는 것은 우리 모두에게 지극히 필요한 것이다.

　캔 노팅햄은 주로 회사 구내식당에서 점심을 먹었다. 주방에서 일하는 여성이 항상 얼굴을 찡그리고 있음을 보았다. "그녀는 두 시간 가량 샌드위치를 만들고 있더군요. 나는 그녀에게 내가 원하는 것을 말했습니다. 그녀는 조그마한 저울에 햄을 달더니 양상추와 포테이토칩 몇 개를 담아 주었습니다. 이튿날도 같은 줄에 섰습니다. 같은 여성 똑같은 표정이었습니다. 달라진 것은 내가 그녀의 이름표를 봤다는 것입니다. 나는 웃으며 '안녕하세요 유니스?' 하면서 내가 원하는 것을 얘기했습니다. 그러자 그녀는 저울에 달지도 않고 햄을 건네주면서 양상추 석장과 포테이토칩을 접시에 가득 넘칠 정도로 담아 주었습니다."

　우리는 이름이 가진 마술적인 힘을 깨닫고 상대가 완전 무결하게 자기의 이름을 소유하고 있음도 인정해야 한다.

이름은 개개인을 차별화시켜 주며 많은 사람들 중에서 독특한 존재로 부각시켜 준다. 이름을 사용함으로써 개개인에게 우리가 전달하고자 하는 정보나 요구사항들이 특별한 의미를 지니게 되는 것이다.

이름의 힘은 내가 상대를 다루는 데 있어서 절대적 가치를 갖는다.

원칙3
당사자에게는 자신의 이름이
그 어떤 것보다도 기분 좋고 중요한 말임을 명심하라.

4

즐거운 대화를 나누는
쉬운 방법

얼마 전에 나는 브릿지 파티(카드놀이의 한 종류)에 갔
다. 나는 카드놀이를 할 줄 모르는데 마침 나처럼 할 줄 모
르는 한 부인이 있었다. 그녀는 내가 라디오에 출연하여 유
명해진 로웰 토머스의 전 매니저였다는 것을 알고 있었다.
그때 나는 그의 여행기 집필을 돕기 위해 그와 자주 유럽을
여행했다.

"어머 그러세요. 카네기 씨? 당신이 방문한 여행지의 아
름다운 경치에 대해 듣고 싶군요."

둘이 소파에 앉자 그녀는 자기도 남편과 같이 아프리카

여행에서 돌아온 지 얼마 되지 않았다고 얘기했다.

"아프리카라고요?" 하고 나는 큰소리로 말했다.

"얼마나 재미있었습니까. 전 항상 아프리카를 가보는 것이 꿈이었는데, 제가 아프리카에 간 것은 알제리에서 24시간 머문 게 전부였습니다. 정말 맹수들이 우글거리는 곳에도 가보셨어요? 아, 정말 부럽습니다. 그 아프리카 얘기를 저에게 들려주시겠어요?"

그녀의 이야기는 45분이나 계속되었다. 그녀는 내가 가본 곳에 대하여서는 전혀 묻지 않았다. 나의 여행에 관한 이야기 따위는 아무래도 좋았던 것이다. 이 여인에게 필요한 것은 자신의 얘기를 들어주는 한 사람의 청중이었다. 자신을 과시하면서 자기가 갔던 곳에 대해 자랑스럽게 얘기할 수 있었기 때문이다.

이 여인이 비정상일까. 아니다. 대부분의 사람들이 이 부인과 비슷한 행동을 한다.

한 가지 예를 더 들어보겠다. 나는 뉴욕의 한 출판사가 주최한 만찬회에서 저명한 식물학자를 만났다. 나는 그에게 흠뻑 빠졌다. 열대 식물과 새로운 품종 개발 등의 실험과 실내정원 등에 대해 해박한 이야기를 듣는 동안 나는 넋을 잃었다. 그 당시 나는 실내정원을 가꾸고 있었는데 식물학자는 내가 궁금하게 여기던 문제들의 해결방법을 가르쳐 주었다.

이미 이야기한 것처럼 우리는 만찬회에 초대받은 손님이었다. 10여 명이 더 있었지만 나는 모든 사교계의 규칙을 어기고 다른 손님들을 무시한 채 몇 시간 동안 식물학자하고만 대화를 하였다.

자정이 되어 나는 손님들과 작별을 하였다. 그때 그 식물학자는 그날의 주인과 함께 이야기를 하면서 나에 대해 몇 가지 칭찬을 했다. 나를 흥미로운 인물이라고 말하면서 이것저것 나에 대해 언급하고는 '가장 재미있는 대화가'라며 말을 맺었다.

가장 재미있는 대화가라고? 그럴 리 없다. 나는 거의 아무 말도 하지 않았다. 아니 하고 싶어도 할 말이 없었다. 왜냐하면 식물학에 관해서는 전혀 아는 것이 없었기 때문이다.

나는 한 가지만 했다. 그의 이야기를 진지하게 들어준 것이다. 진심으로 흥미를 느꼈기 때문에 관심을 갖고 들었던 것이며 식물학자는 그것을 알고 있었다. 당연히 그가 기뻐할 수밖에 없었다. 이와 같이 진심으로 경청하는 태도는 내가 상대에게 보일 수 있는 최고의 찬사 가운데 하나다.

잭 우드포드는 '사랑의 이방인'에서 이렇게 쓰고 있다.

"자신의 이야기를 열중해서 들어주는 것과 같은 은근한 찬사에 저항하는 사람은 없다."

나는 식물학자의 이야기를 들으면서, 열중해서 들어주는 것과 같은 은근한 찬사를 한 정도가 아니라 완전히 정신을 빼앗겼다.

나는 식물학자에 대해 대단히 재미있었고 배운 바가 많았다고 말했는데 실제로 그랬다. 나도 그처럼 많은 지식을 갖고 싶다고 말했다. 그와 함께 채집을 나가고 싶다고도 말했는데 실제로 그렇게 되었다. 나는 그를 다시 한 번 만나고 싶다고 했고 또 그를 만났다.

나는 듣기만 하면서 그에게 말을 많이 하도록 했을 뿐인데도 그는 나를 말재주가 좋은 사람이라고 생각했던 것이다.

사업상의 면담을 성공적으로 이끄는 비결은 무엇일까?

전 하버드 대학 총장인 찰스 W. 엘리어트에 의하면 "성공적인 사업상의 상담에는 비결 따위는 존재하지 않는다. 상대방의 이야기에 주의력을 집중하는 것이 가장 중요하다. 어떠한 찬사도 이만한 효과는 없다."

엘리어트 총장은 다른 사람의 이야기를 듣는 데 명수였다. 미국 최초의 위대한 작가 중 한 사람인 헨리 제임스는 이렇게 회상했다.

"엘리어트 박사의 경청하는 태도는 단순한 침묵이 아닌 활동의 일종이었습니다. 그는 허리를 바로 펴고 꼿꼿이 앉아 양손을 무릎 위에 올려 놓고 깍지 낀 엄지손가락을 조금씩 움직이는 것 외에는 아무런 동작도 하지 않고 말하는 사람을 마주보며, 귀뿐만 아니라 눈으로도 이야기를 듣는 것 같았습니다. 그분은 마음으로 상대의 말을 들었으며 상대가 말하고 싶은 것을 충분히 말할 수 있도록 세심한 주의를 기울였습니다. 면담이 끝날 때쯤이면 이야기 하고 싶었던 말을 모두 했다는 느낌이 들게 됩니다."

너무나 자연스럽고 당연한 말 아닌가. 그것을 깨닫기 위해 하버드 대학에서 4년이나 공부할 필요는 없다. 그런데도 거액을 들여 점포를 빌려 진열장을 멋지게 장식하고 광고에 수만 달러를 소비하는 백화점 주인이, 이야기를 가로막고 고객과 싸움을 벌여 고객을 화나게 하여 점포 밖으로 쫓아내는 점원을 고용하고 있다는 것을 우리는 알고 있다.

시카고에 있는 한 백화점은 매년 수천 달러의 상품을 구매하는 고객 한 명을 잃을 뻔했는데 그 이유는 점원이 그 고객의 이야기를 전혀 들어주지 않았기 때문이다. 고객인 더글러스 부인은 바겐세일 때 구입한 코트를 교환해 달라고 요구했으나 점원은 그 부인의 불평조차 들으려하지 않았다.

"부인께서는 이 코트를 바겐세일에 사셨잖아요. 여기 읽어보세요." 점원은 큰소리로 말하며 벽에 붙어 있는 포스터를 가리켰다.

"반품은 안돼요. 일단 사간 물건은 그대로 쓰셔야 합니다. 라이닝에 흠이 있으면 고쳐서 입으세요."

"하지만 이건 하자가 있는 물건 아닙니까?" 하고 더글러스 부인은 불만 섞인 말을 했다.

"그래도 어쩔 수 없어요. 반품은 절대로 안 됩니다."

그녀는 다시는 이 백화점에 발을 들이지 않겠다고 다짐하면서 발길을 돌리던 중, 여러 해 동안 알고 있던 백화점 지배인의 인사를 받게 되었다. 그녀는 지배인에게 모든 얘기를 하였다. 지배인은 그녀의 얘기를 다 듣고 나서 코트를 살펴보고는 이렇게 말했다.

"바겐세일은 계절이 지난 상품을 저가로 처분하는 것이므로 원칙적으로는 반품이 안 됩니다. 그러나 그 원칙도 하자가 있는 상품에는 적용되지 않습니다. 라이닝은 당연히 우리가 수리하거나 교환해 드려야 합니다. 그러나 부인이 원하시면 현찰로 환불해 드리겠습니다."

사람을 대하는 태도에 있어서 얼마나 큰 차이가 나는가! 지배인이 이 부인의 말을 듣지 못했다면 그 백화점은 단골 고객을 영원히 잃고 말았을 것이다.

상대방의 이야기를 듣는 것은 직업세계에서와 마찬가지로 가정생활에서도 중요하다.

허드슨에 사는 밀리 에스포지토 부인은 자녀가 이야기

하기 원할 때 진지하게 들어주는 것을 자신의 중요한 일로 여기고 있다. 어느 날, 아들 로버트는 자기가 생각하고 있는 것을 간단히 의논하고 난 뒤 어머니에게 말했다.

"난 엄마가 나를 무척 사랑한다는 것을 알고 있어요."

그녀는 감동을 받아 이렇게 말했다.

"물론 나는 너를 무척 사랑한단다. 넌 그걸 의심했었니?"

아들 로버트는 이렇게 대답했다.

"아니, 나는 엄마가 날 정말 사랑한다는 것을 알고 있어요. 왜냐하면 내가 엄마와 이야기를 하려고 하면 엄마는 만사 제쳐놓고 제 얘기를 끝까지 들어주시잖아요."

상습적인 불평론자. 심지어는 가장 거칠고 신랄한 비평가도 인내심 있고 동정적인 태도를 지닌 경청자 앞에서는 유순해지고 성질을 부리지 않는다. 경청자는 불평꾼이 마치 독사처럼 몸을 꼿꼿이 세우고 독을 뿜어내는 동안 조용히 침묵을 지키는 것이다.

한 예로, 뉴욕전화회사는 상식 밖의 고객 한 사람으로 인해 골치를 썩고 있었다. 그는 교환원에게 온갖 욕설을 퍼부어 대며 전화선을 끊어버리겠다고 위협했고, 요금을 청구해도 잘못되었다고 하면서 납부를 거절했다. 그는 신문에 투서했고, 공공사업위원회에 소청을 제기했으며 회사를 상대로 수차례에 걸쳐 소송을 냈다.

결국 전화회사 직원 중 분쟁해결 솜씨가 뛰어난 사람이 그 고객을 면담하게 되었다. 분쟁해결 전문가는 잠자코 이야기를 들으면서 상대방으로 하여금 비난에 찬 말들을 충분히 하도록 내버려두었다. 이야기 경청 도중에도 '예스'를 연발하면서 그의 불만에 동조했음은 물론이다.

"그는 계속해서 화를 냈고 저는 거의 세 시간 동안 듣고만 있었습니다." 하고 그 직원은 나에게 얘기했다.

"그 다음 면담에서도 저는 몇 시간 동안 그가 욕하는 것을 듣고만 있었지요. 그 후 네 번째 면담이 끝날 쯤에 저는 그가 시작하려는 모임의 회원이 되었습니다. 그 모임의 이름은 '전화가입자보호협회'라는 것이었습니다. 지금까지도 저는 그 모임의 회원이고, 제가 아는 한 그 사람을 제외하고는 제가 단 한명의 회원일 겁니다.

면담을 하는 동안 저는 상대방의 주장에 동정심을 보이

며 진지하게 들었습니다. 이전에는 그러한 태도의 전화국 직원을 본 적이 없는 그는 차츰 우호적인 태도를 보이기 시작했습니다.

제가 그를 만나러 간 용건에 대해서는 첫 면담부터 세 번째 만남까지 한마디도 하지 않았습니다. 그러나 네 번째 면담에서 전 목적을 달성할 수 있었지요. 그는 밀렸던 요금을 청산하고 공공사업위원회에 대한 소청을 자진해서 취하해 주었습니다."

이 말썽 많은 사나이는 가혹한 착취로부터 시민의 권리를 보호하고야 말겠다는 정의의 사도를 자처하고 있었던 것 같다. 그러나 정작 그가 원했던 것은 자기 중요감이었다. 그는 처음에 그 자기 중요감을 욕설과 고소로 얻었지만, 드디어 전화국 직원으로부터 자기 중요감을 얻게 되자 그의 망상이 불러 온 불평은 씻은 듯이 사라지고 만 것이다.

데트머 모직 회사가 창립한 지 얼마 안 되었을 무렵 창립자인 줄리언 F. 데트머의 사무실에 한 고객이 뛰어 들어왔다.

"이 고객은 우리 회사에 약간의 부채를 지고 있었습니

다." 하면서 데트머는 나에게 설명하였다. "그 고객은 그런 사실을 부인하고 있었지만 우리는 그가 착각하고 있다는 것을 알고 있었지요. 그래서 우리 회사의 신용관리부는 그에게 돈을 지불할 것을 요구했습니다. 여러 번 독촉장을 받자 화가 난 그는 시카고까지 먼 길을 달려와 내 방으로 뛰어든 것입니다. 그는 돈을 절대로 지불할 수 없으며 다시는 거래를 하지 않겠다는 말을 하기 위해 그 먼 길을 달려왔던 것이지요.

저는 그가 하는 말을 인내심을 갖고 끝까지 들었습니다. 몇 번 말을 막으려고도 했으나 현명한 일이 아닌 것 같아 꾹 참았습니다. 그가 말을 끝내고 흥분이 가라앉았을 때쯤 저는 조용히 말했습니다. '그런 일을 알려주시기 위해 시카고까지 찾아와 주셔서 감사합니다. 선생님은 제게 큰 도움을 주셨습니다. 왜냐하면 만일 신용관리부가 선생님을 괴롭히고 있다면 틀림없이 다른 고객들도 그런 식으로 괴롭힐지 모르니까요. 그렇다면 정말 큰일이지요. 선생님이 절 찾아오지 않으셨어도 제가 찾아뵈어야 했을 사안이었습니다.'

저의 말에 그는 약간 실망한 것처럼 보였습니다. 그도 그럴 것이 그는 한바탕 싸우기 위해 시카고까지 왔는데 다투기는커녕 감사하다는 말을 하고 있으니 말입니다.

저는 그에게 얼마 안 되는 돈이기는 하지만 장부에서 지워버리고 깨끗이 잊어버리라고 이야기했습니다. 왜냐하면 우리 직원들은 수천 명의 고객을 상대하지만 그는 매우 꼼꼼한 사람으로 자신의 거래분만을 취급하고 있으니 틀릴 리가 없다고 했습니다. 당연히 그보다는 우리가 잘못했을 확률이 훨씬 더 크다고 했지요. 그의 심정을 충분히 이해하며 그의 입장이면 저라도 틀림없이 그렇게 행동했을 거라고 말했습니다. 그리고 더 이상은 우리 회사와 거래하지 않을 것으로 보여 다른 몇몇 모직회사를 추천해 주었습니다.

전에도 그가 시카고에 왔을 때 함께 식사를 하곤 했기 때문에 그날도 식사를 같이하자고 하였고 그는 매우 어색해 하면서도 저의 제안을 받아들였습니다. 식사를 마치고 사무실에 다시 돌아왔을 때, 그는 이전보다 훨씬 많은 양의 물건을 주문했습니다.

그는 가벼운 마음으로 집으로 돌아갔고, 우리가 그에게

한 것처럼 공정하기를 원하는 마음에서 문제의 서류를 재검토해 본 결과 잘못 계산된 송장을 발견했다며 사과편지와 함께 말썽이 된 돈을 부쳐왔습니다. 그 후 그는 아들을 낳았는데 미들네임을 데트머라고 붙였으며 그가 사망할 때까지 22년 동안 친구와 회사의 고객으로 가깝게 지냈습니다."

네덜란드에서 이민 온 한 소년은 가족의 생계를 위해 빵 가게의 창문을 닦았다. 가난한 가족을 위해선 석탄마차가 시궁창에 흘리고 간 석탄부스러기를 줍는 일도 같이 해야만 했다. 이 소년의 이름은 '에드워드 보크'였다. 그는 6년 이상 학교를 다녀보지 못했지만 미국의 저널리즘 사상 가장 성공한 잡지의 편집인이 되었다. 에드워드 보크는 어떻게 그 일을 해냈을까.

그는 13세에 학교를 그만두고 웨스턴 유니온 전신회사의 사환이 되었지만 교육열은 항상 불탔다. 그래서 독학을 하기 시작했다. 유명인사 전기전집을 사기 위해 돈이 모일 때까지 차비와 점심 값을 절약했다. 성공한 사람들의 전기를 읽고는, 그들의 어린 시절에 대한 더 상세한 이야기가 알고 싶어 그들에게 편지를 보냈다. 그는 뛰어난 경청가였다. 그는 유명 인사들에게 그들 자신에 관해 좀 더 많은 이야기를 해달라고 부탁했다.

당시 대통령 입후보자인 제임스 A. 가필드 장군에게 편지를 보내 어릴 적 운하에서 배를 끄는 인부로 일했다는 것이 사실이냐고 물었다. 가필드 장군은 답장을 보냈다. 그는 또 그란트 장군에게 편지를 보내 장군이 치른 유명 전투에 관해 질문했다. 그란트 장군은 지도까지 그려 보크에게 답장을 했고, 이 소년을 초대하여 하루 저녁 그 이야기를 하면서 보냈다.

얼마 안 되어 이 웨스턴 유니온의 급사 보크 소년은 미국의 많은 유명 인사들과 서신을 왕래하는 사이가 되었다. 랄프 왈도 에머슨, 올리버 웬델홈즈, 롱펠로우, 에이브러햄 부인, 루이자 메이 앨코트 여사, 셔먼 장군, 제퍼슨 데이비슨 등 쟁쟁한 이들이었다. 소년은 그 유명한 사람들과 서신 교환을 했을 뿐만 아니라 휴가 때면 그들을 찾아갔으며, 그때마다 극진한 대접을 받았다. 이러한 경험은 소년에게 무엇과도 바꿀 수 없는 자신감을 갖는 계기가 되었다. 유명인들은 이 소년에게 그들의 인생을 형성했던 꿈과 야망을 옮겨 불을 붙였다. 그것은 여기에 기술한 원리를 적용함으로써 가능했던 것이다.

수백 명의 저명인사들을 인터뷰 한 저널리스트 아이작 F. 마코슨은 많은 사람들이 상대방의 이야기를 주의해서 들어주지 않기 때문에 좋은 인상을 주는 데 실패하고 있다고 말한다.

"그들은 자신이 무슨 말을 할 것인가에 몰입하는 나머지 남의 이야기는 거의 듣지 않게 됩니다. 대단히 중요한 위치에 있는 사람들은 말을 유창하게 하는 사람들보다 남의 이야기를 경청하는 사람을 높이 평가하며, 남의 이야기를 잘 듣는 능력이 다른 어떤 특성보다도 바람직한 것으로 생각한다고 말합니다."

중요한 위치의 사람들뿐 아니라 보통사람들 역시 남의 이야기를 잘 듣는 사람을 원한다.

《리더스 다이제스트》에 실린 글이다.

'많은 사람들은 자기 이야기를 경청할 사람이 필요할 때

의사를 부른다.'

남북 전쟁에서 위기에 처한 에이브러햄 링컨은 일리노이 주 스프링필드에 사는 옛 친구에게 백악관으로 와 줄 것을 부탁하며 몇 가지 문제에 대해 상의하고 싶다고 했다. 그 친구는 백악관을 방문했고, 링컨은 '노예해방 선언'의 타당성에 관해 몇 시간 동안 그 친구 앞에서 얘기했다. 링컨은 반대와 찬성에 대해 언급한 다음, 노예를 해방하지 않는다고 자신을 비난하는 것과 겁이 나서 노예를 해방하려고 한다고 비난하는 내용의 편지들과 신문기사를 읽어 주었다. 몇 시간 동안 쉬지 않고 떠들어 댄 링컨은, 옛 친구에게 작별인사를 하고는 한마디 의견도 물어보지 않은 채 그를 돌아가게 했다. 링컨은 모든 얘기를 혼자서만 했다. 그렇게 함으로써 링컨은 어느 정도 마음의 안정을 찾은 것처럼 보였다.

"그는 이야기를 하고난 뒤 안색이 훨씬 좋아 보였습니다."라고 링컨의 친구는 말했다. 링컨은 그의 조언을 듣고 싶은 것이 아니었다. 링컨이 원한 것은 자신의 마음을 털어 놓을 수 있는 진정한 친구가 필요했던 것이다. 이것은 우리가 곤경에 빠졌을 때 누구나 원하는 것이다. 성난 고객이나, 불만을 품은 사원이나, 감정을 상한 사람들이 원하는 것은 이것뿐이다.

가장 뛰어난 경청자 중 한 사람은 지그문트 프로이드였다. 프로이드를 만나 본 사람은 그의 경청태도를 이렇게 묘사했다.

"프로이드의 모습은 너무나도 인상적이어서 잊을 수가 없습니다. 그는 다른 누구에게서도 찾아볼 수 없는 특성이 있었습니다. 그런 집중된 주의력을 본 적이 없어요. 마치 상대의 마음을 꿰뚫어 보는 듯한 '영혼을 파고드는 응시' 같은 것이었습니다. 그의 눈은 온화하고 다정했습니다. 목소리는 낮고 친절했으며 제스처는 거의 없었습니다. 그러나 프로이드가 나에게 보내는 주의력, 내 말에 대한 그의 찬사는 엄청난 것이었지요. 상대가 당신의 말을 그렇게 진지하게 들어줄 때의 기분은 아마 상상도 못하실 것입니다."

만일 당신이 사람들로 하여금 당신을 회피하게 하고 등 뒤에서 비웃고 경멸하게 만들 방법을 알고 싶다면 여기에 그 방법이 있다.

상대의 말을 절대 오래 듣지 말라. 쉴 새 없이 자기 자신의 일에 대해서만 떠들어라. 상대가 얘기하는 동안에도 자기 생각이 떠오르면 상대의 말이 끝나기를 기다릴 필요가 없다. 말을 하건 말건 중단시키고 자기 말을 하라.

그런 사람을 알고 있는가. 불행하게도 나는 알고 있다. 더욱 놀라운 것은 그들 중의 일부는 유명인사라는 것이다. 그런 사람들은 지루하기 짝이 없다. 그들은 자아에 도취되어 있고 자기 중요감에 취해 있는 사람들이다.

컬럼비아 대학 총장으로 재직했던 니콜라스 머레이 버클러 박사는 '자기 입장만 내세우는 사람은 교양 없는 사람이다. 교육을 받았더라도 교양 없는 사람이다.'

그러므로 말주변이 있는 사람이 되기를 원한다면 먼저 주의 깊은 경청자가 되어야 한다. 자신에게 흥미를 느끼게 하려면 먼저 남에 대한 흥미를 가져야 하는 것이다. 상대가 대답하기 좋아하는 질문을 던져라. 상대와 그의 업적에 관해 이야기하도록 격려를 아끼지 않아야 한다.

당신의 이야기 상대는 당신이나 당신의 문제들보다 몇 백배 더 그들 자신의 소망과 문제에 대해 관심을 갖고 있다는 사실을 명심해야 한다. 어떤 사람의 치통은 수백만 명을 굶어 죽게 만든 중국의 기근보다 더 중요한 일이다. 몸에 난 종기가 아프리카의 지진보다 그에게는 더욱 심각한 것 이다. 대화를 할 때에는 이 점을 명심하도록 하라.

원칙4

남의 말을 잘 들어주는 사람이 되어라.

스스로에 대해 말하도록 상대를 고무시켜라.

5
사람들의
흥미를 끄는 방법

루즈벨트 대통령을 방문한 사람이라면 누구나 그의 다양하고 해박한 지식에 놀라게 된다. 방문객이 목동이든 기병대원이든 정치가이든 외교관이든 상대에 따른 풍부한 화제로 대화를 이끌어 나갔다. 어떻게 그렇게 박식할 수 있었을까. 간단했다. 방문객을 맞이할 때마다 전날 밤 늦게까지 그들이 특별히 관심을 갖고 있는 문제에 대해 독서를 했던 것이다. 루즈벨트 대통령은 사람의 마음을 사로잡는 비결이 그 사람이 가장 흥미를 느끼고 있는 일에 관해 이야기하는 것임을 익히 알고 있었다.

예일 대학 문학과 교수인 윌리엄 라이언 펠프스는 이런 교훈을 인생의 초기에 배웠다. 그는 '인간의 본성'이라는 수필에서 이렇게 말했다.

"여덟 살 되던 해에 나는 숙모님 댁에 놀러가 주말을 보내곤 하였다. 어느 날, 한 중년 신사가 숙모님을 만나러 와 대화를 하다가 나에게도 관심을 보였다. 그 당시 난 보트에 관심이 많았는데 그 신사는 아주 흥미로운 태도로 보트에 관해 이런 저런 이야기를 했다. 그 손님이 돌아간 뒤 나는 그 사람에게 대단한 호기심을 갖고 숙모님께 말했다. 그렇게 재미있는 사람이 세상에 또 있을까? 숙모님은 그 사람이 뉴욕의 변호사라고 알려주었고, 보트에 관해서는 전혀 관심도 없는 사람이라고 말했다. '나에겐 왜 보트에 관해서만 얘기했을까요.'라고 묻자 그것은 그분이 신사이기 때문이란다. 그분은 네가 보트에 관심이 많다는 것을 알고 너에게 흥미를 불러 일으켜 기쁘게 해주려고 그랬던 거야. 그분은 너와 장단을 맞춰 준 거지. 나는 숙모님의 말씀을 듣고 충격에 빠졌다."

펠프스 교수는 '숙모님의 그 말씀을 결코 잊을 수 없었다.'라고 덧붙였다.

　　나는 보이스카우트 단원으로 활동하고 있는 에드워드 L. 찰리프에게서 편지를 받았다.

　　"어느 날 저는 도움을 청할 일이 생겼습니다. 대규모의 보이스카우트 잼버리가 유럽에서 열리는데 미국에서 가장 큰 기업체의 하나인 모 회사의 사장에게 소년단원 한 사람의 비용을 부담해 달라고 부탁하는 일이었습니다. 그 사람을 만나러 가기 직전에 저는 그가 결제가 끝난 100만 달러짜리 수표를 기념으로 액자에 넣어 보관하고 있다는 이야기를 들었습니다.

　　그의 사무실에 들어가자마자 한 일은 수표를 보여 달라는 것이었습니다. 100만 달러짜리 수표라니! 저는 누군가가 100만 달러짜리 수표를 끊을 수 있으리라고는 지금까지 생각도 못했다고 말하고, 제가 100만 달러짜리 수표를 보았다는 것을 우리 소년단원들에게 이야기해 주고 싶다고 말했습니다. 그러자 그는 기꺼이 수표를 보여주었고 저는 감개무량한 표정으로 보면서 어떻게 이런 거액의 수표를 끊게 되었는지 그때의 상황을 얘기해 줄 수 있겠느냐고 물었습니다."

당신도 찰리프가 보이스카우트나 유럽에서 열리는 잼버리에 대해선 한마디도 하지 않고 면담을 시작한 것을 알아챘을 것이다. 찰리프는 상대를 흥미롭게 해줄 수 있는 화제를 먼저 끄집어냈다. 그 결과는 다음과 같았다.

"이야기가 끝나자 그 사장은 말했습니다. '그런데 나를 찾아온 목적은 뭡니까.' 그때서야 전 용건을 얘기했습니다."

"정말 놀랍게도."하고 찰리프는 계속 말했다.

"사장은 제가 부탁하는 것을 즉각 들어줬을 뿐만 아니라 더 많은 것을 베풀어 주었습니다. 저는 한 소년만의 경비를 부탁했는데 사장은 다섯 명의 소년 단원과 제 경비까지 부담했고, 제게 1,000달러짜리 신용장을 주며 유럽에 7주 동안 머무르라고 했습니다. 또한 자기회사 유럽 지점장에게 소개장을 써주며 우리 뒷바라지를 해 주도록 했습니다. 그 이후로도 사장은 넉넉하지 못한 일부 소년단원들에게 도움을 주었고 지금까지도 소년단의 활동을 지원하고 있습니다.

애초에 제가 그 사장의 관심사가 무엇인지 알지 못했다면, 또 마음을 누그러뜨리지 않았다면 그에게 접근하는 데 열 배는 더 힘이 들었을 겁니다."

이 방법이 사업을 하는 데 있어서도 통용될 수 있는 것일까. 그 점에 대해 알아보자. 빵 도매업자인 두버노이는 뉴욕의 한 호텔에 납품을 하려고 무척 애를 쓰고 있었다. 그는 4년간 매주 지배인을 찾아갔으며 그가 참석하는 친목모임에도 참석했다. 주문을 따내기 위해 호텔에 방까지 얻어놓고 살다시피 했으나 여전히 실패로 돌아갔다.

"그래서 저는 전술을 바꿔보기로 했습니다. 인간관계에 대해 연구한 후, 그 사람이 흥미를 갖는 일이 무엇인지를 찾아내기로 했습니다. 그가 열정적으로 관심을 갖는 건 무엇일까 하고 말입니다. 저는 그가 미국호텔영접인협회라고 불리는 호텔 종업원들의 모임에 속해 있음을 알아냈습니다. 그는 단순한 회원이 아니었습니다. 헌신적인 노력의 결과 그 조직의 회장으로 선출되었을 뿐만 아니라 국제영접인협회의 회장도 겸하고 있었습니다. 그래서 대회가 세계 어느 곳에서 열리든 반드시 참석했습니다.

그를 만났을 때, 저는 그 협회에 관한 이야기로 화제의 문을 열었습니다. 그의 반응은 놀랄 만한 것이었지요. 그가 30분가량 이야기했는데 목소리는 흥분으로 떨렸습니다. 그 협회는 그에게 취미일 뿐 아니라 인생을 바칠 만큼 열정적인 프로젝트라는 것을 알 수 있었지요. 사무실을 나서기 전에 그는 저를 찬조회원으로 가입하도록 했습니다. 저는 빵에 대해선 한마디도 하지 않았지요.

며칠 후, 그 호텔의 사무장이 제게 전화를 걸어 견본과 가격표를 갖고 빨리 들어오라고 했습니다. 저를 본 사무장이 '도대체 지배인에게 어떤 일을 했는지 모르지만 당신한테 완전히 반했더군요.' 하고 인사를 하더군요.

생각해 보십시오! 전 4년 동안 그 사람을 쫓아다니며 졸랐습니다. 제가 아직도 그 사람의 관심사나 그가 좋아하는 화제가 무엇인지 몰랐다면, 저는 아직까지도 헛되이 쫓아다니고만 있었을 겁니다."

메릴랜드 주 해거스 타운의 에드워드 E. 해리만은 군복무를 마친 뒤엔 아름다운 컴벌랜드 계곡에서 살기로 결심했다. 그러나 불행하게도 당시 그 지역에서는 일자리 구하기가 무척 어려웠다. 조사를 해보니 그 지역의 많은 기업체들은 자수성가로 갑부가 된 R. J. 펑크하우저라는 괴팍한 실업가의 소유이거나 영향권에 있었다. 그 사실이 해리만에게 용기를 주었으나 그 괴팍한 실업가에게는 구직자들이 접근하지 못한다는 소문이 있었다. 해리만은 다음과 같이 썼다.

"제가 많은 사람들을 만나 본 결과, 그들의 최대 관심사는 권력과 돈을 추구하는 데 있다고 결론을 지었습니다. 또 그들은 저와 같은 사람들로부터 자신을 보호하기 위해 헌신적이고도 완고한 비서를 채용하고 있지요. 펑크하우저는 여비서를 두고 있었습니다. 저는 예고 없이 사무실로 찾아갔습니다. 자그마치 15년 동안이나 근속하고 있는 여비서에게 제가 펑크하우저 씨에게 경제적이고도 정치적인 성공을 가져다 줄 수 있는 제안을 갖고 있다고 말하자, 여비서는 지대한 관심을 보였습니다. 저는 또 그의 성공에 기여한 여비서의 공헌에 대해서도 진지하게 얘기를 나누었습니다. 이런 대화가 오가자 여비서는 펑크하우스를 만나게 해 주었습니다.

저는 그에게 취직자리를 달라는 부탁을 결코 하지 않겠다고 내심 다짐하며 크고 으리으리한 사무실의 문을 열었습니다. 커다란 책상 뒤에 앉아 있던 펑크하우스가 큰 소리로 말했습니다.

'무슨 일로 왔나 젊은이.' 그래서 저는 '펑크하우저 씨, 저는 당신을 위해 큰돈을 벌어들일 수가 있습니다.' 그러자 그는 자리에서 벌떡 일어나더니 제게 커다란 의자 중 하나에 앉도록 손짓을 했습니다. 저는 몇 가지 아이디어를 열거하고 그러한 아이디어를 실천할 수 있는 저의 자질과 그러한 모든 것들이 그의 개인적이고 사업적인 성공에 기여할 가치가 충분하다는 것을 설명했습니다. 그러자 그는 그 자리에서 저를 채용했고, 그 후 20년 동안 저는 그의 기업에 헌신적으로 일하여 중요한 위치에 이르렀고, 두 사람 모두 번창했습니다."

상대의 관심사를 화제로 삼는 것은 쌍방 모두에게 이익을 준다. 구직정보 분야의 개척자 Z. 허지그는 항상 이러한 원칙을 따르고 있다. 그것에서 얻는 이익이 무엇이냐고 물었을 때, 그는 상대로부터 다양한 관심사에 대해서 알게 될 뿐만 아니라 나의 인생을 다채롭게 해 주는 데도 도움이 된다고 말했다.

원칙5
상대방의 관심사에 대해 이야기하라.

6
사람들이
나를 좋아하게 만드는 방법

　나는 우체국에 등기우편을 부치기 위해 줄을 서서 기다리고 있었다. 등기부 직원은 날마다 반복되는 우편물의 계량, 거스름돈의 계산, 수령증의 발부 같은 똑같은 일에 싫증을 느끼고 있는 것 같았다. 나는 혼자말로 이렇게 말했다.

　'저 직원이 날 좋아하게 만들어 볼까. 그러기 위해서는 내가 아니라 저 사람을 칭찬하는 이야기를 해야 될 거야.'

　그래서 나는 나 자신에게 물었다.

　'내가 정직하게 저 사람을 칭찬하려면 그의 어떤 점을 칭찬해야 할까?'

그것은 때때로 완전히 낯선 사람의 경우에는 대답하기 곤란한 질문이 되지만 이번 경우는 쉽게 해결되었다. 나는 그에게서 칭찬할 만한 점을 찾았던 것이다. 나는 그 직원이 내 편지를 계량하고 있는 동안 감탄하며 말했다.

"저도 당신과 같은 머리카락을 갖고 싶군요." 그러자 그 직원은 놀라서 나를 쳐다보았는데 얼굴에는 미소가 담겨져 있었다. "글쎄요, 옛날보다는 색이 많이 바랬어요." 하고 그는 겸손하게 말했다. 젊은 시절의 윤택한 색깔보다 약간 바랬을지 모르지만 아직도 참 매력적이라고 말해 주자 그는 무척이나 기뻐했다. 우리는 잠깐 동안이지만 즐거운 대화를 나누었다. 그 직원이 마지막으로 내게 한 말은 "많은 분들이 내 머리칼을 칭찬해 줍니다."라는 것이었다.

그날 그 직원은 기분이 좋아서 점심은 나가서 사먹었으리라 생각한다. 집으로 돌아갔을 때에는 아내에게 그날 있었던 일을 이야기했을 것이다. 거울을 들여다보며 이렇게 말했을지도 모른다. "정말 멋있는 머리카락이야!"

언젠가 공개석상에서 이 이야기를 했더니 한 사람이 물었다.

"당신은 그에게서 무엇을 얻어내려 했습니까?"

무엇을 얻어내려고 노력했냐고? 우리가 남에게 대가를 바라지 않고 조그만 행복이라도 나누며 정직한 칭찬을 전달할 수 없다면, 만일 우리의 영혼이 시어빠진 사과 한 쪽보다도 크지 못하다면, 우리는 당연히 불행해야 마땅할 것이다.

아, 하긴 그렇다. 나는 그에게서 무엇인가 얻어내기를 원했고, 무엇인가 더할 수 없이 소중한 것을 손에 넣었다. 보상을 받지 않고 그에게 무언가 좋은 일을 했다는 것. 바로 이것이 그 일이 지나간 뒤에 오랫동안 기억 속에 남아 있는 느낌이다.

인간의 행동에는 대단히 중요한 한 가지 법칙이 있다. 이 법칙을 따르면 인간관계에 관한 모든 문제를 피할 수 있다. 이 법칙을 지키기만 하면 많은 친구를 얻을 수 있고 오랫동안 행복해질 수 있다. 그러나 법칙을 어기는 순간, 우리는 끝없는 문제에 직면하게 된다.

법칙은 다음과 같다.

"항상 다른 사람으로 하여금 자신이 중요하다는 느낌이

들도록 하라."

중요한 존재가 되려는 소망은 인간에게 있어서 가장 뿌리 깊은 욕구라고 했다.

"인간본성의 가장 끈질긴 욕망은 인정받고 싶어 하는 것이다."

이것이야말로 인간과 동물을 구별하는 욕구이다. 인간이 문명을 진전시켜 온 것도 바로 이러한 욕구의 발로이다.

철학자들은 수천 년에 걸쳐 인간관계의 법칙을 연구해 왔다. 연구 결과 한 가지 중요한 교훈을 발견했다. 그것은 전혀 새로운 것이 아니고 인류의 역사만큼이나 오래된 것이다.

2500년 전, 페르시아에서 조로아스터는 그것을 추종자들에게 가르쳤고, 그의 추종자들은 배화교도에게 가르쳤다. 24세기 전, 중국에서 공자는 그것을 강의했다. 도교의 시조인 노자는 도덕경을 써서 이것을 제자들에게 가르쳤고, 그리스도 탄생 500년 전에 석가모니는 갠지스 강 기슭에서 이것을 설교했다. 그보다 1000년 전에 힌두교의 성서는 이것을 가르쳤다. 예수는 이것을 한 가지 사상으로 요약

했다. 아마도 이 세상에서 가장 중요한 법칙일 것이다.

"남에게 대접 받고자 하면 남을 대접하라."

사람은 주위 사람들로부터 칭찬 받기를 원하며 자신의 가치를 인정받고 싶어 한다. 자신의 세계에서 중요한 존재이고자 한다. 경박한 아첨은 듣고 싶지 않지만 진심에서 우러나오는 칭찬은 열망한다. 친구나 동료들이 '진심으로 동의해 주고 칭찬하는 데 인색하지 않기'를 바라고 있다. 따라서 이 황금률에 따라 남에게 대접받고자 하는 것을 남에게 베풀어라. 어느 때나 어느 곳에서나 그렇게 해야 한다. 습관화하라.

스미스는 자선음악회에서 스낵코너를 맡았을 때 일어난 난처한 상황을 어떻게 해결했는가에 대해 우리 강좌에서 발표했다.

"음악회 날 저녁이 되어 공원엘 갔더니 판매대 옆에 나이 든 부인 둘이 서 있는데 기분이 썩 좋지 않은 분위기였어요. 분명 두 사람은 각자 이곳의 책임을 맡을 것으로 생각했던 것이었습니다. 어떻게 해야 하나 망설이고 있는데 주최자 측 간부 한 분이 나타나 제게 금고를 주면서 오늘 밤의 일을 맡아줘서 고맙다고 말했습니다. 그는 로즈와 제인을 저의 조수라고 소개한 뒤 돌아가 버렸습니다.

난처했지요. 잠깐의 침묵 후, 그 금고가 책임자를 상징하는 것임을 깨달은 저는 그것을 로즈에게 맡기면서, 저는 돈 계산이 서툴러 실수를 할지도 모르니 금고를 맡아 주면 고맙겠다고 말했습니다. 그리고 제인에게는 소다수 제조기를 맡은 10대 소녀 두 명에게 작동법을 가르쳐 주도록 부탁했습니다. 그래서 그날 저녁은 무척 즐겁게 보낼 수 있었지요. 로즈는 신이 나서 돈 계산을 했고, 제인은 소녀들을 감독했으며 저는 느긋하게 음악회를 즐겼습니다."

이렇게 남에 대한 진정한 평가와 철학을 전용하는 데는 시간이 필요치 않다. 우리는 거의 매일 이러한 철학으로 기적을 만들어 낼 수 있다. 예를 들어, 감자튀김을 주문했는데 으깬 감자를 가져왔다면 이렇게 말하면 되는 것이다.

"수고를 끼쳐 미안하지만 전 튀긴 감자를 시켰는데요."

그러면 기꺼이 감자를 바꿔 줄 것이다. 왜냐하면 종업원을 존중해 줬기 때문이다.

"수고를 끼쳐 죄송하지만……""죄송하지만 이것을
좀……""감사합니다."와 같이 아무렇지 않은 것 같은 말도
단조로운 일상생활의 톱니바퀴에 신선한 윤활유가 되는 것
이다. 그리고 이러한 태도는 훌륭한 교육을 받았음을 나타
내는 증명이기도 하다.

또 다른 예를 들어보겠다.

홀 케인은 20세기 초 『크리스천』, 『재판관』, 『맨 섬의 사
람들』 등의 베스트셀러를 쓴 작가로 수백만 명이 그의 소설
을 애독했다. 그는 대장간 집 아들로 태어나 일생 동안 8년
밖에 교육을 받지 못했으나 사망할 당시에는 그 시대의 가
장 부유한 작가였다.

그가 작가가 된 경위는 다음과 같다. 그는 소네트 14행
시와 발라드를 무척 좋아했는데 특히 영국의 단테 가브리
엘 로제티의 시를 좋아했다. 그는 로제티의 예술적 업적을
찬양하는 글을 써 그 사본을 로제티에게 보냈다. 로제티는
매우 기뻐했다. 그는 아마 "나의 능력에 대해 이처럼 고매
한 의견의 소유자라면 틀림없이 뛰어난 젊은이일 거야."라

고 중얼거렸을 것이다. 로제티는 이 대장장이의 아들을 런던으로 불러 자신의 비서로 채용했다. 이것이 홀 케인의 인생의 전환점이 되었다. 그는 새로운 일자리에서 일하며 당시의 유명 문인들과 만날 수 있었고 그들의 충고와 격려에 힘입어 작가의 길을 걷게 되었다.

맨 섬에 있는 홀 케인의 집인 그리바 캐슬은 전 세계에서 찾아오는 관광객들의 메카가 되었고 그는 수백만 달러의 유산을 남겼다. 운명이란 이런 것이다. 만약 홀 케인이 유명 시인을 찬양하는 글을 쓰지 않았더라면 그는 이름도 없는 가난뱅이로 일생을 마치게 되었을지도 모른다. 진심에서 우러나오는 칭찬은 예측할 수 없는 위력을 내포하고 있다. 로제티는 자신을 중요한 사람이라고 생각하고 있었고, 그것은 결코 이상한 것이 아니다. 모든 사람은 자기 자신을 매우 중요한 존재로 여기고 있다. 따라서 사람들의 운명은 누군가가 그를 중요한 존재라고 느끼게만 해준다면 달라질 수도 있다.

캘리포니아에서 우리 강좌를 맡고 있는 롤렌드는 미술 공예 교사이기도 한데, 그의 초보 공예 클래스에 다니는 크리스라는 학생에 관한 내용을 보내왔다.

크리스는 조용하고 내성적인 소년으로 자신감이 결여되어 종종 교사의 관심 밖에 있는 그런 학생이었습니다. 저는 고급반도 가르치고 있었는데, 그곳은 초급반에서 뛰어난 재능을 인정받은 학생들이 모여 있는 곳으로 모두가 들어가기 원하는 곳이죠. 수요일 실습시간에 크리스는 열심히 작업을 하고 있었습니다. 저는 그의 내부 깊숙한 곳에서 불이 활활 타오르는 것을 느낄 수 있었지요. 그에게 고급반에서 배우고 싶으냐고 물었습니다. 그때 전, 그 열네 살짜리 수줍은 소년의 얼굴에 나타난 그 감정을 표현할 길이 없습니다. 그는 감격하여 눈물을 참느라 애를 쓰면서 이렇게 말했습니다.

"저, 저 말입니까 롤랜드 선생님? 제가 그렇게 잘할 수 있을까요?"

"그렇고말고 크리스. 넌 재능이 있어."

제가 할 수 있는 말이라고는 그것뿐이었습니다. 제 눈에도 눈물이 고였기 때문입니다. 크리스는 반짝이는 눈으로 쳐다보면서 "고맙습니다, 롤랜드 선생님!" 하고 말했습니다.

그날 크리스가 교실을 걸어 나갈 때 키가 2인치는 더 커 보였습니다. 그는 제가 잊지 못할 하나의 교훈을 주었습니다. 자신이 중요하다는 것을 느끼고 싶어 하는 강렬한 욕구 말입니다. 이러한 교훈을 잊지 않기 위해서 '나는 중요한 존재다.'라고 쓴 표어를 만들었습니다. 이 표어를 모든 학생이 볼 수 있도록 교실 앞쪽에 붙였습니다. 저는 그 표어를 볼 때마다 학생 개개인 모두가 하나같이 중요한 존재라는 것을 상기하곤 합니다.

거의 모든 사람들은 누구나 자신이 다른 사람들보다 어떤 점에서 보다 뛰어나다고 생각한다. 따라서 상대의 마음을 확실하게 사로잡는 방법은, 당신이 상대의 중요성을 익히 알고 있다는 것을 은연중에 알려주고 성실하게 그 중요성을 인정하는 것이다.

에머슨의 말을 기억해 주기 바란다.

"내가 만나는 모든 사람은 어떤 점에서는 나보다 앞서있다. 나는 그 점을 그들에게서 배워야 한다."

그런데 불행하게도 자랑할 만한 장점을 전혀 갖고 있지 못한 인간이 역겨울 정도로 요란하게 자기자랑을 해대는 경우가 허다하다. 셰익스피어의 표현처럼 "……인간, 오만 불손한 인간이여, 하잘 것 없는 얄팍한 권위를 내세워 하늘을 앞에 두고 우스꽝스런 농간을 벌이고 있도다. 천사를 울리려고 하는구나."

내가 이야기하고자 하는 것은 내 강좌에 참석한 실업계 인사들이 이러한 원리를 이용하여 얼마나 큰 성과를 이루었나 하는 것이다. 코네티컷에 사는 한 변호사의 경우를 보자(내 친척에게 실례가 되기 때문에 변호사의 이름은 언급하지 않겠다).

나의 강좌에 등록한 직후 R씨는 친척들 방문 차 아내와 함께 롱아일랜드로 갔다. 아내는 남편을 고령의 숙모와 함께 있도록 하고는 또 다른 친척들을 만나기 위해 나갔다.

R씨는 칭찬의 원리 적용에 관해 얼마 뒤 강좌에서 보고해야 하기 때문에 숙모와 대화를 나누면서 경험을 쌓아보

는 것도 좋겠단 생각이 들었다. 그래서 그는 칭찬할 것이 없을까하고 집안을 살펴보았다.

"이 집은 1890년경에 지은 집이죠?" 하고 그가 물었다.

"그래, 이 집은 바로 그 해에 지었다네."

"이 집은 제가 태어난 집을 연상케 하는군요." 하고 그가 말했다. "정말 아름다워요. 방도 넓고 튼튼하고요. 요즘은 이런 집이 별로 없어요."

"자네 말이 맞아." 하고 숙모는 동의했다. "요즘 젊은이들은 아름다운 집에는 별 관심이 없지. 아파트에다 자동차를 타고 다니길 즐길 뿐이야. 이 집이야말로 꿈의 집이지." 숙모의 음성은 그리운 추억으로 약간 떨리고 있었다. "이 집은 사랑으로 지어진 집이야. 남편과 나는 이 집을 짓기 오래전부터 이런 집을 꿈꾸었어. 건축가의 힘을 빌리지 않고 우리가 직접 설계해서 지은 거라네."

숙모는 그에게 집안을 두루 보여 주었고, 그는 숙모가 여행 중 여러 곳에서 구입하여 간직해 온 소중하고 아름다운 물건들, 즉 페이슬리 숄, 이탈리아 그림, 오래된 영국제 찻잔세트, 웨지 윗옷, 프랑스풍 침대와 의자, 한 때 프랑스의 고성에 걸려 있던 실크커튼 등에 대해 진심으로 찬사를 보냈다.

집안의 모든 것을 보여 준 숙모는 그를 차고로 안내했다. 그곳에는 새것과 다름없는 패커드 자동차 한 대가 있었다.

"남편이 세상을 떠나기 전 나에게 사 준 자동차라네." 하고 숙모는 부드러운 목소리로 말했다. "남편을 떠나보낸 후로는 한 번도 타지 않았지. 자네는 좋은 물건을 보는 안목이 있는 것 같군. 그래서 말인데 이 차를 자네에게 선물하겠네."

"숙모님 그건 곤란합니다. 호의는 감사하지만 전 받을 수 없습니다. 전 숙모님과 핏줄이 얽힌 친척도 아닙니다. 제게는 자동차가 있습니다. 그리고 숙모님 친척 중에도 패커트 차를 갖고 싶어 하는 분들이 있을 거고요."

"친척!" 숙모는 소리쳤다.

"물론 내가 죽으면 저 차를 가지려고 하는 친척들이 있을 테지. 그러나 어림없는 얘기야. 그들은 이 차를 가질 수 없어."

"친척에게 물려주고 싶지 않으시면 중고차업자에게 파

실 수 있을 텐데요."하고 그가 말했다.

"이 자동차를 팔라고!" 하며 숙모는 비명을 질렀다.

"내가 이 차를 팔 것 같은가? 생면부지의 사람이 이 차를 몰고 거리를 달리는 모습을 내가 보고 있을 수 있을 것이라고 생각하나? 저 차는 남편이 날 위해 사 준 차란 말일세. 팔 생각은 꿈에도 없다네. 나는 자네에게 이 차를 주고 싶네. 자네는 아름다운 물건을 보고 칭찬할 줄 아는 사람이니까."

그는 받지 않으려고 끝까지 사양했으나 더 이상 숙모의 감정을 상하게 할 순 없었다. 넓은 집에 홀로 남겨져 골동품과 자신의 추억 속에 파묻혀 살고 있던 숙모는 작은 칭찬에도 굶주려 있었다. 숙모도 한때는 젊고 아름다웠으며 뭇 남성들의 구애도 많이 받았었다. 또 사랑이 가득 담긴 집을 꾸미기 위해 유럽 각지로부터 가구들을 사 모으기도 했다.

이제 연로하여 세상과 격리된 고독 속에 묻혀 사는 숙모는 인간적인 따스함과 진솔한 칭찬을 갈구하고 있었다. 그러나 누구 한 사람 그것을 주지 않았다. 사막에 솟은 한 줄기 샘물처럼 그녀가 그것을 발견했을 때 감사하는 마음은,

자신의 아끼는 패커트 차를 선물로 주지 않고서는 도저히 견딜 수 없는 감정이었던 것이다.

또 다른 예를 들어보겠다.

한 조경회사의 지배인인 도널드 M. 맥마흔의 경험담이다.

"친구를 사귀고 사람들에게 영향을 주는 방법에 대한 강좌에 참석 직후, 저는 어느 유명한 법률가 저택에서 조경공사를 하고 있었습니다. 집주인이 저에게 진달래와 철쭉을 심고 싶은 곳에 대해 몇 가지 지시를 했습니다. 저는 집주인에게 말했습니다. '판사님, 아주 훌륭한 취미를 가지고 계시는군요. 멋진 개들을 보고 감탄했습니다. 매년 열리는 개 콘테스트에서 많은 상을 수상하셨다면서요?' 이 몇 마디의 칭찬이 가져다 준 효과는 참으로 놀라웠습니다.

"그래요. 개들 때문에 재밌는 일이 많지요. 사육장에 한 번 가보겠소?"

집 주인은 한 시간에 걸쳐 개들을 보여 주고 그들이 받아온 상패를 보여 주었습니다. 심지어는 개의 족보까지 들고 나와 아름답고 영리한 개들의 혈통에 관해서 설명하였지요. 판사는 저를 돌아보며 물었습니다.

"어린 자녀가 있소?"

"네, 아들이 하나 있습니다."

"그렇다면 강아지를 좋아하겠군."

"네, 무척 좋아합니다."

"좋아요, 내가 한 마리 드리다."

판사는 강아지 키우는 방법을 얘기하던 중 잠시 설명을 중단했습니다.

"말로만 해선 잊기 쉬우니 내가 종이에 적어 주겠소."

판사는 집안으로 들어가 강아지의 족보와 먹이를 주는 방법 등을 상세히 타이핑해 가지고 나왔습니다. 그는 수천 달러의 값이 나가는 강아지 한 마리와 한 시간 반이라는 귀중한 시간을 저에게 주었는데 그것이 모두 그의 취미에 대한 저의 정직한 칭찬 때문이었습니다."

투명필름을 발명하여 수억 달러의 재산을 모은 코닥 필름의 조지 이스트만 같은 유명한 실업가도 평범한 사람들처럼 약간의 칭찬을 갈구하고 있었다. 그 이야기를 소개해 본다.

이스트만이 로체스터에 이스트만 음악학교와 킬보언 홀을 짓고 있을 때, 뉴욕의 의자회사의 사장이던 제임스 아담슨은 이 건물에 필요한 의자를 납품하는 주문을 따내고 싶었다. 건축가에게 전화를 건 아담슨은 로체스터에서 만날 약속을 했다. 아담슨이 도착하자 건축가가 말했다.

"나는 당신이 주문을 따내기를 원하는 것을 알고 있습니다. 하지만 당신이 조지 이스트만의 시간을 5분 이상 빼앗게 된다면 가망이 없다고 단언할 수 있습니다. 그분은 완고한 원칙주의자이며 늘 바쁜 사람입니다. 그러니 요점만 빨리 설명하고 나오는 것이 상책입니다."

아담슨은 그의 말을 따르기로 마음먹었다.

그가 이스트만의 방에 들어갔을 때, 이스트만은 산더미처럼 쌓여 있는 서류에 몰두하고 있었다. 잠시 후 그는 건축가와 아담슨에게 말했다.

"안녕하십니까. 어떤 일로 오셨습니까?"

건축가는 아담슨을 소개했고, 아담슨은 지체 없이 이렇

게 말했다.

"회장님을 기다리는 동안 저는 회장님 사무실을 둘러보면서 감탄했습니다. 저도 실내장식 가구 사업을 하고 있지만 이렇게 훌륭한 사무실은 처음입니다."

그 말을 들은 조지 이스트만은 이렇게 말했다.

"당신이 내가 거의 잊고 있던 것을 상기시켜 주는군. 정말 근사한 사무실이지요? 처음엔 나도 매우 좋아했소. 하지만 근간엔 워낙 일에 쫓겨 어떤 때는 몇 주일이고 방안을 둘러볼 틈조차 없어졌지요."

아담슨은 벽 쪽으로 걸어가 벽의 판자를 문질러 보았다.

"이건 영국산 떡갈나무군요. 이태리 산과는 약간 결이 다르지요."

"그렇지." 이스트만이 대답했다.

"영국에서 수입해 왔는데 목재 전문가인 친구가 나를 위해 골라 준 거요."

이스트만은 아담슨을 방 안으로 안내하면서 목재의 균형, 색채, 목각 그리고 자신이 직접 고안해 만든 것들을 설명해 주었다. 방안의 목제품을 두루 감상하던 두 사람은 창문 앞에서 잠시 걸음을 멈추게 되었다. 그러자 이스트만은 조용하고 부드러운 목소리로 자신이 추진하고 있는 사회사업을 위한 갖가지 시설들, 로체스트 대학교, 아동병원, 양로원, 종합병원 등에 대하여 설명하기 시작했다.

아담슨은 인간의 복지를 위해 큰돈을 아낌없이 쓰는 이스트만의 이상주의적 태도에 대해 진심으로 경의를 표했다. 아담슨은 이스트만에게 사업 초기에 겪어야 했던 난관들에 대해 정중하게 질문했다. 이스트만은 가난했던 어린 시절을 이야기 하고, 보험회사에 근무하는 동안 홀어머니가 어렵게 하숙집을 꾸려나간 것을 말했다. 밤낮으로 엄습하는 가난에 대한 공포감이 돈을 벌고야 말겠다는 결의로 바뀌었다는 것도 얘기했다.

아담슨은 더 많은 질문을 던져 대답을 이끌어 냈고 그의 이야기를 열심히 경청했다. 이스트만은 낮에는 사무실에서 일하고 수시로 밤새 실험을 하며 화학약품이 작용할 동안 잠깐씩 눈을 붙였고, 어떤 때는 72시간 동안 계속 일하면서 옷도 입은 채로 잤다고 말했다.

아담슨은 이스트만의 사무실에서 5분 이상 지체해서는

안 된다는 경고에도 불구하고 한 시간이 지나 두 시간이 지나도 그들의 대화는 계속되었다.

대화가 끝나 갈 무렵 이스트만은 아담슨을 돌아보며 말했다.

"지난번에 일본에 갔을 때 의자를 몇 개 사가지고 와 집 앞마루에 놓아두었는데 햇빛 때문에 페인트가 벗겨지지 뭐요. 페인트를 사다가 내 손으로 직접 칠했지요. 내 페인트 솜씨 보지 않겠소? 좋아요. 점심을 함께 하면서 보여드리지요."

점심 식사 후, 이스트만은 일본에서 사온 의자를 보여주었다. 그것은 몇 달러밖에 안 되는 물건이었지만 자신이 직접 페인트칠을 했다는 이유로 자랑스럽게 여기고 있었다.

공사의 의자 대금은 9만 달러에 달했다. 그 주문을 누가 따냈을까.

제임스 아담슨일까? 아니면 다른 경쟁자일까?

이 일이 있고 난 후로 이스트만이 죽을 때까지 두 사람은 오랫동안 가까운 친구로 지냈다.

프랑스의 한 레스토랑 주인인 마레는 이 원리를 이용하여 중요한 직원을 잃을 위기에서 벗어났다. 그녀는 5년 동안 근속하고 있었으며 마레와 21명의 종업원 사이를 밀접하게 연결시켜 주고 있었다. 마레는 그녀의 사직서를 우편으로 받고 충격을 받았다.

마레는 이렇게 말했다.

"나는 매우 놀라고 한편으로는 굉장히 실망했습니다. 내가 그녀에게 섭섭하게 대한 일이 없었고, 그녀가 요구하는 건 거의 모두 들어줬기 때문입니다. 내가 그녀를 종업원이 아닌 친구로 생각했기 때문에 다른 종업원보다 더 많은 것을 요구했을지도 모릅니다. 하지만 나는 납득할 만한 설명 없이는 사표를 받아드릴 수 없었지요. 그래서 그녀를 불러 이렇게 말했습니다.

'폴레트, 내가 당신의 사표를 받을 수 없다는 것을 이해하시겠습니까. 당신은 이 레스토랑에서 없어선 안 될 사람이오. 당신은 이 레스토랑이 성공하기 위해 정말로 필요한 사람입니다.'

나는 모든 종업원들 앞에서 반복하여 이야기했고, 그녀

를 우리 집으로 초대해 가족 앞에서 그녀에 대한 나의 신뢰감을 털어놓았습니다.

폴레트는 사표를 철회했습니다. 오늘에 이르러 그 어느 때보다도 그녀에게 전적인 신뢰를 보내고 있고, 기회 있을 때마다 그녀가 한 행동에 대해 칭찬을 아끼지 않으며, 그녀가 나와 레스토랑을 위해 얼마나 중요한 존재인가를 보여줍니다."

"사람들에게 그들 자신에 관한 얘기를 하라."

대영제국의 재상을 지낸 대정치가 디즈렐리의 말이다.

"사람들에게 그들 자신에 관한 얘기를 하라. 그러면 그들은 몇 시간이고 귀를 기울일 것이다."

원칙6
상대방으로 하여금 중요하다는 느낌이 들게 하라.
단, 성실한 태도로 해야 한다.

3부

상대방을 설득하는 12가지 방법

1
논쟁을
피하라

　제1차 세계대전 종전 직후의 어느 날 밤, 나는 런던에서 매우 소중한 교훈을 배웠다. 그 당시 난 로스 스미스 경의 매니저였다. 로스 경은 전쟁 중 팔레스타인에서 용맹을 떨친 유능한 호주인 조종사로, 종전이 되자마자 30일 만에 지구의 절반을 비행하여 세계를 놀라게 한 인물이다. 그때까지만 해도 이러한 모험이 시도된 적이 한 번도 없었으므로 반향은 대단했다. 호주 정부는 5만 달러의 상금을 하사했고, 영국 왕실에서는 훈공작위를 수여 하였다. 그는 한동안 대영제국에서 가장 빈번하게 사람들의 입에 오르내리는 유명인사가 되었다.

나는 로스 경을 위한 연회에 참석할 기회가 있었다. 식사 중 내 옆자리에 앉아 있던 사람이 "인간이 아무리 일을 벌여 놓아도 최종적인 결정은 신에 의한 것이다."라는 말을 인용하면서 익살스럽게 이야기했다.

그 인용문이 성경에 있는 문구라고 익살꾼은 말했지만, 나는 잘못 알고 있다는 것을 알고 있었다. 의심의 여지가 없었다. 그래서 나는 자존심을 세우고 잘난 체하기 위해 그의 잘못을 과감히 지적했다. 그런데 그도 자기주장을 굽히지 않았다.

"뭐라고요? 셰익스피어에 나오는 말이라고요. 그럴 리 없소! 말도 안 되는 소리! 그 말은 성경에 분명히 나온단 말이오."

그는 내 오른쪽에 앉아 있었고 왼쪽에는 나의 오랜 친구인 프랭크 가몬드가 앉아 있었다. 그는 오랜 세월 셰익스피어를 연구해 왔기 때문에 우리는 그의 의견을 듣기로 하였다. 그는 가만히 듣고 있더니 식탁 아래로 나를 쿡 치면서 "이봐 데일, 자네가 틀렸네. 저 신사분의 말씀이 옳아. 그건 성경에 나오는 말일세."라고 말했다.

그날 밤 집으로 돌아오면서 나는 그 친구에게 "프랭크, 자네는 그 인용문이 셰익스피어에 나오는 말임을 잘 알고 있지 않은가." 하고 반문했다. "물론 알고 있지." 그의 대답이었다.

"햄릿 5막 2장이지. 하지만 데일, 우리는 그 즐거운 모임의 손님이었잖아. 자네는 왜 그 사람의 말이 틀렸다는 것을 굳이 증명하려 들지? 그러면 그가 자네를 좋아하겠나. 왜 그 사람 체면을 세워 주지 않나? 그는 자네 의견을 묻지 않았네. 원하지도 않았단 말일세. 그런데 왜 그 사람과 논쟁을 하려 하는가? 사회생활을 하려면 원만한 처세가 필요한 걸세."

난 뒤통수를 맞은 기분이었다. 그날 그 친구의 교훈은 평생 잊을 수 없는 것이었다. 나는 그 재담꾼을 곤란하게 만들었을 뿐만 아니라 친구까지도 당황스럽게 만들었던 것이다. 내가 따지고 들지 않았어야 했다. 논쟁하는 습관을 갖고 있던 나에게 그 일은 정말 중요한 교훈이었다.

어린 시절 나는 매사에 형과 토론을 벌였다. 대학에서는 논리학과 토론법을 공부했고 토론대회에도 참가했다. 미주리 출신이었으므로 미주리 출신답게 과시하고 싶었다. 후일 뉴욕에서 논쟁법과 토론법을 가르쳤으며 나름대로 이에 관한 저서를 쓸 계획도 세웠다. 그리하여 수많은 토론을 경청하고 참여하면서 토론 결과를 주의 깊게 살폈다. 이러한 경험을 바탕으로, 나는 논쟁에서 이기는 최선의 방법은 단한 가지 방법, 즉 토론을 피하는 것이라는 결론을 내렸다.

토론을 피하라. 논쟁은 참가자들이 자신의 의견이 절대적으로 옳다는 것을 더욱 확고하게 믿게 되는 것으로 끝나는 법이다.

당신은 논쟁에서 이길 수 없다. 왜냐하면 논쟁에 지면 지는 것이고, 이긴다고 해도 지는 것이기 때문이다. 왜 그럴까?

자, 다른 사람이 당신과의 논쟁 상대가 안 된다는 것을 증명했다고 치자. 그래서 어쨌다는 건가. 당신이야 기분 좋겠지만 상대방은 어떠하겠는가. 당신은 그에게 열등감을 느끼게 했고, 그의 자존심을 구겨버렸다. 그는 당신의 승리를 혐오할 것이다. 자기 의사와는 반대로 설득 당한 사람은 그래도 자기 의견을 굳게 지킨다.

몇 년 전 패트릭 J. 오헤어가 우리 강좌에 참석했다.

오헤어는 정규 교육을 거의 받은 적은 없었으나 논쟁을 매우 좋아했다. 한 때는 운전기사를 한 적이 있고 지금은 트럭을 팔고 있으나 별 재미를 보지 못하자 나를 찾아왔다. 몇 가지 질문을 한 결과, 그는 거래를 하려는 사람들과 끊임없이 다투고 대립하는 성격이라는 것을 알 수 있었다. 트럭을 구매하러 온 손님이 트럭에 대해 나쁜 점이라도 얘기하면 그는 화를 버럭 내면서 손님의 멱살을 잡는 것이었다. 그는 논쟁을 벌여서라도 이겨야 직성이 풀렸다. "저는 '가끔 저런 녀석은 본때를 보여줘야 합니다.'라고 말하면서 사무실을 나오곤 했죠. 물론 본때를 보여줬지요. 그러나 트럭은 팔지 못했습니다." 하고 그는 나중에야 말했다.

내가 먼저 해결해야 할 문제는 패트릭 오헤어에게 말하는 법을 가르치는 것이 아니라 말을 삼가고 언쟁을 피하도록 훈련시키는 일이었다. 그 후 그는 뉴욕의 화이트 모터사에서 가장 우수한 세일즈맨이 되었다. 어떻게 되었을까?

그가 직접 한 말을 옮겨보겠다.

"요즘엔 고객께서 '뭐요? 화이트 트럭이라고? 필요 없소. 거저 줘도 싫소. 나는 후지트 트럭을 살 거요.' 하고 말하더라도 저는 '후지트 트럭도 훌륭합니다. 후지트 트럭을 구입하신다면 올바른 판단을 하신 겁니다. 후지트 트럭은 훌륭한 회사에서 만들고 훌륭한 사람들이 판매를 하고 있죠'라고 말합니다. 그러면 고객은 아무 말도 못합니다. 논쟁의 여지가 없게 되는 거지요. 그가 후지트 트럭이 최고라고 말하고 제가 그 말에 절대적으로 동조를 하는데 그 이상 무슨 말을 더 하겠습니까. 제가 자기 말에 맞장구를 치는데도 불구하고 '후지트 트럭이 최고야.' 하는 소리를 계속할 순 없을 테니까요. 그러면 후지트 트럭에 관한 얘기는 그만두게 되고 그 다음부터 화이트 회사의 트럭이 가진 장점에 관해 말하기 시작하는 거지요.

논쟁은 하면 할수록 자기의 주장이 옳다는 점만을 향해 맹렬히 달려간다는 것이죠. 논쟁에서 이겨야 하니까요. 버럭 화를 내면서까지 논쟁에서 이기려 했던 경우를 돌이켜보면 제가 어떻게 물건을 팔 수 있었는지 의문이 갑니다.

저는 제 인생의 수년 동안을 논쟁하는 일에 허비했습니다. 이제는 입을 다물고 지냅니다. 그러니까 오히려 득이 되더군요."

벤자민 프랭클린은 이렇게 말하곤 했다.

당신이 사람들에게 따지고 반박하고 상처까지 주며 승리했다고 치자. 그것은 공허한 승리일 뿐이다. 왜냐하면, 당신은 결코 상대방으로부터 호의를 얻어내지 못할 것이기 때문이다.

자, 스스로 생각해 보라.

지적이고 이론적인 승리를 원하는가. 아니면 다른 사람의 호의를 택하겠는가. 양쪽 모두를 가지긴 어렵다. 보스톤의 《트랜스 크립트》지는 언젠가 다음과 같은 의미심장한 풍자시를 실은 적이 있다.

여기 윌리엄 제이가 영원히 잠들다.
죽을 때까지 자기가 옳다고 고집하던 사람이……
그가 살아 온 길은 백 번이고 옳았도다.

그러나 그도 역시 죽어 있지 않은가.

당신이 죽을 때까지 옳을 수 있고, 말다툼에서도 백 번 옳을 수도 있다. 그러나 다른 사람의 마음을 바꾸는 일에서는 마치 당신이 틀린 것처럼 아무 소용이 없다.

소득세 상담원인 파슨즈는 9,000달러의 돈이 걸려 있는 일로 세무서 직원과 한 시간 동안 논쟁하고 있었다. 파슨즈는 9,000달러가 결코 되돌려 받지 못하는 사실상의 악성채권으로 세금을 매겨서는 안 된다고 주장했다. "악성 채권이라니, 무슨 소리요. 세금을 내야 합니다." 하고 세무서 직원은 고집했다. 파슨즈는 우리 강좌에 나와 그 이야기를 들려주었다.

"그 세무서 직원은 거만하고 냉정한 데다가 고집불통이어서 이유도 소용없고 사실을 들이대도 막무가내였습니다. 논쟁을 하면 할수록 그의 고집만 세어질 뿐이었죠. 그래서 저는 논쟁을 피하고 그 대신 화제를 바꾸어 그에게 칭찬을 하기로 마음먹었습니다. 저는 이렇게 말했지요.

'이 문제는 당신이 내려야 할 중요하고도 어려운 결정

에 비하면 매우 사소한 것이라는 생각이 듭니다. 저도 조세에 관해 공부한 적은 있습니다만 책을 통한 지식에 불과하지요. 당신은 경험의 최전선에서 그것을 얻고 있으니 그야말로 산지식이죠. 저도 가끔은 당신과 같은 직업을 가졌더라면 얼마나 좋을까 하는 생각을 하기도 합니다. 많은 것을 배울 수 있을 테니까요.'

제가 한 말은 모두 진심이었습니다. 그러자 그 세무서 직원은 의자에서 몸을 바로 세우고 등을 뒤로 기대더니 자기가 적발했던 교묘한 부정행위를 들려주는 등 자신이 하는 일에 관해 한참 동안 얘기해 주더군요. 점점 음성이 다정해지면서 자기 아이들에 관해서도 얘기를 했어요. 떠나면서 세무서 직원은 내 문제를 좀 더 고려해 본 뒤 며칠 내로 결정해서 알려주겠노라고 말했습니다. 사흘 후 세무서 직원은 저에게 전화를 해 그 세금 건을 원상대로 두기로 했다고 알려주더군요."

이 세무서 직원은 인간이면 누구에게서나 볼 수 있는 나약함을 보여 주었다. 그는 자신이 중요한 인간이라는 것을 느끼고 싶어 한 것이다. 그래서 파슨즈와 논쟁을 할 때는 자기의 권위를 큰소리로 주장함으로써 자기 중요감을 성취했던 것이다. 그러나 일단 중요성이 인정되고 또 논쟁이 끝나고 자기의 자부심을 펴 보일 상황이 되자 그는 호의적인 인간으로 변했던 것이다.

부처가 "미움은 결코 미움으로 없어지는 것이 아니라 사랑으로 없어진다."라고 말한 것처럼, 오해도 결코 논쟁으로 없어지는 것이 아니라 상대의 입장을 이해하고 공감하려는 마음에서 없어진다.

링컨은 동료들과 격렬한 논쟁을 벌이던 한 젊은 장교를 몹시 꾸짖은 적이 있다.

"스스로에게 최선을 다하는 사람은 사사로운 논쟁 따위에 시간을 허비하지 않네. 자기 성격을 망치거나 자제력을 상실하는 결과를 초래하는 건 어리석기 짝이 없는 일이지. 자기에게 약간의 정당성 밖에 없을 때는 아무리 중대한 일이라도 상대에게 양보해야 하네. 정당성이 있는 경우라도 작은 일에는 양보를 하게. 개와 싸워 물리는 것보다 개에게 길을 양보하는 편이 낫지 않겠나. 설령 그 개를 죽인다 해도 물린 상처는 남을 테니까 말일세."

《비츠 앤드 피시즈》지에 실린 기사에는 의견의 차이는 있을지라도 논쟁을 벌이지 않는 방법에 대해 몇 가지 제안을 하고 있다.

의견이 서로 다르다는 사실을 기꺼이 환영하라.

'두 사람의 의견이 항상 일치한다면 두 사람 중 한 사람은 불필요한 인물이다.'라는 슬로건을 기억하라. 한 번도 생각해 본 적이 없는 문제에 직면하게 될 때 그 문제에 대해 감사하라. 아마 그것으로 해서 당신이 심각한 실수를 저지르기 전에 자신을 바로 잡을 수 있는 기회를 갖게 되었을지도 모른다.

'처음에 본능적으로 떠오르는 느낌을 믿지 말라.'

의견의 차이가 생기는 상황에서 먼저 자연적으로 취하는 반응은 자신을 변호하려는 태도이다. 이것을 조심하라. 침묵을 지키면서 당신의 첫 반응을 조심해야 한다. 그것 때문에 최선이 아닌 최악의 상태로 몰릴지도 모르기 때문이다.

'감정을 조절하라.'

무엇이 어떤 사람을 화나게 하는지를 보면 그 사람의 실체를 파악할 수 있다는 것을 염두에 두어라.

'먼저 귀를 기울여라.'

상대방이 말할 기회를 주거라. 상대방이 그 말을 끝낼 수 있도록 하라. 방해하거나 말을 가로막거나 논쟁하지 마라. 이해의 다리를 만들도록 노력하라. 오해라는 더 높은 장벽을 쌓지 마라. 의견의 일치를 이루는 부분을 찾아라. 상대방의 말을 다 들어본 다음 그 사람에게 동의할 수 있는 부분들을 생각하라.

'실수를 인정하고 시인할 수 있는 부분을 찾도록 하라.'

실수에 대해서 사과하라. 그러면 상대방은 마음을 누그러뜨리고 논쟁하려는 태도를 늦추게 될 것이다.

'상대방의 생각을 심사숙고하여 신중히 검토하겠다는 약속을 하라.'

그리고 정말로 그렇게 하라. 상대방이 옳을지도 모른다. 이 단계에서 성급하게 행동하여 상대방이 당신에게 "말하려고 했는데 당신이 듣지 않으려고 했잖소?" 하는 말을 하는 상황에 처하느니 차라리 그들의 생각을 고려해 보는 편이 훨씬 더 쉬운 일이다.

'상대방이 관심을 가져주는데 대해 진심으로 감사하라.'
당신에게 반대하기 위해 시간을 낼 수 있는 사람이라면 당신이 관심을 가지고 있는 분야에 관심이 있는 사람이다. 그들이 정말 당신을 도와주고 싶어 하는 사람이라는 생각을 하면 당신은 적을 친구로 바꿀 수 있다.

'문제를 철저하게 생각할 수 있는 시간을 갖기 위해 당신의 행동을 뒤로 미뤄라.'
그날 늦게라도 아니면 그 다음 날 다시 만나자고 제안하라. 그렇게 되면 차분하게 모든 사실을 다시 검토할 수 있다. 그 준비 과정으로 자신에게 다음과 같은 몇 가지 어려운 질문을 해보라.

상대방이 옳을까? 부분적이라도 그것이 옳은 생각일까? 그들이 취하는 입장이나 주장에 진실이나 장점이 있는가? 내 행동이 문제해결에 도움이 될까? 아니면 분노를 해소하는 데 지나지 않을까? 내가 취한 태도로 인해서 상대방과 더 멀어질까? 아니면 더 가까워질까? 사람들이 나에 대한 평가를 더 좋은 쪽으로 내리게 하는 일일까? 나는 이길까 아니면 질까? 이기게 된다면 어떤 대가를 치르게 될 것인가? 내가 잠자코 있으면 서로간의 의견 대립이 잠잠해질까? 이런 어려운 상황이 나에게 어떤 기회가 될 수 있을까?

오페라 테너 가수인 얀 피어스는 50년의 결혼생활에 대해 이렇게 말했다.

"집사람과 나는 조약을 맺었습니다. 그리고 상대방에게 아무리 화가 나도 이 조약을 지켰습니다. 한 사람이 소리지르면 다른 사람은 무조건 잠자코 듣기로 하는 내용이지요. 두 사람 모두 고함을 지르게 되면 대화는 없어지고 단지 싸움과 분노만 남게 되니까요."

216

원칙1

논쟁에서 최선의 결과를 얻을 수 있는 유일한 방법은
그것을 피하는 것이다.

2
적을 만드는 확실한 방법과
그런 상황을 피하는 방법

루즈벨트는 대통령 재임 시, 자기 생각 중에 75퍼센트가 옳은 생각이라면 그것은 자신이 바라는 최고의 기대치라고 고백했다.

20세기의 가장 뛰어난 인물 중 한 사람이 이런 바람을 갖고 있었는데 그렇다면 당신과 나는 어떤가?

자신의 생각이 55퍼센트까지 옳다고 자신하는 사람은 월스트리트에서 하루 100만 달러를 벌 수 있을 것이다. 이 55퍼센트에 이르는 확신도 갖지 못하면서 당신은 무엇 때문에 다른 사람이 틀렸다고 말하는가.

우리는 표정, 억양이나 제스처를 통해서도 상대의 생각이 틀렸음을 내색할 수 있다. 어쨌든 그들에게 틀렸다고 말한다면 그들이 과연 당신에게 동의하겠는가. 천만의 말씀이다. 왜냐하면 당신은 그들의 지성, 판단, 자만심 그리고 자존심마저 직접적으로 건드렸기 때문이다. 그들도 당신에게 반격을 가할 것이다. 자신들의 생각을 바꾸려는 마음 따위 염두에도 없다. 칸트나 플라톤의 논리를 모두 동원하여 설명한다 해도 그들의 의견은 변하지 않는다. 이유는 이미 그들의 감정을 상하게 만들었기 때문이다.

절대로 "내가 당신에게 이러이러한 것을 증명해 보이겠소."라는 말로 시작하면 안 된다. 좋지 않은 설득 방법이다. 이 말은 마치 "내가 당신보다 똑똑하니 내 얘기를 들어보고 당신 마음을 바꾸시오."라고 말하는 것과 같다. 그것은 일종의 도전인 셈이다. 상대방에게 반감만 불러 일으켜 듣는 사람으로 하여금 당신이 말도 꺼내기 전에 싸우고 싶도록 만드는 것이다.

아늑하고 부드러운 분위기 속에서도 상대방의 마음을 바꾸는 것은 쉽지 않은 일이다. 그런데 왜 더 어렵게 만드는가. 왜 자신에게 불리하게 만드는가. 만약 무엇인가를 증명해야 할 필요가 있다면 상대방이 전혀 눈치채지 못하게 하라. 교묘하면서도 재치 있게!

알렉산더 포프의 다음 말은 이런 사실을 간단명료하게 표현해 주고 있다.
'사람을 가르칠 때는 가르치지 않는 것처럼 가르치고, 새로운 사실을 제안할 때는 마치 그 사람이 잊어버렸던 것을 우연히 다시 생각 난 것처럼 제안하라.'

약 300여 년 전에 갈릴레오는 말하였다.
'우리는 남을 가르칠 수는 없고 단지 그가 스스로 발견하도록 도와줄 수 있을 뿐이다.'

체스필더 경은 아들에게 이렇게 말하였다.
'될 수 있으면 다른 사람보다 현명해지도록 하라. 그러나 그것을 그에게 알려서는 안 된다.'

소크라테스는 제자들에게 이렇게 말했다.

'내가 아는 것은 오직 한 가지, 나는 아무것도 모른다는 것이다.'

어쨌건 나는 소크라테스보다 낫다고 생각하지 않기 때문에 상대방에게 그의 생각이 틀렸다는 말을 하지 않는다. 이것은 내가 세상살이를 하는 데 큰 도움이 되었다.

상대가 내 생각이 틀렸다고 말하더라도 또 실제로 틀린 말을 하더라도 "글쎄요 저는 그렇게 생각하지 않지만 제 생각이 틀렸을지도 모르겠군요. 저는 종종 그러니까요. 만약 제 생각이 틀렸다면 바로 고치고 싶습니다. 이 문제를 다시 한 번 검토해 보겠습니다."라고 말한다.

"제가 틀렸을지도 모릅니다. 종종 그러니까요. 이 문제를 다시 한 번 검토해 보겠습니다."라는 말 속에는 묘한 마력이 있는 것이다.

이 세상 어느 누구도 "제 생각이 틀릴 수도 있겠지요. 이 문제를 다시 한 번 검토해 보겠습니다."라고 하는 말에 반대하고 나서지는 않을 것이다.

우리 강좌에 참석한 사람들 중, 고객관리에 이 방법을 시도한 사람이 있었다. 닷지 자동차의 영업담당을 하고 있는 헤롤드 랜케였다. 그는 자동차 영업을 하면서 받는 스트레스 때문에 고객들의 불만사항을 처리할 때 종종 사무적이고 신경질적이 된다고 하였다. 또한 급한 성격 탓에 고객은 떨어지고 일할 맛도 나지 않는다고 했다. 랜케는 강좌에서 이렇게 말했다.

"이러한 일들이 제겐 아무런 득이 되지 않는다는 것을 깨닫고 새로운 방법을 시도해 보았습니다. '저희 대리점에서 많은 실수를 하고 있어서 저는 매우 부끄럽게 생각합니다. 저희가 선생님께 실수를 한 것 같은데 그걸 말씀해 주시겠습니까?' 이런 방법을 쓰면 고객의 마음이 꽤 진정되고, 일단 감정이 가라앉으면 문제 해결에 보다 분별 있는 행동을 할 수 있게 되는 거죠. 실제로 몇몇 고객은 저에게 이해심을 갖고 고맙다는 인사를 한 적도 있습니다. 그들 중 두 사람은 새 차를 구입할 친구들을 저에게 소개한 적도 있습니다. 경쟁이 매우 치열한 이 시장에서 더할 수 없이 고마운 고객이지요. 고객의 의견을 존중하고 능숙하고도 정중하게 대하면 경쟁에서 이기는 데 큰 도움을 준다고 저는 믿고 있습니다."

내 생각이 틀릴지도 모른다고 생각하고 인정한다면 결코 곤란한 상황에 처하지 않을 것이다. 이런 경우는 모든 논쟁을 중단시키며 상대방으로 하여금 공평하고 솔직하며 너그러운 마음을 갖도록 만들 것이다. 어쩌면 자기 생각이 틀릴지도 모르겠다는 마음이 생기게 할지도 모른다. 상대방의 생각이 틀렸다는 것을 확실하게 알고 있다고 해서 무뚝뚝한 태도로 말해 보았자 무슨 소용인가.

예를 들어 보기로 하자. 변호사 S씨는 연방 대법원에서 중요한 사건을 두고 논쟁을 벌인 적이 있었다. 이 사건에는 상당한 액수의 돈과 중요한 법률문제가 얽혀 있었다. 논쟁 중 대법원 판사 한 사람이 그에게 "해사법의 법정 기한이 6년이지 않소." 하고 물었다.

S씨는 가만히 서서 그 판사를 노려보다가 퉁명스런 말투로 "판사님, 해사법에는 법정 기한이란 것이 없습니다."라고 말했다. "갑자기 법정 안이 조용해졌습니다." 하고 그는 우

리 강좌에 나와서 자기 경험담을 들려주었다.

"차가운 공기가 온 법정을 감쌌지요. 제 말이 옳고 그 판사 말이 틀렸기 때문입니다. 그 후로 그 판사의 태도가 부드러워 졌냐고요? 그렇지 않더군요. 저는 지금도 그 당시의 제 견해가 옳았다고 믿습니다. 그 어느 때보다 변론도 더 잘했다고 생각합니다. 그럼에도 불구하고 저는 그 판사를 설득시키지 못했습니다. 제가 먼저 실수를 한 거죠. 학식 있고 저명한 판사에게 그의 말이 틀렸다고 말하는 실수를 저질렀던 것입니다."

논리적인 사람은 거의 없다. 우리는 대부분 편견을 갖고 있다. 그리고 선입관, 부러움, 의심, 두려움, 자만심, 질투 등으로 우리의 판단은 대부분 흐려질 수밖에 없다. 아울러 사람들은 자기들이 믿고 있는 종교나 머리 모양, 또는 공산주의나 좋아하는 영화배우에 대해서도 갖고 있는 생각을 좀처럼 바꾸려 하지 않는다. 그러므로 사람들의 생각이 틀린 것이라고 말하고 싶으면 매일 아침 식전에 다음에 소개하는 글을 읽어 주기 바란다. 이 글은 제임스 하비 로빈슨 교수의 명저『정신의 발달 과정』의 한 구절이다.

우리는 아무런 저항감이나 별다른 감정 없이 생각을 바꾸는 경우가 허다하다. 그러나 누군가가 우리 생각이 잘못되었다고 지적하기라도 하면 상황은 달라진다. 분개하며 고집을 부린다. 우리는 믿음을 형성하는 데 있어서는 놀라울 만큼 경솔하지만, 누군가가 우리의 믿음을 빼앗아 가려고 할 때는 그 믿음에 집착하게 된다. 우리에게 소중한 것은 그 생각 자체가 아니라 다른 사람들로부터 도전받는 우리의 자존심인 것이다.

'나의'라는 말은 한 개인의 삶에 있어서 가장 중요한 말이며 따라서 이를 잘 생각해 보는 것이야말로 지혜의 시작이다. 이것은 '나의' 저녁 식사, '나의' 집, '나의' 아버지, '나의' 조국, '나의' 하나님 등에서 보듯이 똑같은 힘을 가지고 있다. 우리는 자기 것이라면 자동차든 집이든 혹은 지리, 의학, 역사 지식이든, 그것을 헐뜯기만 하면 여하튼 불같이 화를 낸다. 우리는 진실이라고 습관적으로 생각해 온 것들을 언제까지나 믿고 싶어 한다. 그 신념을 뒤흔들려는 것이 나타나면 분개하는 것이다. 그리고 무슨 구실을 갖다 붙여서라도 그 믿음을 지키려 한다. 결국 대부분의 논쟁은 우리가 익히 믿고 있는 것들을 옹호하기 위한 논거를 찾으려는 노력인 것이다.

심리학자인 카알 로저스는 『인간이 되는 길』이란 저서에서 이렇게 썼다.

나는 나 자신이 다른 사람을 이해하도록 허락하는 것이 매우 귀중한 가치가 있음을 발견했다. 이런 식으로 말하는 나를 이상하게 여길지도 모른다. 다른 사람을 이해하기 위해서 자신을 허락하는 일이 과연 필요할까? 나는 그렇다고 생각한다. 우리가 상대의 말을 듣고서 가장 먼저 취하는 반응은, 그것을 이해하려고 하지 않고 먼저 평가나 판단을 내리려고 하는 것이다. 상대가 자기의 기분이나 태도, 혹은 신념을 나타낼 때에 우리는 대개 즉시 '옳다' '어리석다' '이치에 맞지 않아' '비정상적이야' '틀렸어' '좋지 않군' 하고 생각하려는 경향이 있다. 그러한 말이 상대에게 어떠한 의미를 갖는지 이해하려 들지 않는다.

집에 커튼을 달려고 실내 장식가를 부른 적이 있는데 청구서를 받아보고는 놀라움을 금치 못했다. 며칠 후, 친구가 집에 놀러 와서 그 커튼을 보았다. 가격을 말하자 그녀는 눈이 동그래지면서 소리쳤다. "뭐라고? 너무 비싸, 바가지를 쓴 거야." 그녀의 말대로다. 하지만 자기의 어리석음을 폭로하는 말을 듣기 좋아하는 사람은 없다. 나도 사람이기 때문에 나 자신을 방어하는 데 급급했다. 싼 게 비지떡이고 싸구려로는 품질과 예술적 감각을 살릴 수 없다는 등 이런저런 변명을 늘어놓았다. 그 다음 날, 다른 친구가 그 커튼을 보고는 흥분하면서 찬사를 늘어놓는 것이었다. 자기 집에도 이 커튼으로 장식했으면 좋겠다는 말을 했다. 이 때 내가 보인 반응은 전날과는 전혀 달랐다.

"응, 사실은 말이야. 나도 이것을 살 만한 돈은 없어. 아무래도 너무 비싸. 사지 말아야 할 것을 산 것 같아."

자신의 생각이 잘못되었을 때, 스스로 인정할 수 있다.

그리고 우리가 부드럽고 재치 있는 태도를 취한다면 다른 사람에게도 자기의 잘못을 인정할 수 있으며 심지어는 솔직하고 너그러운 자신을 자랑스럽게 여길 수도 있다. 그러나 누군가가 우리에게 불쾌한 사실을 드러내고 공격을 하려 한다면 우리는 그렇게 할 수 없다.

유명한 편집자였던 호레이스 그릴리는 남북 전쟁 당시 링컨의 정책에 격렬하게 반대했다. 그는 따지고 조롱하고 비난을 퍼 부으면 링컨의 생각이 달라질 거라고 생각했다. 그릴리는 하루가 멀다 하고 맹비난을 가했다. 실제로 그는 링컨이 부스에서 저격당하던 날 밤에도, 야만적이고 혹독하며 빈정대는 듯한 공격 기사를 썼다. 그러나 이런 일을 당한다고 해서 링컨 대통령이 달라졌던가? 천만의 말씀이다. 비난과 비웃음은 결코 아무도 설득할 수 없다. 만일 자기 자신과 사람들을 잘 다루는 방법과 인격을 도야하는 훌륭한 비결을 알고 싶으면, 그 어떤 글보다도 매혹적인 삶의 이야기로 가득 찬 벤자민 프랭클린의 자서전을 읽어 보라. 프랭클린은 따지기 좋아하는 못된 버릇을 어떻게 극복하여 미국 역사상 가장 유능하고 온화하며 사교에 능한 사람이 될 수 있었는지 말해 주고 있다.

벤자민 프랭클린이 실수가 다반사이던 청년 시절, 퀘이커 교도인 친구가 찾아와 호되게 비난하는 말을 퍼부었다.

"벤자민, 자네 틀렸어. 자네는 자네의 생각과 의견이 다른 사람들에겐 모욕을 준단 말이야. 너무 공격적이어서 좋아하는 사람이 아무도 없어. 자네 친구들은 자네가 없는 자리가 훨씬 편하고 재미있다더군. 너무 유식한 척해서 자네와는 말이 통하질 않는다는 거야. 사실 아무도 자네하고는 말하고 싶어 하지 않네. 왜냐하면 그런 노력을 해봤자 마음만 불편하고 힘만 들기 때문이야. 그러니 자네는 지금 알고 있는 얄팍한 지식 외에는 더 이상 발전할 수 없을 걸세."

벤자민 프랭클린의 가장 훌륭한 점의 하나가 바로 이런 종류의 호된 비난을 받아들이는 태도이다. 그는 비난이 사실이라고 깨달을 만큼 그릇이 크고 지혜로웠으며, 어쩌면 이로 인해 실패한 인생으로 사회에서 소외당할지도 모른다고 생각하였다. 그는 바로 방향전환을 하였다. 거만하고도 독선적인 태도를 당장 바꾸기로 결심한 것이다.

벤자민 프랭클린의 말을 직접 들어보기로 하자.

"나는 상대의 의견을 정면에서 반대하거나 나의 의견을 단정적으로 말하지 않기로 하였습니다. 심지어 '확실히'나 '의심할 나위 없이' 같은 단정적인 생각을 표현하는 글이나 말은 모두 쓰지 않기로 했습니다. 그 대신에 '~라고 생각합니다.', '~라고 여겨집니다.' 혹은 '~인 것 같습니다.' 아니면 '현재로선 이렇게 생각합니다.' 같은 말을 하기로 했습니다. 그 후로 상대가 잘못된 주장을 하더라도 결코 그의 잘못을 지적하지 않았습니다. 제안이 엉터리라도 그 자리에서 밝히는 일도 삼갔습니다. 그 대신 나는 상대의 생각이 어떠한 경우 옳을 수도 있지만 현재 내 생각과는 약간의 차이가 있다고 대답했습니다.

얼마 지나지 않아 이 같은 태도의 변화가 많은 이익을 준다는 것을 알았습니다. 사람들과의 대화가 즐거워졌습니다. 내 의견을 조심스럽게 제시하면 상대방으로부터 더욱 적극적인 반응을 얻어낼 수 있었으며 비난도 적어졌습니다. 내 말이 틀렸다고 지적을 당해도 전보다 억울한 생각이 덜 들고, 내 생각이 옳은 경우일지라도 상대를 원만하게 설득시켜 그들의 잘못을 돌이키도록 했습니다.

처음에는 성격을 죽여가면서 취했던 이런 태도가 곧 익숙해졌습니다. 그 후로 50여 년 간 독선적인 말을 한 적이 없는 것 같았습니다. 이러한 습관으로 나는 새로운 제도나 혹은 개정안을 제시할 때 여러 시민들을 염두에 두게 되었고 아울러 위원회의 일원으로서 많은 영향을 끼칠 수 있었다고 생각합니다. 더 나아가 나는 지독한 눌변가로 유창한 말을 구사할 수 없을 뿐 아니라 언어 사용도 부정확하며 단어를 선택할 때도 대단히 망설이는 편인데도 불구하고, 내 의견을 대체적으로 전할 수 있었습니다."

벤자민 프랭클린의 이런 방법을 비즈니스에서는 어떻게 적용하면 좋을까. 두 가지 예를 들어보겠다.

노스캐롤라이나 주의 킹즈 마운틴에 사는 올레드는 방직공장의 생산기계 담당 감독원이었다. 그녀는 우리 강좌에 참가하여 자신의 고민거리를 훈련받기 전후의 경우에 대하여 이야기했다.

"제 역할은 기능공들이 많은 실을 생산하여 더 많은 수

입을 올릴 수 있도록 그들을 위한 수출 장려 제도와 등급제를 연구하고 운용하는 일입니다. 두세 종류의 생사(生絲)를 생산할 때만 하더라도 시스템의 운영에 지장은 없었습니다. 최근 들어 12가지 종류의 생사를 생산할 수 있는 시스템으로 공장시설을 늘렸습니다. 이 시스템으로는 기능공들에게 적절한 대우를 해 줄 수 없고 더욱이 생산량을 증가시키기 위한 장려금을 줄 수도 없는 형편이었습니다. 그래서 기능공들이 정해진 시간 내에 생산하는 생사의 등급에 따라 대우받을 수 있도록 새로운 시스템 연구에 몰두했습니다. 이 시스템이야말로 적절한 조치라는 결론이 서자 경영진에게 설명하기 위해 간부회의에 참석했습니다. 저는 간부들에게 그들의 잘못을 지적하고 어떤 점이 공평하지 못했으며, 제가 그들에게 필요한 모든 해결책을 갖고 있다는 점을 말했습니다.

물론 참담한 실패였죠. 저는 새로운 시스템에 관한 제 얘기만 하기에 정신이 없던 나머지 간부들의 문제점을 그들 스스로 인정할 수 있는 기회를 주지 않았고, 결국 그 시스템 건은 백지화되어 버리고 말았습니다.

이 강좌에 여러 번 참석해 본 후, 저는 실수를 깨닫게 되었습니다. 그래서 한 번 더 회의를 소집하였습니다. 이번에는 간부들이 생각하고 있는 문제점이 무엇인가를 말해달라고 요청했습니다. 각각의 의견을 토론한 후, 그들에게 최선의 방법이 무엇이라고 생각하느냐고 물어보았습니다. 어느 정도 시간이 지나 저도 낮은 음성으로 몇 가지 제안을 한 후 잠자코 있었습니다. 그리고는 회의가 끝날 무렵이 되었을 때 제가 연구한 시스템을 소개하자 간부들이 열렬히 환영했습니다.

이제 저는 상대방에게 바로 당신이 틀렸다고 그 자리에서 직선적으로 말해 보아야 아무런 득이 되지 않으며, 오히려 더 많은 적대감만 만들 뿐이라는 사실을 확신하고 있습니다. 얻는 것이라곤 상대방의 자존심을 손상시키는 일과 어떤 토론에서든지 환영받지 못하는 것뿐입니다."

다른 예를 한 가지 더 들어보자. 이 내용은 많은 사람들의 전형적 경험담 중에서 발췌해 낸 것이다.

크롤리는 목재소의 세일즈맨이다. 그는 여러 번 고집불

통의 목재 검사관들과 논쟁을 벌여 그들의 생각이 틀렸다고 따지고 지적해서 이겼다. 그러나 아무 소득이 없었다. "이 검사관들이야말로 야구 심판 같은 사람들이기 때문에 일단 결정을 내리면 결코 번복하는 일이 없답니다." 하고 크롤리는 말했다.

그는 자신의 공장이 이런 논쟁으로 인해 수천 달러의 손해를 보고 있음을 알았다. 그래서 우리의 강의를 들으며 새로운 방법을 쓰기로 하고 결코 논쟁 따위는 하지 않겠노라 다짐하였다.

그 결과는 어땠을까. 여기에 크롤리가 강좌에 나와 들려준 이야기를 소개하겠다.

"어느 날 아침. 사무실의 전화벨이 요란하게 울리더군요. 흥분한 목소리는, 우리가 보낸 화물차 한 대 분의 목재가 모두 만족스럽지 않다는 것이었습니다. 목재를 부리는 작업을 중단했으니 우리에게 다시 회수해 가라고 요구하더군요. 황당했죠. 적재된 목재를 4분의 1쯤 하역했을 때 그 회사의 검사관이 목재의 55퍼센트 가량이 불합격품이라는 말을 했던 모양입니다. 그런 상황이 벌어지자 그들은 인수를 거절했던 거지요.

저는 당장 현장으로 달려가면서 이 상황을 처리할 수 있는 최선책을 생각해 보았습니다. 여느 때 같았으면 합격기준을 제시하면서 목재전문가로서의 경험과 지식을 총동원해서라도 그 목재가 합격품이며 그들이 잘못 알고 있다는 것을 믿게 하려 들었을 것입니다. 그러나 저는 강좌에서 훈련받은 원칙을 적용해 볼 생각이었습니다.

현장에 도착해 보니 그 회사 쪽 사람들과 검사관은 이미 저와 논쟁을 벌일 태세를 갖추고 있었습니다. 우리는 목재를 실은 화물차로 가 제가 확인해 볼 수 있도록 작업을 계속 할 것을 요청했습니다. 그런 후 합격품과 불합격품을 따로 가려주도록 검사관에게 부탁했습니다.

잠시 동안 검사관을 주시한 결과, 저는 검사관의 검사기준이 지나치게 엄격할 뿐더러 법규를 잘못 알고 있다는 것을 알게 되었습니다. 그 특수목재는 백송으로 만든 것인데, 그 검사관은 목재에 대해서는 내로라하는 전문가였지만 백송에 대해선 상식과 경험이 많지 않은 것 같았습니다. 백송이라면 절 따라올 사람이 없었지만, 그렇다고 그의 검사기준에 반대하고 나서지는 않았습니다. 저는 계속 감독관을 지켜보며 우리 목재가 만족스럽지 못한 이유를 물었습니다. 그러면서도 그 감독관의 생각이 틀렸다는 내색을 전혀 하지 않았습니다. 그리고 질문을 하는 이유가 앞으로 목재를 제대로 공급할 수 있도록 하기 위한 것임을 강조했습니다.

이렇게 다정하고 협조적으로 질문하고 그들의 처사가 옳았다는 것을 끊임없이 말하다 보니 그의 마음이 부드럽게 누그러지면서 우리 사이에 맴돌던 긴장감이 눈 녹듯이 사라져 버리더군요.

가끔씩 신중하게 던진 제 말 몇 마디가 검사관으로 하여금 퇴짜 놓은 그 불합격품 목재가 어쩌면 심사기준에 맞을지도 모르고, 그들이 요구하는 목재들은 훨씬 값비싼 물건이라는 생각이 들게 만들었던 것입니다. 그러나 제가 이러한 것을 내심 계산하고 있었다는 것을 검사관이 눈치채지 못하도록 신중을 기했지요.

그러자 검사관의 태도가 변하기 시작하더니 결국은 백송나무를 다룬 경험이 없었다는 것을 시인하면서 오히려 그 나무에 대한 질문을 했습니다. 저는 그 목재가 명시된 합격 기준품이 될 수 있는 이유를 설명하면서, 지금이라도 마음에 흡족하지 않다면 인수를 하지 않아도 좋다는 말을 강조했습니다.

드디어 검사관은 매번 퇴짜를 놓을 때마다 죄책감이 들었다는 말을 했습니다. 그리고 나중에는 심사기준을 제대로 명시하지 않았던 실수가 자기 측에 있다고 말했습니다.

그 결과, 제가 그곳을 떠난 뒤 검사관은 다시 그 목재를 검사한 후 전체 물량을 인수했고 우리는 대금 전액을 결제받았습니다.

이 경우에서 보더라도 상대방에게 틀렸다는 말을 삼가는 지혜를 발휘함으로써 상당한 금액을 벌어들였을 뿐 아니라 호의를 보냄으로 가치를 따질 수 없는 좋은 관계를 맺을 수 있었습니다.

마틴 루터 킹 목사는 평화주의자인 그가 당시 미국에서 흑인으로서는 가장 높은 계급이었던 미 공군의 다니엘 채피 제임스 장군을 숭배하게 되었는지 질문을 받았다. 그때

킹 목사는 "나는 사람을 대할 때 내 기준이 아닌 상대방의 기준으로 판단합니다."라고 대답했다.

이와 비슷한 예로, 로버트 리 장군은 남부동맹의 의장인 제퍼슨 데이비스에게 자기 지휘하에 있던 어느 장교에 대해 매우 진지한 어조로 칭찬을 했다. 그 자리에 참석했던 한 장교는 깜짝 놀랐다.

"장군님, 장군께서 입이 마르도록 칭찬하는 사람은 기회 있을 때마다 장군님을 중상모략하는 자입니다." 하고 그 장교는 말했다.

"알고 있네. 하지만 의장께선 그 장교에 대한 내 의견을 물었던 걸세. 나에 대한 그의 태도를 묻는 게 아니라네." 하고 리 장군은 말했다.

내가 말하는 것들은 새로운 비결들이 아니다. 2000년 전 예수께서는 "속히 너희 적과 화해하라."고 가르쳤다. 예수가 탄생하기 2200년 전 이집트의 악토이 대왕은 아들에게 지혜로운 충고를 했다. 이 충고는 오늘 날에도 매우 절실한 것이다.

"사람을 설득하려면 외교적이어야 한다."

다시 말해 고객이나 배우자 또는 적들과 논쟁을 하지 말라. 그들의 생각이 틀렸다는 말도 하지 말라. 다음의 원칙을 염두에 두어라.

원칙2
상대방의 견해를 존중하라.
결코 '당신이 틀렸다'고 말하지 말라.

3
잘못을
솔직히 인정하라

우리 집에서 머지않은 곳엔 원시림이 넓게 펼쳐져 있다. 봄이면 향기로운 꽃들이 피고 다람쥐가 보금자리를 만들어 새끼를 기르며 잡초들은 서로 시샘하듯 하루가 다르게 자랐다. 사람들은 이 자연 그대로의 숲을 '숲의 공원'이라고 불렀다. 나는 불독인 '렉스'를 데리고 자주 이 공원을 산책하였는데 렉스는 사람을 잘 따르는 유순한 개였다.

우리는 그곳에서 사람들과 마주치는 일이 거의 없었으므로 나는 렉스에게 입마개를 씌우거나 줄을 묶지 않고 데리고 다녔다.

어느 날 우리는 말을 탄 경찰관을 만났는데, 그는 자기 과시를 하고 싶어 좀이 쑤시는 그런 사람이었다. "공원에서 개를 입마개나 줄로 묶지 않고 다니면 어떻게 하시겠다는 거요." 경찰관은 나에게 시위했다.

"위법행위란 걸 모르십니까?"

"물론 알고 있습니다만 우리 개는 아무런 피해도 주지 않을 거라 생각해서요." 하고 나는 부드럽게 대답했다.

"피해를 주지 않을 거라고요? 법은 당신이 생각하는 것과는 달라요. 저 개는 다람쥐를 죽이거나 아이를 물지도 모릅니다. 이번 한 번은 봐주겠지만, 다음에 또 다시 입마개나 줄 없이 돌아다니는 것이 적발되면 그땐 위법에 의한 벌금을 물어야 할 거요."

나는 그렇게 하겠다고 순순히 약속했다. 몇 번은 약속대로 잘 지켰다. 그러나 렉스와 나는 입마개를 좋아하지 않았다. 그래서 한번 반항해 보기로 하였다. 얼마 동안은 별 탈 없었는데 우리는 뜻하지 않은 장애에 부딪쳤다.

어느 날 오후, 렉스와 나는 언덕배기까지 달리기를 했다. 그곳에서 말을 탄 그 경찰관과 마주치게 되었다. 나는 꼼짝

없이 당하는 꼴이 되었다.

나는 경찰관의 말을 기다리지 않고 선수를 쳤다.

"저를 현행범으로 체포하셨군요. 제가 법을 어겼습니다. 변명하지 않겠습니다. 지난주에 또 다시 개한테 입마개를 채우지 않고 데리고 다니면 벌금을 물리겠다고 경고하셨지요."

"글쎄올시다. 저런 조그만 개라면 아무도 없을 때는 밖으로 데리고 나와 달리게 하고픈 유혹도 생길 것 같군요." 하고 경찰관은 부드럽게 대답했다.

나는 "분명 그런 유혹이 생기지만 위법행위인 것만은 틀림없지요." 하고 경찰관에게 말했다.

"그렇지만 뭐, 이런 작은 개는 사람에게 해를 주지 않을 것 같군요."

경찰관은 오히려 이의를 제기했다.

"자, 선생은 이 문제를 너무 심각하게 생각하시는 것 같군요. 이렇게 하면 어떻겠습니까. 언덕 저 편까지 개를 달리게 하세요. 그러면 제 눈에도 띄지 않고 우리 모두 이 일을 잊어버릴 것 아니겠습니까."

경찰관도 인간이기 때문에 자기 중요감을 느끼고 싶었다. 내가 죄를 인정했을 때, 그의 자부심을 만족시키는 유일한 방법은 나를 용서하고 자신의 넓고 큰 도량을 보이는 것이다.

만약 그때 내가 변명하면서 경찰관과 논쟁이라도 벌였다면 어떻게 되었을까.

나는 논쟁을 벌이는 대신, 그의 말이 전적으로 옳고 나는 전적으로 틀렸다고 인정했다. 나는 즉시 솔직하게 잘못을 인정했다. 내가 경찰관의 입장에 서고, 경찰관이 내 입장이 된 결과 이 문제는 원만하게 매듭지어졌다. 처음에는 법 운운하며 위협하던 경찰관이 일주일 후에 내게 보여준 친절한 태도에 누구나 놀라지 않을 수 없을 것이다.

만일 우리가 비난받을 일이 있으면 먼저 스스로 비난하는 편이 낫지 않을까? 비난을 듣느니 스스로 내면의 자기 비판 소리에 귀를 기울이는 편이 훨씬 쉽지 않을까?

자기 잘못을 먼저 인정하면 상대가 할 말을 먼저 해버리는 것이다. 상대는 할 말이 없어진다. 십중팔구 상대는 관대해지고 이쪽의 잘못을 용서하는 태도로 나올 것이다. 나와 렉스를 용서한 경찰관처럼 말이다.

상업미술가인 위렌은 이 방법을 사용해 급한 성미의 까다로운 고객으로부터 호의를 얻어냈다. "광고용이나 인쇄용 그림을 제작할 때는 정밀하고 정확하게 제작하는 것이 중요합니다." 하면서 위렌은 자기 얘기를 들려주었다.

"어떤 미술 편집자는 자기가 위탁한 일을 즉시 해달라고 요구하죠. 이런 경우 사소한 실수가 생기게 마련입니다. 제가 잘 아는 미술감독이 있는데, 그는 항상 사소한 실수에도 꼬투리를 잡지요. 가끔 그의 사무실에 들르면 불쾌한 기분이 들 때가 있는데 그것은 그의 비난 때문이 아니라 그의 공격방법 때문이었습니다.

최근에 급한 일거리를 끝내서 이 미술감독에게 납품했는데, 그는 당장 자기 사무실로 오라고 하는 거였어요. 내가 도착하자 그는 일이 잘못되었다고 말하더군요. 저는 걱정했습니다. 그는 신랄한 어조로 고소하다는 듯이 비난하고는 왜 이렇게 했느냐 면서 열을 냈습니다. 그동안 제가 공부한, 자기비판을 활용할 기회가 드디어 온 거죠.

그래서 '아무개 씨. 당신의 말이 사실이라면 제 잘못이니 실수에 대한 변명은 않겠습니다. 당신을 위한 그림 제작도 이제는 제법 잘할 만큼 되었는데도 이러니 제 자신이 참으로 부끄럽습니다.'라고 말했습니다. 그러자 그는 바로 저를 옹호하기 시작했습니다. '네 그래요. 당신 말이 옳지만 그래도 큰 실수는 아닙니다. 다만······' 저는 그의 말문을 막았습니다. '실수는 결과적으로 희생이 따르는 법이고 사람을 짜증나게 하죠.'

그가 뭐라고 말을 하려했지만 저는 가로막았지요. 정말 신나는 경험이었습니다. 난생처음으로 제가 저 자신을 꾸짖는데도 아주 신명이 났다니까요.

'제가 좀 더 주의를 기울여야 했었는데 정말 유감입니다.' 하고 말하면서 계속 말을 이어나갔습니다. '저에게 일감을 많이 주셨으니 당연히 일을 잘 해드려야 했습니다. 그러니 이 그림은 다시 그려드리겠습니다.'

'아니오! 괜찮아요!' 하고 그가 항의하듯이 말하더군요. '당신에게 그런 수고를 끼칠 생각은 아니었소.' 하면서 제 일을 칭찬하더니 약간의 수정이면 되고 이런 사소한 일로 회사에 손해 날 일도 없을 뿐 아니라 단지 세부적인 부분에 대한 실수이므로 걱정할 필요가 없다고 저를 안심시켜 주더군요. 제 자신에 대해 냉정하게 비판함으로써 상대방과 싸울 일이 모두 사라져 버린 것입니다. 그는 결국 저와 점심식사까지 하고 나서, 헤어지기 전에 급여로 수표 한 장과 다른 일거리를 주었습니다."

자신의 실수를 인정할 수 있는 용기는 어느 정도의 만족감을 느끼게 한다. 그것은 잘못과 방어적인 마음을 사라지게 할 뿐만 아니라 실수로 생긴 문제를 해결하는 데 도움이 되는 경우가 종종 있다.

뉴멕시코의 알버커키에 사는 부르스 하비는 병가 중에 있는 한 고용인에게 봉급을 잘못 지급한 적이 있다. 그는 고용인에게 초과 지불한 액수는 다음 봉급에서 삭감할 것이라고 설명했다. 그러자 그 고용인은 그렇게 되면 심각한 경제 문제가 생기므로 일정 기간 동안 그 돈을 상환해 나갈 수 있도록 해달라고 사정했다.

그렇게 하려면 윗사람의 허가를 받아야 한다고 말한 하비는 강좌에 나와 다음과 같이 말했다.

"이 일로 사장님이 크게 화를 내시리라는 것을 익히 알고 있었습니다. 상황 정리를 궁리하던 끝에 저는 일의 잘못이 저에게 있음을 깨닫고 사장님께 가서 그것을 인정하기로 했습니다. 잘못했다고 말씀드리고 자초지종을 설명했습니다. 그런데 사장님께서는 화를 내면서 인사과의 실수라고 하더군요. 그러나 저는 제 잘못이라고 다시 한 번 말씀드렸습니다. 사장님은 다시 화를 내더니 이번엔 경리부의 부주의라고 하더군요. 저는 다시 제 잘못에 대해 설명했습니다.

그러자 사장님은 사무실의 다른 두 사람을 비난했습니다. 그럴 때마다 전 제 잘못이라고 계속 강조했습니다. 이윽고 사장님은 절 보더니 '알겠네, 자네 잘못일세. 그러니 문제나 해결하게.'라고 말씀하시더군요. 실수는 시정되고 아무도 곤경에 빠지지 않았습니다. 이처럼 어려운 상황을 해결할 수 있었고 또 알리바이나 찾으려 들지 않는 용기가 저한테 있음을 알고 무척 기뻤습니다. 사장님도 절 예전보다 더 신임해 주셨습니다."

어떤 바보라도 실수에 대해 핑계를 댈 수 있다. 바보들은 대개 그렇게 한다. 그러나 자기의 잘못을 시인하면 자신의 가치를 끌어올리고 무언가 고결한 느낌을 갖게 한다.

　예를 들어 남군 총사령관 리 장군에 대한 기록 중에 가장 빛나는 미담은 피케트의 게티스버그 진격 작전의 실패를 자신에게만 돌렸다는 것이다.

　피케트의 진격은 전사에 길이 남을 만한 멋진 공격이었다. 피케트는 멋진 사람이었다. 그의 머리카락은 어깨까지 닿는 적갈색의 장발이었고 이탈리아 전선에서의 나폴레옹처럼 전장에서도 거의 매일 열렬한 연애편지를 썼다. 헌신적인 그의 부대는 그 비극적인 7월 오후, 피케트 장군이 의기양양한 모습으로 나타나 유니온 라인을 향해 출발신호를 하자 환호하였다. 그들은 줄을 지어 앞으로 나아가며 환성을 질렀다. 군기는 펄럭이고 총검은 태양아래 빛을 발하고 있었다. 당당한 광경이었으며 용감하고 멋졌다.

　피케트 장군의 군대는 벌판과 계곡을 통과하며 진격했다. 적의 대포가 무차별 공격을 퍼부었으나 적들에게 그들의 진격은 불가항력이었다. 그러던 중 세메터리 리지의 돌담 뒤편에 잠복해 있던 북군의 보병부대가 피케트의 진격부대를 향해 일제히 사격을 가해왔다. 주변은 화염에 뒤덮여 아수라장이 되었고 마치 화산이 폭발하는 것 같았다. 얼마 후 피케트 휘하의 지휘관들은 한 명을 제외하고는 모두 쓰러졌고 군사 5,000명 중 5분의 4가량이 전사했다.

루이스 A. 어미레스 장군이 남은 병사를 이끌고 최후의 돌격을 감행했다. 돌담을 뛰어넘어 총검 끝에 모자를 꽂아 흔들면서 '돌격하라. 돌격하라.' 하면서 소리 높여 외쳤다. 그리하여 돌담을 뛰어넘어 적중에 뛰어든 남군은 대 난전을 벌인 끝에 드디어 남군 군기를 세메터리 리지에 꽂았다. 그 깃발이 그곳에 꽂혀 있던 순간은 아주 잠깐 동안이었다. 그러나 그 순간이야말로 남부 동맹으로서는 최고 절정의 순간이었다.

피케트의 돌격작전은 빛나고 영웅적인 것이었지만 종말을 알리는 시작에 불과했다. 리 장군은 실패했고 더 이상 북군을 무찌를 수 없었으며 자신도 이를 잘 알고 있었다. 남군의 운명은 결정 났다.

리 장군은 충격과 비통함에 젖어 남부동맹 의장인 제퍼

슨 데이비스에게 사의를 표명하고, 대신 그 자리에 '젊고 유능한 인물'을 임명해 줄 것을 요청했다. 만일 리 장군이 피케트 진격의 실패를 다른 사람에게 돌리려 했다면 그럴 듯한 구실을 만들 수도 있었다. 사실 그의 실패는 몇몇 부대 지휘관들의 탓이었다. 보병을 지원할 기병대가 적시에 도착하지 않았기 때문에 그 진격은 실패로 끝났던 것이다. 그러나 그는 고결한 사람이었으므로 다른 사람을 책망하지 않았다.

피케트의 패잔병들이 귀대할 때, 리 장군은 몸소 나가 엄숙히 그들을 맞이했다. "모든 것은 내 잘못이오. 전투에 패한 책임은 모두 내가 지겠소." 하고 그는 말했다. 이런 말을 할 수 있는 용기와 인격을 갖춘 장군은 역사상 그리 많지 않았다.

홍콩에서 강좌를 맡고 있는 마이클 쳉은 중국문화가 지닌 특수한 문제점과 이런 것에 대해 옛 전통을 답습하는 것보다는 새 원칙의 적용이 때때로 훨씬 유익하다는 것을 인식해야 한다고 말했다.

그의 강좌 참석자 중에 여러 해 동안 아들과 사이가 좋지 않은 중년 남자가 있었다. 그는 한때 아편중독자였지만 지금은 완치되었다. 중국전통에 따르면 이런 경우 나이 든 쪽이 먼저 나서는 법이 아니기 때문에, 이 아버지는 화해할 책임이 아들에게 있다고 생각했다.

그는 한 번도 보지 못한 손자 손녀들과 아들과의 재결합을 갈망하고 있다고 강좌초기에 말했다. 중국인 수강생 모두는 그의 갈망과 전통 사이에서 빚어지는 갈등을 이해하고 있었다. 그는 또 젊은 사람들이 노인을 공경해야 하며, 자신의 갈망대로 행동하기보다는 관습대로 아들이 자기를 찾아오도록 기다리는 것이 잘하는 일이라고 여기고 있었다.

강좌가 끝날 갈 무렵, 이 아버지는 다시 이렇게 말했다.

"저는 이 문제를 곰곰이 생각해 보았습니다. 데일 카네기는 '잘못을 저질렀으면 빨리 그리고 확실하게 인정하라'고 말했습니다. 빨리 인정하는 건 늦었지만 확실하게 인정할 수는 있습니다. 저는 제 아들에게 해를 입혔습니다. 아들이 절 만나려 하지 않고 자기 인생에서 저를 제외하고 싶어 하는 것은 당연한 일입니다. 저는 분명히 잘못했습니다. 잘못했으므로 잘못을 인정하는 것은 당연히 제 몫입니다."

수강생들은 그에게 박수를 보냈고 최대한의 협력을 아끼지 않았다. 그 다음 강좌에 나온 이 아버지는 아들네 집에 찾아가 용서를 구한 일이며, 며느리 그리고 손자 녀석들과 어떻게 새로운 관계를 맺을 수 있었는지를 이야기하였다.

앨버트 하버드는 미국 전역을 열광하게 만든 가장 독창적인 작가 중의 한 사람이다. 그의 신랄한 문체는 때로는 격렬한 비난을 받기도 했다. 그러나 사람을 다루는 데 있어서 보기 드문 기술을 지녔던 그는 적을 친구로 만드는 재간이 뛰어난 인물이었다.

예를 들어, 화가 몹시 난 독자가 글이 마음에 들지 않는다면서 욕하는 편지를 보냈다. 그러자 편지를 읽은 그는 다음과 같은 답장을 보낸다.

그 내용에 관해 곰곰이 생각해보니 저 자신도 모두

만족스럽지는 못하더군요. 어제 쓴 글도 오늘 다시 읽어 보면 마음에 들지 않는 경우가 많습니다. 지적하신 부분에 대한 당신의 의견을 알게 되어 정말 기뻤습니다. 다음에 이 근처에 오실 일이 있을 때 방문해 주시면 이 점에 대해 함께 철저히 검토해 보기로 하지요. 서로 멀리 떨어져있지만 힘찬 악수를 보내는 바입니다.

앨버트 하버드 드림

이렇게 대하는 사람에게 무슨 말을 하겠는가.

내 생각이 옳을 때는 그 생각을 부드럽고 재치 있는 방법으로 사람들에게 전하고, 내 생각이 잘못되었을 때는—자신에게 솔직해진다면 이런 일은 자주 있다—그 실수를 빨리 그리고 기꺼이 인정하도록 하자. 이렇게 하면 놀라운 결과를 가져올 뿐 아니라 자신을 애써 방어하려는 것보다 훨씬 편하다.

다음의 격언을 명심하라.

'싸움으로 충분히 얻을 수 있는 것은 없다. 그러나 양보하면 기대한 것 이상을 얻을 수 있다.'

원칙3
잘못을 저질렀으면 즉시 분명한 태도로 그것을 인정하라.

4

꿀 한 방울이 쓸개즙보다
더 많은 파리를 잡는다

화가 났을 때 상대방에게 하고 싶었던 말을 퍼붓고 나면 속이 후련해진다.

그렇다면 상대방은 어떨까? 당신의 적의에 찬 태도나 음성이 그로 하여금 당신에게 동조할 마음을 갖도록 해줄까?

우드로 윌슨이 말하기를 "당신이 주먹을 불끈 쥐고 나에게 대든다면, 나 또한 주먹을 움켜쥘 것이다. 그러나 당신이 나에게 다가와 부드러운 표정으로 다정하게 서로 다른 의견의 해소책을 논한다면, 결국 서로의 의견차이가 그다지 큰 것이 아니며 다른 점보다는 오히려 같은 점이 많다는 것을 알게 되고, 서로 잘 지내기 위한 인내심과 솔직함과 의욕만 있다면 우리는 함께 잘 해낼 수 있을 것이다."라고 했다.

우드로 윌슨이 한 말의 참뜻을 존 D. 록펠러 2세처럼 깊이 깨달은 사람도 없을 것이다. 1915년 당시 록펠러는 콜로라도 주에서 그 누구보다도 가장 미움을 많이 받던 사람이었다.

미국의 산업 역사상 가장 격렬한 파업 사태가 2년 동안 콜로라도 주에서 발생했다. 성난 광부들은 콜로라도 석유와 강철회사에서 임금인상을 요구했으며 회사기물을 파괴하고, 끝내는 군대까지 동원되어 유혈사태가 발생하였다. 결국 파업하던 광부들이 총에 맞아 쓰러지는 비극이 생겼다. 그 회사는 록펠러의 소유였다.

서로의 증오가 하늘을 찌르는 바로 그때, 록펠러는 어떻게든 상대방을 설득하려 했고 결국 성공했다. 어떻게 성공할 수 있었는가.

록펠러의 파업광부 대표들에게 한 연설은 처음부터 끝까지 대단한 걸작이었다. 결과는 놀랄 만하여 집어삼킬 듯한 증오의 파도를 가라앉혔으며 추종 세력까지 생겨났다. 이 연설은 매우 우호적이었기 때문에 파업광부들은 그토록 격렬하게 주장했던 임금인상 문제에 대해서는 단 한마디도 없이 일터로 되돌아갔다.

그 유명한 연설의 서두는 다음과 같이 시작된다. 얼마나 우정이 넘쳐나는지 잘 음미해 보자. 명심할 것은 불과 며칠 전만 하여도 분노에 사로잡혀 자기 목을 매달고 싶어 하던 사람들을 상대로 한 연설이라는 것이다. 연설은 온화하고 다정했다. 그의 연설은 "여기 이 자리에 서게 된 것이 자랑스럽다"거나 "여러분의 가정을 방문하여 많은 가족을 만나보았고" "우리가 여기서 만난 것은 낯선 사람들로서가 아닌 친구로서"이며 "우호의 정신과 공동의 이익" "제가 여기에 있게 된 것도 다 여러분의 덕택" 이라는 등의 구절로 가득 차 있었다.

"오늘은 제 생애에 있어서 특별한 날입니다." 하며 록펠러는 연설을 시작했다.

"이 훌륭한 회사의 임직원과 근로자들의 대표를 만나게 된 영광은 오늘이 처음이며, 따라서 이 자리에 서 있는 것이 자랑스럽고 오늘의 만남은 영원히 기억될 것입니다. 만일 우리가 2주일 전에 이렇게 모였더라면 저는 여러분 중 몇 분의 얼굴만 알아보는 낯선 사람으로 여기 이 자리에 섰을 것입니다. 전 지난주 동안 남부 탄광촌을 모두 방문하여 거의 모든 근로자 대표들과 이야기를 나눴고, 여러분의 가정을 방문하여 가족들도 만나볼 수 있는 기회를 가졌기 때문에, 오늘 여기에선 서로 낯선 사람들이 아닌 친구로서 만나게 된 것입니다. 또한 제가 여러분과 더불어 우리의 공동 이익에 대해 논의하는 기회를 갖게 된 것을 기쁘게 생각하는 것도 바로 이 우호정신 때문입니다.

이 자리는 회사의 직원과 근로자 대표의 모임이기 때문에 제가 여기에 서 있는 것은 오로지 여러분의 덕분입니다. 불행하게도 전 여러분 중 어느 한편에도 끼지 못하지만 어떻게 보면 저는 여러분 모두와 매우 친밀한 관계를 맺고 있다고 생각합니다. 그것은 제가 주주와 이 회사의 대표이기 때문입니다.”

이것이야말로 적을 친구로 만드는 방법 중에서 가장 경이롭고 훌륭한 본보기가 아닐까.

다른 방법을 택했다고 가정해 보자. 광부들에게 넌지시 그들의 잘못을 지적했다고 치자. 논리적으로 광부들의 잘못을 입증했다고 가정해 보자. 과연 어떤 일이 벌어졌을까. 광부들의 분노는 더 커졌을 것이고 더 많은 증오와 폭동 속에 휘말렸을 것이다.

상대방의 마음이 당신에 대한 나쁜 감정과 증오로 가득 차 있을 때는 어떤 논리로도 그의 마음을 당신의 생각대로 움직일 수 없다. 아이들을 꾸짖는 부모나 윽박지르는 직장 상사와 남편 그리고 잔소리를 많이 하는 아내들은, 사람들이 자신의 생각을 바꾸기 좋아하지 않는다는 사실을 알아야 한다. 강제로 윽박지른다고 해서 그들의 의견이 결코 나와 같아지지는 않는다. 그러나 내가 진심으로 친절하고 다정하게 대하면 상대방의 생각이 바뀔 확률은 더 높다.

링컨은 100여 년 전에 이런 말을 했다.

"한 통의 쓸개즙보다 한 방울의 꿀이 더 많은 파리를 잡을 수 있다."

이 말은 만고의 진리다. 그러므로 인간관계에 있어서도 누군가를 자기편으로 만들고 싶으면 먼저 그 사람에게 당신의 그의 진정한 친구임을 확신시키도록 하라. 이것이야말로 사람의 마음을 사로잡는 한 방울의 꿀이며 상대의 이성에 호소하는 최선의 방법이다.

파업을 하는 사람들에게 우호적으로 대하는 일이 크게 도움이 된다는 사실을 사업가들은 알고 있다. 예를 들면 화이트 모터사의 2,500여 명의 근로자들이 임금인상과 단일 노동조합을 요구하며 파업을 일으켰을 때, 사장 로버트 블랙은 화를 내거나 비난하지 않고 공산주의자들이라고 협박하지도 않았다. 도리어 그는 파업근로자들을 칭찬했다. 한 걸음 더 나아가 클리브랜드 신문에 '평화롭게 파업하는 노동자들'에 대한 찬사의 광고를 냈다. 파업근로자들이 하릴없이 빈둥거리자 블랙 사장은 야구 방망이와 글러브를 여러 벌 구입해 주면서 야구를 하도록 권유했다. 볼링을 좋아하는 사람들에겐 볼링장을 내주었다.

그가 호의를 베풀어 주자 놀라운 일들이 일어났다. 즉,

상대편에서도 호의를 베푸는 것이었다. 파업근로자들은 빗자루, 삽, 쓰레기차를 동원해 공장 주변에 흩어진 성냥개비, 휴지, 담배꽁초 등의 쓰레기를 치우기 시작했다. 상상해 보라. 임금인상과 노조안정을 위해 파업 중인 근로자들이 공장마당을 청소하고 있는 장면을 말이다. 노동쟁의 사상 그 유례를 찾아볼 수 없는 일이었다. 이 파업은 일주일 만에 서로 간에 나쁜 감정이나 상처 없이 타협을 통해 끝을 맺게 되었다.

다니엘 웹스터는 재판에 임할 때마다 다음과 같은 다정한 말로 자신의 주장을 피력하곤 하였다. "배심원들께서 고려할 가치가 있다고 생각합니다." "이것은 아마도 생각할 가치가 있다고 생각합니다." "배심원 여러분들께서 놓치지 않으시리라 믿어 의심치 않는 사실들을 말씀드리겠습니다." 또는 "사람의 심성을 잘 알고 계시는 배심원 여러분들께서는 이러한 사실의 중요성을 쉽게 통찰하실 겁니다."

그는 일방적이지 않고 강압적인 방법도 쓰지 않았으며 자기 의견을 강요하지도 않았다. 웹스터는 부드러운 말로 조용하고 다정스럽게 접근하는 방법을 사용하여 유명한 사람이 되었다.

이 온건한 대화 방법이 얼마나 유용한가를 생각해 보기로 하자.

엔지니어링 스트러브는 전세금을 깎고 싶었다. 그러나 그는 집주인이 보통이 아님을 알고 있었다. 그는 우리 강좌에서 이런 말을 했다.

"저는 주인에게 임대계약이 만료되는 대로 즉시 집을 비우겠다고 편지를 보냈습니다. 실은 전 이사를 하고 싶지 않았습니다. 전세금을 조금이라도 내려준다면 그냥 살고 싶었습니다. 그러나 상황은 희망이 없었고 다른 사람들도 깎아 보려고 애를 썼지만 실패했습니다. 사람들은 집주인이 까다로운 사람이라고 말하더군요. 저는 스스로에게 다짐했습니다. '사람 다루는 법을 배우고 있지 않은가. 일단 내가 배운 방법을 이용해보자.'

제 편지를 받자마자 집주인과 그의 비서가 저를 만나러 왔더군요. 저는 그들을 다정하게 반기면서 좋은 인상을 주려고 애썼습니다. 전세금이 비싸다는 얘기는 꺼내지도 않았습니다. 아파트의 좋은 점에 대해 이야기하면서 진심으로 칭찬했습니다. 건물을 관리하는 방법에 대해 찬사를 늘어놓으면서 1년 정도 더 살고 싶지만 그럴 형편이 못된다고 말했습니다.

집주인은 세 들어 사는 사람들로부터 그런 대접을 받아본 적이 없는 것이 분명했습니다. 그래서 그런지 어찌할 바를 모르더군요. 집주인은 자신의 골칫거리를 털어놓기 시작했습니다.

어떤 사람은 편지를 무려 열네 통이나 보내왔는데 내용이 아주 모욕적이었다는 겁니다. 위층의 사람이 코 고는 것을 막아주지 않으면 임대계약을 취소하겠다고 엄포를 놓는 사람도 있었다고 했습니다. 그러더니 '당신처럼 만족해하는 입주자를 보니 더할 나위 없이 흐뭇합니다.' 라고 말하면서, 집주인은 전세금을 내려주겠다는 것이었습니다. 저는 더 깎아 주기를 원했으므로 제가 감당할 수 있는 액수를 애기했지요. 그러자 집주인은 두말 않고 받아들였습니다. 주인은 헤어질 때 저를 보면서 '실내장식은 어떤 것으로 해드릴까요?' 하고 물었습니다.

만일 제가 다른 입주자들과 같이 전세금을 깎으려 했다면 저 역시 실패했을 겁니다. 제가 성공할 수 있었던 것은 따뜻한 태도로 진심으로 감사하게 여겼기 때문이었습니다."

딘 우드코크는 전기회사의 부서 책임자였다.

전봇대의 어떤 기기를 수리해 달라는 주문이 그의 부서에 떨어졌다. 종전까지는 다른 부서에서 해오던 일이었다. 직원들도 이런 일을 하도록 훈련된 사람들이지만 실제로 주문을 받기는 처음이어서 부서원들 모두가 이 일을 놓고 자신들이 과연 이 일을 어떻게 처리할 수 있을까 하는데 관심이 모아졌다. 우드코크와 간부 몇 사람과 몇몇 부서원들이 그 작업을 보기 위해 현장에 갔다. 열댓 명의 직원들이 전봇대 위에서 작업 중인 두 명을 지켜보고 있었다. 어떤 사람이 길 위쪽에서 카메라로 그 작업 장면을 찍고 있었다.

전기회사 사람들은 유난히 여론에 신경을 쓰는데 우드코크는 그 카메라맨에게 그 광경이 어떻게 비치는가를 알 수 있었다. 즉 두 사람이 해도 될 일을 열댓 명이나 되는 사람들이 둘러서 있는 모습이었던 것이다. 그는 카메라맨에게 다가갔다.

"우리 일에 관심이 많으신 모양이군요."

"네, 저희 어머니께서 더 관심을 가지실 겁니다. 어머니는 귀사에 주식을 투자하셨는데, 이 광경을 보면 눈이 번쩍 뜨이실 테니까요. 투자를 잘못했다고 생각하시겠지요. 전 어머니께 몇 년을 두고 당신네 같은 회사에서는 쓸데없는 일들이 너무 많이 일어난다고 말씀드려 왔는데 이제 그 증거가 생긴 셈입니다. 신문도 이런 사진을 보면 반가워할 테고요."

"하긴 그렇기도 하겠군요. 나부터도 당신의 입장이라면 같은 행동을 했을 테니까요. 하지만 이번에는 경우가 좀 다릅니다."

그러면서 우드코크는 어떻게 해서 이 일이 자기 부서의 첫 번째 작업이 되었으며, 또 경영진이나 말단 사원이나 할 것 없이 모두 이 일에 관심을 갖게 되었는지를 계속 설명했다. 그러면서 보통 때라면 두 사람이 충분히 감당할 수 있다는 점을 그에게 주지시켰다. 그 광경을 찍던 사람은 카메

라를 치우고 상황을 설명해 준 것에 감사했고 우드코크는 곤혹스런 상황을 모면하게 되었다.

우리 강좌에 나왔던 한 사람인 제럴드 H. 윈은 우호적인 방법을 통해 한 손해배상 클레임을 대단히 만족스럽게 해결한 경험담을 들려주었다.

"이른 봄날, 겨우내 얼어붙은 땅이 채 녹기도 전에 폭우가 쏟아져 여느 때 같으면 길 양 옆의 배수구나 도랑으로 빠졌을 물이 제가 막 지어 놓은 집터로 흘러들어 왔습니다. 물이 고이자 수압이 가중되어 물은 시멘트 바닥 밑으로 스며들었고 드디어는 바닥이 갈라지면서 지하실은 물로 가득 찼습니다. 이로 인해 벽난로와 온수기가 망가져 수리비가 2,000달러 이상 나왔습니다. 이런 손해에 대비한 보험도 들어놓지 않았습니다.

하지만 저는 하청업자가 이런 일이 생기지 않도록 하는 배수관을 집 근처에 설비하지 않았다는 것을 곧 알게 되었습니다. 그래서 그 하청업자와 만날 약속을 하고 그의 사무실로 가는 동안 상황을 검토하면서 강좌에서 배웠던 원칙들을 되새기며 화를 내봐야 아무런 소용이 없다는 결론을 냈습니다. 하청업자를 만나자 마음을 차분히 가라앉히고 그가 최근에 서인도 군도에서 보낸 휴가에 대해 얘기하기 시작했습니다.

그러고 나서 알맞은 때가 왔다고 여겼을 때, 저는 물 때문에 빚어진 '대수롭지 않은 손해'에 대해서 말했습니다. 그러자 하청업자는 그 문제를 해결하는 데 함께하기로 동의했습니다.

며칠 후 하청업자는 저에게 전화를 걸어 그 복구공사를 자기가 해 주겠으며, 그런 일의 재발 방지를 위해 배수관을 설비해 주겠다고 말했습니다. 비록 하청업자의 잘못이긴 하지만 제가 우호적인 행동을 보이지 않았다면 그에게 손해에 대한 전적인 책임을 지게 하는 데 훨씬 큰 어려움이 따랐을 것입니다."

오래전 내가 학교까지 나무숲 사이를 맨발로 통학하던 날, 해님과 바람에 대한 동화를 읽은 적이 있다.

해님과 바람은 서로 힘 자랑을 했다. 바람이 먼저 으스대며 나섰다.

"내 힘을 보여 주지. 저 밑에 가는 코트 입은 노인 보이지. 옷을 당장 벗겨버리고 말 테야."

해님은 구름 뒤로 몸을 숨겼고, 바람은 폭풍이 될 때까지 불어댔지만 바람이 세면 세어질수록 노인은 옷을 더 꼭 움켜잡았다.

바람은 포기했고 해님이 구름 뒤에서 나와 따뜻하고 다정한 미소를 보냈다. 그러자 노인은 금방 땀을 닦으면서 외투를 벗었다. 해님은 바람에게 "온순하고 다정함이 노함이나 강압보다 더 힘이 세단다."라고 말했다.

꿀 한 방울이 쓸개즙 한 통보다 더 많은 파리를 잡을 수 있다는 사실을 터득한 사람은 온화하고 우호적인 것이 훨씬 더 효과적인 방법이라는 것을 매일 실증해 보여준다.

게일 코너는 구입한 지 4개월 된 자동차를 세 번째로 보증수리 받으러 갔을 때, 이 방법을 증명해 보였다.

"조목조목 따지거나 소리를 버럭 지르면서 서비스 담당 책임자에게 이야기해 봐야 문제해결에 도움이 안 된다는 것은 자명한 일입니다. 저는 차를 구입했던 대리점의 쇼룸에 가서 사장을 만나고 싶다고 했습니다. 잠시 후에 저는 그 사람의 사무실로 안내되었습니다. 저는 제 소개를 한 후, 이 대리점에서 차를 구입한 친구들의 권유로 저도 이곳에서 차를 구입했다고 말했습니다. 친구들의 말은 이 대리점 가격이 매우 저렴할 뿐 아니라 서비스도 단연 뛰어나다고 하자, 사장은 제 말을 듣고 만족스런 미소를 짓더군요.

이윽고 저는 대리점 서비스 담당부에서 제가 당한 문제를 이야기 했습니다. 그러고 나서 "사장님의 훌륭한 명성에 흠이 될 상황에 대해 사전에 알고 싶어 하실 것 같아 이야기 드립니다." 하고 덧붙였습니다. 그러자 사장은 이런 문제를 알려줘서 고맙다며 제 문제를 해결해 줄 것을 약속했습니다. 사장은 문제해결에 발 벗고 나섰을 뿐 아니라 차를 수리할 동안 타고 다니라며 자신의 차를 빌려주기도 했습니다."

기원전 600년 경에 불멸의 우화를 남긴 이솝은 크노소스 궁에 살던 그리스의 노예였다. 인간본성에 대한 이솝의 진리는 옛날의 아테네에서와 마찬가지로 현재의 뉴욕에서도 여전히 진리로 남아 있다. 해님은 바람보다 빨리 옷을 벗길 수 있다. 친절한 태도와 우호적인 방법은 이 세상의 온갖 공갈과 비난보다 더 쉽게 사람들의 마음을 바꿔놓는다.

링컨의 말을 명심하라.

"한 방울의 꿀이 한 통의 쓸개즙보다 더 많은 파리를 잡는다."

원칙4
우호적인 태도로 말을 시작하라.

5
소크라테스의 비결을
활용하라

상대방과 대화할 때 그와 다른 의견을 갖고 있는 문제에 대해선 먼저 논의하지 말라. 동의하는 것에 대해서 먼저 말을 시작하고 계속 그것을 강조하라. 가능하다면 나와 상대방은 같은 목표를 향해 가고 있으며, 단지 다른 점이 있다면 그것은 목적이 아니라 방법이라는 점을 강조하라. 상대방으로 하여금 "네, 네."라고 말하게 하고 "아니오."라는 말은 가능한 한 하지 않도록 하라.

오버스트리트 교수에 의하면 '아니오'라는 반응은 가장 극복하기 어려운 장애요인이다. 일단 '아니오' 하고 말해버리면 자존심 때문에라도 그 말을 계속 고집하게 된다. 나중에 '아니오'라는 대답이 현명하지 못하다는 판단이 서도 자존심을 생각하지 않을 수 없게 되는 것이 사람이다. 일단 자기가 한 말에 대해서는 고집해야겠다는 생각이 드는 것이다.

그렇기 때문에 긍정적인 방향으로 대화를 시작하는 것이 무엇보다 중요하다. 노련한 연사는 처음부터 '네'라는 반응을 여러 번 이끌어 낸다. 청중의 심리상태를 긍정적인 방향으로 유도하기 때문이다.

심리적인 패턴은 아주 분명하다. 부정적인 감정으로 '아니오'라고 말하면 그 말 속에는 말 자체보다 훨씬 더 많은 행위가 내포되어 있다. 인체의 모든 기관조차 거부 상태를 보인다는 것이다. 이와는 반대로 '네, 그래요' 하고 긍정적인 감정으로 말 할 때는 신체기관이 전향적이고 수용적이며 개방적인 상태가 된다. 그러므로 처음부터 '네, 그래요' 하는 대답을 많이 유도해 내면 낼수록 궁극적인 제안사항에 대하여 상대방의 관심을 끌 수 있는 가능성도 높아지게 된다.

이 '네, 네' 반응을 이끌어내는 것은 아주 간단한 테크닉이다. 그럼에도 불구하고 사람들은 이 간단한 원리를 얼마나 소홀히 하는가. 사람들은 마치 처음부터 상대방의 적의를 불러일으키는 것이 자기 중요감을 느끼는 첩경이라고 생각하는 것 같다.

남편이나 아내, 고객이나 학생, 이들을 상대로 '아니오'라고 말하게 해보라. 이 거센 부정을 긍정으로 바꾸려면 천사와 같은 지혜와 인내가 필요할 것이다.

은행원 제임스 에버슨은 이러한 '네, 네' 테크닉을 이용하여 하마터면 놓칠 뻔했던 고객을 확보할 수 있었다. 에버슨의 이야기는 다음과 같다.

"어느 한 분이 구좌개설을 하겠다기에 늘 사용하는 양식을 드렸습니다. 내용을 써내려가다가 몇 가지 내용에 대해선 쓰기를 거부했습니다. 제가 인간관계를 공부하기 전이었더라면 양식에 따라 쓰지 않은 구좌는 개설을 할 수 없다고 말했을 겁니다. 이전에는 부끄럽게도 그렇게 말했습니다. 그렇게 잘라 말하면 얘기는 간단해지죠. 은행에서는 누가 주인인지 가르쳐 줄 뿐 아니라 은행의 규칙이나 규정은 바꿀 수 없다는 사실을 명백히 한 셈이니까요. 그러나 그런 태도는 고객이 되려고 온 손님에게는 불쾌감을 주었을 겁니다.

　그날은 상식을 동원해 보려고 작정했습니다. 은행이 원하는 것보다 고객이 원하는 것에 대해 말하기로 말입니다. 무엇보다도 저는 고객으로 하여금 처음부터 '네, 네' 하고 말하도록 하려고 했습니다. 그래서 우선 그 사람 말에 동의했습니다. 기입하기 거부하는 사항은 은행에서 꼭 필요한 것은 아니라고 말해 주었습니다. 그런 다음 '하지만, 만일 손님께서 이 구좌를 갖고 계신 채 사망하시기라도 한다면 법정 상속인에게 이 구좌를 이체시켜 드려야 하지 않겠습니까?' 하고 말했습니다. 그러자 그 사람은 '네, 그래요' 하고 말하더군요.

　계속해서 저는 '손님 사망 시에 상속받을 사람을 알려 주시는 게 좋지 않겠습니까? 그러면 손님의 희망사항이 잘못되지 않고 지체 없이 시행될 테니까요.' 하고 말했고 그는 다시 '네'라고 했습니다.

그 사람은 이러한 정보요구가 은행의 편의보다는 자신의 이익을 위하는 데 있음을 알게 되자 태도가 누그러졌습니다. 그는 은행을 나서기 전에 자신에 관한 모든 사실을 말했을 뿐만 아니라 저의 권유에 따라 어머니를 수혜자로 지정하는 신탁구좌를 개설하고 어머니에 관한 질문에도 기꺼이 응답해 주었습니다.

이 일로 제가 발견한 것은, 그 사람이 '네, 네' 하고 대답하도록 했더니 그는 문제가 된 부분은 잊어버린 채 저의 제안에 기꺼이 응했다는 사실입니다."

웨스팅 하우스의 판매 책임자인 조셉 앨리슨은 이러 이야기를 들려주었다.

"우리 회사는 제가 담당한 구역의 어떤 사람에게 상품을 팔려고 몹시 안달했습니다. 저의 선임자는 10년 동안이나 그를 쫓아다녔지만 단 한 건의 판매실적도 없었습니다. 저도 3년 동안 그를 찾아다녀 봤지만 한 건도 주문 받지 못했습니다. 마침내 13년 동안 방문을 거듭한 끝에 우리는 그 사람에게 모터를 몇 대 팔았습니다. 이 모터의 성능이 입증

된다면 앞으로 아마 수백 대의 주문을 더 따낼 수 있을 것이었습니다.

모든 일이 잘 풀려 나갈 것이라는 생각에 저는 3주일 후 자신만만하게 그에게 연락을 했습니다. 전화를 받은 수석 엔지니어의 말은 충격적이었습니다.

'엘리슨, 나머지 모터는 구매할 수 없게 되었소.' 저는 깜짝 놀라며, '도대체 왜죠?' 하고 물었습니다.

그는 '당신에게서 구입한 모터는 열이 너무 심하게 나 손을 댈 수가 없어요.' 하는 것이었습니다. 저의 오랜 경험으로, 이런 상황에선 논쟁을 해봐야 아무 소용없다는 것을 잘 알고 있습니다. 그래서 '네, 네' 대답을 유도해 내기로 하였습니다.

'네, 스미스 씨, 저도 백퍼센트 동감입니다. 우리 모터가 너무 가열된다면 그런 모터를 구입하시면 안 되겠죠. 협회에서 정한 표준치 이상으로 가열되는 모터는 구입하시면 안 됩니다. 그렇지 않습니까?' 하고 물었습니다. 그 엔지니어는 고개를 끄덕였습니다. 최초의 '네'를 얻어낸 것입니다. '협회의 규격으로는 모터 온도가 실내 온도보다 화씨 72도까지 높아지는 것은 인정하고 있지요?' '네.' 하고 그가 대답했습니다.

'당신 말이 맞습니다. 그런데 당신네 모터는 그보다 훨씬 더 뜨겁단 말이오.'

저는 논쟁을 하지 않고 '공장 실내 온도는 몇 도나 됩니까?' 하고 물었습니다.

'아마 화씨 75도 쯤 될 겁니다.' 하고 엔지니어가 대답했습니다.

'공장 실내 온도가 화씨 75도에 72도를 더하면 화씨 147도가 되겠군요. 화씨 147도인 수도꼭지에 손을 대고 있으면 손을 데지 않을까요?' 하고 묻자 엔지니어는 또 다시 '네' 하고 대답했습니다.

'그렇다면 그 모터에 손을 대지 않는 것이 좋지 않겠습니까?' 하고 제가 제안을 했습니다.

'당신 말이 맞는 것 같소.' 하고 엔지니어도 동의했습니다. 잠시 이런저런 얘기를 나누고 났을 때, 그는 비서를 부르더니 약 3만 5,000달러에 해당하는 상품을 주문했습니다.

언쟁을 해봤자 소용없는 일이고 상대방의 관점에서 사태를 파악하여 상대로 하여금 '네, 그래요' 하고 말하게 하는 일이 사업하는 데 훨씬 이롭고 재미있다는 것을 깨달을 때까지, 저는 오랜 시간과 많은 비용을 허비했습니다."

오클랜드에 있는 우리 강좌의 스폰서인 에디 스노는 한 가게 주인이 그로 하여금 "네, 네" 하고 말하게 하는 바람에 그 집 단골이 되었다면서 이런 이야기를 들려주었다.

에디는 활을 이용한 사냥에 흥미를 느껴 장비를 구입하는 데에 상당한 돈을 투자했다. 모처럼 동생이 놀러 온 날, 그는 동생을 위해 활을 빌리려고 했다. 가게의 점원은 자기네 가게에서는 활을 대여하지 않는다고 하였다. 그래서 에디는 다른 활 가게에 전화를 걸었다.

"아주 상냥한 음성의 사람이 전화를 받더군요. 활의 대여 여부를 묻자 그의 반응은 전 가게와는 전혀 달랐습니다. 그는 정말 유감이지만 형편상 대여는 하지 않는다고 말했습니다. 그러고 나서 저에게 전에 대여해 간 적이 있느냐고 물었습니다. '네, 하지만 몇 년 전이었죠.' 하고 대답했습니다. 그러자 그는 아마 그때 25달러 내지 30달러를 지불했을 거라고 말하더군요. 저는 '네' 하고 대답했죠. 그러고 나서 그는 돈을 아끼고 싶지 않느냐고 묻더군요. 두말할 필요 없이 저는 '네' 하고 대답했죠.

그는 모든 필요한 장치가 완전하게 갖추어진 34달러 95센트짜리 활이 있다는 이야기를 하더군요. 대여하는 값에 고작 4달러 95센트만 더 지불하면 완전한 한 세트를 살 수 있다는 것이었습니다. 그는 이러한 이유 때문에 더 이상 대여를 안 한다고 설명해 주더군요. 그 말이 일리가 있다고 생각했느냐고요? 물론입니다.

저는 즉시 '아, 그렇군요' 하는 반응을 보였고 그 가게로 가서 활 세트를 구입했을 뿐만 아니라 몇 가지를 더하고, 그 후부터는 그 가게의 단골이 되었습니다."

'아테네의 천덕꾸러기'인 소크라테스는 지구상에서 가장 위대한 철학자 중 한 사람이다. 그는 인류의 역사를 통해 두세 사람만이 할 수 있었던 일을 해냈다. 즉 소크라테스는 인간의 사고방식을 송두리째 바꾸어 놓은 사람이 된 것이다. 죽은 지 2000년이 지난 오늘 날까지도 이 변덕스러운 세상을 바꾸어 놓은 가장 지혜로운 사람 중 한 사람으로 숭상되어 오고 있다.

소크라테스의 방법은 무엇일까? 그가 사람의 생각이 틀렸다고 지적했던가? 천만의 말씀이다.

절대 그렇게 하지 않았다. 그러기에 그는 너무나도 노련한 사람이었다. 오늘날 '소크라테스의 방법론'이라고 불리는 방법은 "네, 네" 반응을 유도해 내는 데 그 바탕을 두고 있다.

소크라테스는 자기와 의견을 달리하는 사람들이 동의하지 않을 수 없는 질문들을 했다. 그리고는 한 가지씩 상대방의 동의를 구해 나갔다. 상대방이 몇 분 전만 해도 기를 쓰고 반대했던 어떤 결론을, 상대방이 미처 깨닫기도 전에 스스로 수용할 때까지 계속 질문했다. 그러므로 상대방의 질문을 지적하고 싶을 때는 소크라테스를 기억하고 부드러운 질문, 즉 "네, 네" 반응을 이끌어 낼 수 있는 질문을 하도록 하자.

중국인들은 지혜가 풍부한 동양의 옛 격언을 알고 있다.

"살며시 걷는 사람이 멀리 간다."

중국인들은 인간성 연구에 무려 5000년의 세월을 보냈다. 그로 인해 중국문화의 터전이 다져졌고 많은 지혜를 축적할 수 있었던 것이다.

"살며시 걷는 사람이 멀리 간다."

원칙5
상대방이 당신의 말에 즉각 "네, 네."라고 대답하게 하라.

6
불만을 해소하는
안전밸브

상대방을 설득한다면서 자기만 수다를 떨어대는 사람이 많다. 먼저 상대방으로 하여금 이야기를 하게 만들어라. 그들의 문제점은 그들이 더 잘 안다. 그러니 질문을 하라. 몇 마디라도 말하도록 하라.

그들과 의견이 다를 때는 중간에 말참견을 하고 싶은 유혹이 생길 것이다. 그러나 하지 마라. 위험한 일이다. 그들은 할 말이 많기 때문에 당신에게 관심을 둘 리가 없다. 그러므로 마음을 활짝 열고 끈기 있게 상대방의 말에 귀를 기울여 진지하게 듣도록 하라. 그리고 그들의 생각을 충분히 말할 수 있도록 격려해 주어라.

이런 방법이 과연 비즈니스에 도움이 될지 한번 살펴보기로 하자.

여기에 어쩔 수 없이 그렇게밖에 할 수 없었던 한 판매업자의 이야기를 소개한다.

미국 최대 자동차 회사가 차 시트용 직물 1년 치를 주문하기 위해 협상을 하고 있었다. 3개의 회사가 견본을 제출했다. 견본이 자동차 회사 중역의 검사를 거치면 각 공장대표가 계약을 위한 최종 설명을 하기 위해 지정한 날에 회사에 나오도록 되어 있었다.

이 공장들 중 대표로 나온 G씨는 심한 후두염을 앓은 상태에서 그곳에 도착했다. 우리 강좌에서 그는 이렇게 말했다.

"제 차례가 되어 말을 해야 하는데 목소리가 나오질 않았죠. 한마디도 할 수 없었습니다.

회의장으로 안내된 저는 직물담당 엔지니어, 구매담당 에이전트, 영업부장 그리고 회사의 사장과 얼굴을 마주하고 서게 되었습니다. 나는 바로 선 채 말을 하려고 애를 썼으나 목소리는 나오질 않았습니다.

나는 종이에 '여러분, 목소리가 제대로 안 나와 말씀드릴 수가 없습니다'라고 써서 테이블 주위에 앉아 있는 그들에게 보여주었습니다. 그러자 그 회사 사장이 '제가 대신 말씀 드리죠' 하고 말하더니 제가 가져간 샘플을 꺼내 보이면서 그것에 대한 장점을 설명했습니다. 그 제품의 장점에 대해 열띤 토론을 벌이더군요. 그 사장님은 저를 대신하여 토론에서 제가 취할 역할을 맡아서 해 주었습니다. 제가 한 일이라곤 미소를 짓거나 고개를 끄덕이면서 제스처를 몇 가지 취한 게 전부였습니다.

이 재미난 토론으로 해서 전 계약을 체결하게 되었습니다. 지금까지 제가 받은 주문 중에서 가장 컸는데, 50만 야드 이상의 직물을 총액으로 약 160만 달러나 팔게 되었던 것입니다.

쉰 목소리가 아니었다면 아마 그 계약은 놓쳤을 겁니다. 저는 이 주문을 전적으로 잘못 이해하고 있었거든요. 다른 사람으로 하여금 말을 하도록 하면 때로는 큰 이득이 돌아온다는 사실을 우연히 발견한 셈이지요."

다른 사람으로 하여금 말하도록 하는 일은 사업상뿐만 아니라 가정생활에도 도움을 준다.

바바라 윌슨 부인과 그의 딸 로리의 사이는 별로 좋지 않았다. 한때는 조용하고 싹싹한 성품을 지녔던 로리는 어느 때부터인가 비협조적이고 도전적인 10대의 성품으로 변했다. 윌슨 부인은 훈계도 해보고 위협도 하고 벌을 주기도 했으나 소용이 없었다.

윌슨 부인은 강좌에 나와 다음과 같이 이야기를 들려주었다.

"나는 포기하고 말았습니다. 로리는 제 말을 듣기는커녕, 맡겨진 집안일조차 팽개친 채 친구를 만나러 나가 버렸습니다. 그 애가 돌아왔을 때, 저는 전에 수천 번이나 했던 것처럼 소리를 지르려 했지만 그럴 기운조차 없었습니다. 그저 물끄러미 쳐다보면서 '로리야 도대체 왜 이러니?' 하고 슬프게 말했습니다. 그러자 딸은 제 기분을 알아차리고는 조용한 목소리로, '정말 알고 싶으세요?' 하더군요. 고개를 끄덕이자 처음에는 망설이는 듯하더니 내심을 털어놓더군요. 저는 그 전에는 그 애의 말에 귀를 기울여 본 적이 한 번도 없었습니다. 항상 이거 해라 저거 해라 하면서 잔소리만 늘어놨죠. 그 애가 자기의 생각을 말하려고 하면 말을 가로막고 더 많은 잔소리를 퍼부었습니다.

딸아이가 제게 필요로 한 것은 잔소리 많은 엄마가 아니라 성숙해가면서 겪는 혼란스러운 일에 대해 의논할 수 있고 무슨 일이든 허물없이 털어놓을 수 있는 친구였다는 것을 깨닫기 시작했습니다. 그동안 그 애의 말에 귀를 기울여야 할 때조차도 제 말만 늘어놓았던 것입니다. 전 아이의 말을 들어준 적이 없었습니다.

그 후로 저는 딸아이가 하고픈 얘기를 다 할 수 있도록 해 주었고, 또 그 얘기들을 진지하게 경청했습니다. 우리 모녀 사이는 다시 좋아졌고 그 애도 사람들과 원만하게 어울리는 착한 아이가 되었습니다."

뉴욕 어느 신문의 경제란에 능력과 경험을 갖춘 사람을 구한다는 구인광고가 났다. 큐벨리스는 그 광고를 보고 서신을 보내 며칠 후 그곳에서 인터뷰 하자는 편지가 왔다. 그는 인터뷰 전 월 스트리트에 가서 그 회사를 창립한 사람에 대해 가능한 한 많은 자료를 뒤졌다.

인터뷰 할 때, 그는 이렇게 말했다.

"귀사와 같이 훌륭한 역사를 가진 회사를 알게 되어 영광입니다. 28년 전, 사장님께서는 책상 한 개와 속기사 한 명으로 이 사업을 시작하신 걸로 알고 있는데, 사실입니까?"

성공한 사람들 거의 모두가 초창기에 겪었던 어려움을 돌이켜보기를 좋아한다. 이 창업주도 예외가 아니었다. 그는 단돈 450달러와 독창적인 아이디어 하나로 사업을 시작하게 된 경우 등을 오랫동안 얘기했다. 쉬는 날 없이 하루 열두 시간 내지 열여덟 시간 일하면서 실의와 조롱을 이겨내고 역경을 극복한 끝에, 오늘날 월 스트리트에서 많은 영향력 있는 사람들이 그에게 정보와 자문을 구하러 오는지 자세히 들려주었다. 그는 그러한 내력을 자랑스럽게 여겼다. 그에게는 그럴 권리가 충분히 있었다.

그는 큐벨리스의 경력을 간단히 물었다. 그런 후 부사장 한 사람을 불러 "이분이 바로 우리가 원하는 사람인 것 같소." 하고 말했다.

큐벨리스는 장차 자신의 고용주가 될 사람의 업적을 알기 위해 노력했던 것이다. 그는 상대방의 문제에 대해 관심을 보였으며, 상대방으로 하여금 대부분의 말을 하게 함으로써 호감을 샀던 것이다.

이와는 정반대의 경우를 겪은 브래들리란 사람의 이야기를 들어보자. 자기 회사의 영업직을 원하는 사람이 말하는 것을 그는 잠자코 들어주었다.

브래들리는 이렇게 말했다.

"우리 회사는 규모가 작은 중개인 회사여서 입원료 지원이나 의료보험, 연금 등의 혜택이 없습니다. 책임자는 각각 독자적으로 대리점을 운영합니다. 규모가 큰 경쟁회사와는 달리 고객을 위한 광고를 할 수 없기 때문에 안내장조차 없는 형편입니다.

면담 신청자 프라이어는 우리가 원하는 타입의 경험을 갖고 있었습니다. 하지만 제 직원이 처음 그를 면담하면서 우리 회사의 모든 부정적인 사실을 말해 주었습니다. 프라이어가 약간 실망하는 기색이 보였습니다. 한 가지, 우리 회사에서 일함으로써 얻게 되는 이점을 말해 주었습니다. 그것은 독자적인 영업을 하기 때문에 사실상 자영할 수 있다는 내용이었습니다.

이러한 이점에 대해 말하는 동안, 프라이어의 표정이 밝아지는 것이 보였습니다. 생각을 가다듬는 것 같았어요. 그의 생각에 덧붙여 몇 마디 더 해 주고 싶었는데 면담이 끝날 즈음엔 우리 회사에서 일하고 싶은 확신을 가진 것 같았습니다.

저는 프라이어가 말하고 싶은 것을 다 말할 수 있도록 가만히 듣고만 있었기 때문에, 그는 내심 입사 여부에 대해 냉정하게 생각할 수 있었던 것 같습니다. 결국 그는 긍정적인 결론을 내렸고 우리는 그를 채용했으며, 오늘 날 그는 우리 회사에서 뛰어난 인물이 되었습니다."

사람들은 상대방의 자랑에 귀 기울이기보다는 자신이 해낸 일을 말하고 싶어 하는 법이다.

프랑스의 철학자 라 로슈푸코는 "당신이 적을 원한다면 친구를 능가하라. 그러나 친구를 원한다면 그가 당신을 능가할 수 있도록 해 주어라."고 말했다.

왜 이 말이 옳은 말일까. 친구가 나를 능가할 때 그는 자기 중요감을 느끼지만 내가 그를 능가하면 그는—혹은 그중 적어도 몇 명은—열등감과 질투심을 느끼기 때문이다.

뉴욕 시의 미드타운 직업소개소에서 가장 인기 있는 카운슬러는 헨리에타였다. 그러나 처음부터 그런 것은 아니었다. 헨리에타가 직업소개소에서 일한 몇 달 동안 그녀에게는 친구가 한 사람도 없었다. 왜일까? 그녀는 자기가 한 일에 대해 매일같이 자랑을 하고 다녔기 때문이다.

"저는 일을 잘했고 이것을 자랑스럽게 여겼습니다."

그녀는 우리 강좌에서 이렇게 말했다.

"그러나 동료들은 저와 함께 기뻐하기는커녕 비난을 일삼는 것 같더군요. 전 그들에게 사랑받기를 원했고 친구가 되고 싶었습니다.

강좌에서 몇몇 제안을 배우고 나서 제 행동이 달라졌습니다. 저에 대한 얘기는 덜하고 대신 동료들의 말에 귀를 기울이게 되었죠. 그들에게도 자랑할 게 많이 있었고 제 자랑을 듣는 것보다 자기들의 성과에 대해 이야기하는 것을 좋아하더군요.

이제는 대화를 할 때, 상대방에게 즐거웠던 일을 이야기
해달라고 부탁하고 그가 원할 때에만 저에 대해 이야기합
니다."

원칙6

상대방으로 하여금 많은 이야기를 하게 하라.

7
상대방의
협력을 얻어내는 방법

강요된 의견보다 스스로 생각해 낸 의견을 우리는 더 신뢰한다.

그렇다면 자신의 의견을 억지로 다른 사람에게 강요하는 것은 잘못된 판단이 아닐까? 제안을 하여 상대방이 스스로 생각하고 결론을 내리게 하는 것이 더 현명한 방법이 아닐까?

아돌프 셀츠는 자동차 쇼룸의 영업부장으로 우리 강좌에 참가한 적이 있는데, 어느 날 갑자기 사기가 뚝 떨어진 세일즈맨들에게 의욕을 되찾게 해 줄 필요성을 깨달았다.

그는 회의를 소집하여 원하는 것이 뭔지 말해달라고 요청하고 그들의 말을 되새겼다.

"여러분이 원하는 것을 제가 해드리겠습니다. 이제 여러분들에게 필요한 자세가 어떤 것인지 말해 주기 바랍니다."

대답은 바로 쏟아졌다. 충성, 솔선수범, 정직, 낙관주의, 팀워크 그리고 하루 여덟 시간 열성적으로 근무하는 것 등이었다. 회의는 그들에게 새로운 용기와 영감을 주었다. 어떤 세일즈맨은 하루 열네 시간 근무하겠노라고 자청했다. 그런 후에 그는 영업실적이 현저하게 향상되었다고 말했다.

"그들은 저와 일종의 도덕적인 거래를 한 셈이죠. 제가 맡은 부분을 실천했으므로 그들도 결심한 것을 지키려고 했습니다. 그들의 요구와 희망사항에 대하여 의논한 것은 그들에게는 마치 필요한 영양 주사를 맞은 것과 같은 것이었습니다."

명령받고 있다는 느낌을 좋아하는 사람은 별로 없다. 우리는 자신의 뜻에 따라 물건을 사거나, 자기 생각에 따라 행동한다고 느끼기를 좋아한다. 희망, 욕구, 생각에 관해 질문해 주기를 좋아한다.

이 진리를 터득하기 전에 수천 달러를 손해 본 유진 웨슨의 경우를 보자.

그는 스타일리스트와 직물업자들을 위한 스튜디오 디자인을 팔았다. 웨슨은 뉴욕의 어느 유명 스타일리스트를 3년 동안 1주일에 한 번씩 방문했다.

"그는 저를 피하진 않았습니다. 그러나 한 번도 디자인을 사 준 적이 없습니다. 제 스케치를 보고는 안 되겠다는 말만 되풀이했습니다."

150번씩이나 실패를 거듭한 끝에 웨슨은 자기의 생각이 틀렸음을 인정하기에 이르렀다.

그는 인간의 행동에 영향을 미치는 방법을 연구하여 의욕을 되찾아 보려는 결심을 했다. 새로운 방법의 시도로 미완성의 스케치 몇 점을 가지고 고객의 사무실을 찾아갔다.

"저에게 호의를 좀 베풀어 주시겠습니까. 여기 미완성 스케치 몇 점이 있는데 이것을 당신이 원하는 대로 완성시킬 수 있는 방법을 말씀해 주시겠습니까?"하고 웨슨은 말했다.

그러자 고객은 잠시 동안 아무 말 없이 스케치를 바라보았다. 드디어 고객은 "며칠간 나에게 맡겨 놓게, 웨슨. 그리고 나중에 날 다시 찾아오게나." 하고 말했다.

며칠 후, 다시 고객의 사무실을 들른 웨슨은 그가 요구한 제안을 받았다. 그리고 그 고객의 아이디어에 따라 스케치를 완성했다. 어떤 결과가 생겼을까. 두말할 것 없이 전부 팔 수 있었다. 그 이후에도 그 고객은 다른 스케치 몇 점을 주문했는데 모두 고객의 아이디어로 그려진 작품이었다. 웨슨은 이렇게 말했다.

"몇 년 동안 그에게 한 점도 팔지 못한 이유를 알았습니다. 그가 가질 것이라고 생각한 스케치를 일방적으로 사라고만 권했던 것입니다. 방법을 바꾸어 그에게 아이디어를 부탁했습니다. 그 때문에 그는 자신이 디자인을 창조한다는 느낌을 가진 것입니다. 제가 판 게 아닙니다. 그가 샀습니다."

상대방에게 그 아이디어가 자신의 것이라고 느끼게 하는 것은 비즈니스뿐만 아니라 가정생활에도 도움이 된다.

오클라호마에 거주하는 데이비스는 우리 강좌에 나와 어떻게 이 방법을 사용했는가에 대해 털어놓았다.

"저희 가족이 지금까지의 여행 중에서 가장 재미있게 한 여행에 관한 이야기입니다. 저는 게티스버그의 남북전쟁 격전지, 필라델피아의 독립기념관, 워싱턴 같은 동부지역 사적지를 방문하는 꿈을 꾸어왔죠. 포지계곡, 윌리엄스버그의 식민지 촌락, 제임스타운 등이 가장 가보고 싶은 곳이었습니다.

3월에 아내 낸시가 여름휴가에 대한 멋진 생각이 있다면서 애리조나, 뉴멕시코, 캘리포니아, 네바다 등 서부지역을 여행하자는 것이었습니다. 아내는 몇 년 동안 이 여행을 원했지요. 하지만 같은 시간에 두 지역을 여행할 수는 없는 일이었습니다.

딸아이 앤이 중학교에서 미국역사 강의를 들으면서, 미국의 발전사에 관심이 많다는 걸 알고 있었지요. 앤에게 다음 번 방학 땐 학교에서 배운 곳에 가보고 싶지 않느냐고 물었습니다. 그러고 싶다고 대답하더군요.

이틀이 지나 식구들이 식탁에 앉았을 때, 아내는 우리가

족 모두 찬성한다면 여름휴가를 동부 지역에서 보내자고 했습니다. 딸아이에겐 멋진 여행이 될 것이고, 우리 모두에게도 신나는 일이 될 거라는 것이었습니다. 모두 대찬성이었죠."

어느 X선 제조업자는 이 같은 심리를 이용하여 브루클린에서 가장 큰 병원에 회사 장비를 팔았다. 이 병원은 시설확충을 통해 미국에서 가장 훌륭한 X선과를 운영할 준비를 하던 중이었다. X선과의 책임자인 L박사는 장비에 대한 일방적 칭찬만을 늘어놓는 세일즈맨들에게 질려있었다. 그러나 매우 현명한 제조업자가 있었다. 그는 인간의 본성을 다루는 일에 다른 사람보다 월등한 재주가 있었다. 그는 다음과 같은 편지를 보냈다.

폐사에서는 최근 새로운 X선 장비를 제작 완료했습니다. 마침 첫 제품이 제 사무실에 막 도착했습니다. 그러나 완전하지는 않기 때문에 좀 더 개량해서 완벽한 제품으로 만들기를 원합니다. 박사님께서 시간을 내주셔서 장비를 한 번 살펴봐 주시고 어떻게 하면 좀 더 전문적인 제품으로 만들 수 있는지 고견을 주시면 다시없는 영광이겠습니다. 시간만 주시면 제 차를 언제든지 보내드리겠습니다.

L박사는 그때의 일을 이렇게 이야기했다.

"저는 이 편지를 받고 놀랍기도 하고 기분도 좋았습니다. X선 제조업자가 저한테 충고를 구한 적이 한 번도 없었으니까요. 제가 중요한 사람이란 느낌이 들었습니다. 바쁜 일정의 연속이었지만 그 장비를 살펴보기 위해 저녁 약속까지도 취소했지요. 장비를 살펴볼수록 제 마음에 쏙 들더군요. 저에게 그 물건을 팔려고 노력한 사람은 아무도 없었습니다. 그 장비를 구입하는 것이 회사를 위하는 것이라는 생각이 확고해졌습니다. 그 장비를 설치해 달라고 했지요."

랠프 왈도 에머슨은 그의 에세이 「자기 신뢰」에서 다음과 같이 말했다.

"우리는 천재의 작품 속에서 우리가 거부했던 생각들을 보게 되는데, 그것은 위엄을 갖추고 당당하게 우리에게 다시 돌아온다."

에드워드 M. 하우스 대령은 우드로 윌슨의 재임 동안 국내 및 국제 문제에 막대한 영향력을 행사했다. 윌슨은 다른 각료들보다 하우스 대령에게 더 많은 자문을 구했다.

하우스는 어떠한 방법으로 대통령에게 영향을 미쳤을까. 그는 아더 스미스에게 이야기를 했고, 스미스는 《새터데이 이브닝 포스트》지에 그 내용을 기고했다.

하우스는 "대통령에게 어떤 아이디어를 전달할 수 있는 최상의 길은 대통령의 마음속에 이것을 자연스럽게 심어주는 것, 즉 어떤 관심을 갖게 만드는 것이 아니라 나름대로 생각하도록 해 드려야 한다는 것을 깨닫게 되었지요. 저는 우연한 기회에 이러한 방법을 알게 되었습니다. 백악관으로 대통령을 만나러 간 저는 대통령께서 반대하는 어느 정책에 대해 건의드렸습니다. 그리고 며칠 후, 만찬석상에서 대통령께서 제가 건의했던 제안을 마치 자신이 한 것처럼 자랑스럽게 말씀하시는 모습을 보고 깜짝 놀랐습니다."

하우스가 대통령의 말을 가로막으며 '그것은 대통령의 생각이 아니라 제 생각입니다'라고 말했을까. 그렇지 않았다. 하우스는 자신의 명성에는 관심이 없었던 것이다. 오직 결과만을 원했다. 그는 윌슨 대통령으로 하여금 마치 그것이 자신의 아이디어라는 느낌이 들도록 해 주었다. 훌륭한 일을 해낸 것이다. 윌슨은 이러한 방법을 취함으로써 대통령으로부터 공신력을 얻게 되었다.

모든 사람들이 우드로 윌슨 대통령과 같다는 것을 명심하고 하우스 대령의 테크닉을 한번 이용해 보자.

캐나다 뉴 브룬즈윅 지방의 경치가 아름다운 고장에 사는 한 사람은 이 테크닉으로 나를 단골고객으로 만들었다. 그때 나는 낚시나 하면서 카누를 타 볼 계획을 세우고 있었다. 관광성에 안내요청 편지를 보냈다. 곧 여러 곳의 캠프와 안내원들이 보낸 편지와 책자들 그리고 추천장들이 주체할 수 없을 정도로 많이 배달되었다. 어느 것을 선택해야 좋을지 몰라 망설이고 있을 때, 한 캠프장 주인이 현명하게 접근해 왔다. 그는 자기 캠프에서 묵고 간 고객들의 명단을 알려주고는 그들에게 전화를 걸어 본 다음, 고객 스스로 선택하라는 것이었다. 그 명단에 내가 아는 사람이 있는 것을 보고 나는 깜짝 놀랐다. 나는 바로 그에게 전화를 걸어 캠프에 대하여 충분히 알아 본 후, 내가 사용할 날짜를 알리는 전보를 캠프로 쳤다.

다른 사람들은 어떠한 서비스를 제공하겠다는 등 말만 늘어놓았지만, 그 사람은 나에게 선택권을 주었던 것이다. 이 방법은 효과가 있었다.

2500여 년 전에 중국의 현자 노자는 『도덕경』이 책을 읽은 독자들이 오늘날 꼭 명심해야 할 이야기를 해주고 있다.

"강과 바다가 온갖 시냇물의 왕이 될 수 있는 것은 자기를 낮추기 때문이다. 그러므로 능히 온갖 시냇물의 왕이 될 수 있는 것이다. 그러므로 백성의 위에 서려고 하는 자는 반드시 말로써 자기를 낮추고, 백성들 앞에 서려는 자는 반드시 그 몸을 뒤로 할 것이다. 성스러운 사람은 위에 처해 있어도 아래의 백성이 무겁다 아니하고, 앞에 처해 있어도 뒤의 백성이 해롭다 아니한다."

원칙7
상대방으로 하여금 그 아이디어가 바로 자신의 것이라고 느끼게 하라.

8
기적을
일으키는 방법

상대방의 생각이 전부 틀릴 수도 있다는 점을 기억하라. 그러나 그들은 그렇게 생각하지 않는다. 그들을 비난하지 말라. 바보는 그럴 수 있다. 그들을 이해하려고 노력하라. 끈기 있고 현명한 사람들만이 그런 노력을 한다.

사람이 자기 방식대로 생각하고 행동하는 데에는 나름대로 이유가 있다. 그 이유부터 알아보라. 그러면 그를 이해할 수 있는 열쇠를 얻게 될 것이다.

상대방의 입장에서 생각해 보라. 만일 스스로에게 '내가 만일 그의 입장이었다면 어떻게 느끼고 행동했을까?'

하고 묻는다면 시간도 아끼고 화도 내지 않게 된다. 왜냐하면 '원인에 관심을 가지면 결과에도 동정심을 갖게 되는 법'이니까. 그렇게 되면 인간관계 기술을 더욱 증진 시킬 수 있다.

『황금같이 귀한 사람을 만드는 법』이란 저서에서 저자 케네스 M. 구드는 다음과 같이 말했다.

"자신의 문제를 대할 때 갖는 강렬한 관심도와 타인에게 갖는 하찮은 관심도를 서로 비교해 보십시오. 그리고 이 세상 모든 사람들도 당신과 같은 생각을 한다는 것을 깨닫기 바랍니다. 그러면 당신도 링컨과 루즈벨트처럼 대인 관계에서 튼튼한 기반을 다지게 될 것입니다. 인간관계에 있어서 성공의 지름길은 상대방의 입장에 서서 그를 이해하려는 마음가짐에 달려 있다는 것입니다."

뉴욕의 헴프스테드에 거주하는 샘 더글러스는 이사 온 지 4년 전보다 잔디밭이 더 나아진 것이 없음에도 불구하고, 아내가 잡초를 뽑고 비료를 주고 일주일에 한 두 번씩 풀을 깎으면서 너무 오랫동안 잔디밭에 매달려 있다고 불평하곤 했다. 그럴 때마다 아내는 기분 나빴고 그런 날은 엉망이 되었다.

우리 강좌를 들은 후, 더글러스는 자신이 얼마나 바보 같은 짓을 했는지 깨닫게 되었다. 아내가 그 일을 좋아했고 그런 그녀를 알아주었으면 얼마나 좋았을까 하는 데는 생각이 미치지 못했던 것이다.

어느 날 저녁 아내는 그에게 잡초를 같이 뽑으러 나가지 않겠냐고 물었다. 처음에는 망설였으나 곧 좋은 생각이라 여기고 아내를 따라 잡초 뽑는 일을 거들었다. 아내는 눈에 보일 정도로 기뻐했고 둘은 함께 일하면서 유쾌한 대화를 나누며 시간을 보냈다.

그 후로도 종종 아내와 정원 손질을 했고, 멋진 잔디밭을 보고 아내를 칭찬했으며 잘 자란 잔디는 아내의 정성의 결과라고 찬사를 아끼지 않았다. 그 결과, 그가 아내의 입장에서 이해하려고 했기 때문에—비록 대상이 잡초이긴 했지만—두 사람 모두 보다 행복한 삶을 누리게 되었다.

제럴드 S. 니렌버그 박사는 그의 저서『사람을 사귀는 비결』에서 이렇게 말했다.

"대화를 하면서 상대방의 생각이나 감정을 내 것처럼 중요하게 여기고 있다는 것을 보여줄 때 협력을 얻을 수 있다. 대화를 시작할 때, 정겨운 태도로 먼저 목적이나 방향을 제시하고 그가 듣고 싶어 하는 말을 바탕으로 조절하면서 의견을 수용한다면, 그도 나의 생각을 받아들일 마음이 생기는 법이다."

나는 공원산책을 하거나 자전거 타기를 좋아한다. 옛 갈리아 지방의 드루이드 단원처럼 나는 떡갈나무를 숭배하고 있는데, 화재로 어린 나무와 관목들이 타 죽는 모습은 몹시 슬픈 일이었다. 이 불은 조심성 없는 애연가들 때문이 아니라 소시지나 계란 따위를 나무 밑에서 구워 먹는 젊은이들 때문에 일어난다. 공원 한 구석에 산불을 내는 사람은 벌금형이나 감옥에 간다는 표시판이 있지만 사람들이 잘 다니지 않는 곳에 세워져 있어서 보는 사람이 거의 없다. 기마 경관이 공원을 담당하고 있지만 성실한 임무수행을 기대할 수 없어 화재 발생률은 매년 높아만 갔다. 언젠가는 산불이 급속도로 번지고 있으니 소방서에 연락을 취해 달라고 말했을 때 경관은 자기관할 구역이 아니니 상관할 바 아니라며 시큰둥하게 대답한 적도 있었다. 기가 막힐 지경이었다. 그 이후부터는 나 스스로 그 공원을 보호하기로 결심했다.

처음엔 나도 상대방의 입장에서 생각해 보려고 하지 않았던 것 같다. 산불을 막아야 한다는 의욕만 앞서 사리판단이 흐려진 행동을 보였던 것이다.

나는 불을 지핀 아이들에게 달려가 감옥에 집어넣어야 정신들 차리겠냐면서 호되게 나무라고 당장 불 끄라고 권위적인 어투로 명령했다. 그렇게 하지 않으면 체포하겠다는 위협도 서슴지 않았다. 아이들의 사정은 알아보려고 하지도 않고 그저 내 감정만 드러냈던 것이다.

그 결과는 어떻게 되었을까. 우선은 내 말에 복종하는 척은 했지만 뚱한 얼굴로 원망의 기색을 나타냈다. 내가 사라지고 나면 그 애들은 또다시 불을 피워 이번에는 공원 전체를 태워 버리고 싶은 마음이 생겨났을 것이다.

세월이 흘러 인간관계에 대한 방법과 지식을 습득하면서 나는 상대방의 입장에서 사물을 바라볼 수 있게 되었다. 지금이라면 이렇게 말했을 것이다.

"재미있니? 애들아. 저녁은 무엇으로 만들 거냐? 나도 어렸을 적엔 불을 피우고 싶어 했지. 지금도 그렇지만 말이야. 그런데 공원에서 불장난하는 것은 매우 위험한 일이야. 너희들이 해를 끼치려는 것이 아니란 것을 알고 있지만, 어떤 아이들은 조심성이 없더라. 그런 아이들이 너희가 불 피우는 것을 보고 자기들도 따라하고 집에 돌아갈 때는 불을 끄지 않아서 나무를 다 태우지. 조심하지 않으면 나무가 다 타게 될지도 몰라. 잘못되면 감옥에 갈 수도 있단다. 하지만 너희들의 즐거운 시간을 망치고 싶지는 않구나. 즐겁게 노는 모습을 보고 싶다. 놀고 나면 저 불가의 나뭇잎들을 모두 모아 흙으로 덮어주기 바란다.

그리고 다음번에 또 재미있게 놀고 싶으면 저기 언덕 위의 모래땅에다 불을 피우면 어떨까. 거기라면 불 날 염려도 없을 테고…… 고맙다 애들아, 재미있게 놀아라."

이렇게 말하면 어떻게 달라질까. 아이들이 내 말에 협조하고 싶어질 것이다. 뚱한 얼굴도 원망하는 기색도 없으리라. 내 명령에 억지로 복종하라는 강요도 없다. 아이들의 체면도 서게 된다. 그들의 입장에서 상황을 평가하고 대처했

307

기 때문에, 아이들이나 나나 모두 기분이 좋아졌을 것이다.

　다른 사람의 눈을 통해 사물을 보는 일은 개인적인 문제로 지쳐 있을 때 긴장을 풀게 해줄지도 모른다. 엘리자베스 노바크 부인은 자동차 월부금을 6주일이나 늦게 냈다. 그녀는 다음과 같이 말했다.

　"금요일에 저는 제 구좌를 담당하던 남자로부터 월요일 아침까지 122달러를 내지 않으면 조치를 취하겠다는 불쾌한 전화를 받았어요. 주말이라 돈을 마련할 수 없어서, 월요일 아침에 다시 그의 전화를 받았을 때 저는 최악의 상황을 예상했습니다. 화를 내는 대신 그의 입장에 서서 상황을 판단해 보았습니다. 그에게 불편을 끼치게 되어 미안하다고 진심으로 사과했죠. 지불금을 늦게 낸 적이 이번이 처음이 아니니까 나야말로 성가신 고객이 분명할 것이라는 말도 했습니다.

　그러자 갑자기 그의 음성이 바뀌더니 전혀 성가신 고객이 아니라며 저를 안심시켜 주더군요. 가끔 고객들이 얼마나 무례하며 거짓말을 잘하고, 어떤 때에는 자기에게 말조차 하려들지 않는다는 둥 몇 가지 실례를 들어가며 계속 이야기를 하는 것이었어요. 저는 잠자코 듣기만 하면서 그로 하여금 애로사항을 다 말하도록 했습니다.

그러고 나서 내 쪽에서 아무런 제의도 하지 않았는데도 불구하고 지불금을 지금 다 내지 않아도 상관없다고 말해 주었습니다. 말일까지 20달러만 내고 나머지는 언제라도 편리할 때 지불하면 된다고 말하는 것이었습니다."

어떤 사람에게 불을 끄라거나, 혹은 물건을 사거나 자선을 베풀어 달라고 요구하기 전에, 잠시 눈을 감고 상대방의 입장에 서서 사물을 바라보는 노력을 해보는 것이 어떨까.

스스로에게 '그가 왜 그런 행동을 하는 것일까?' 하고 물어보라. 시간은 걸리겠지만 이렇게 하는 것이 적을 만들지 않고 마찰과 갈등을 최소화하면서 보다 나은 결실을 맺게 해 줄 것이다.

"나는 면담할 때 무슨 말을 할 것인지 또 그에 대해 상대방이 어떤 관심이나 동기를 갖고 어떻게 대답할 것인지를 생각하지 않는다면, 차라리 사무실 밖에서 두어 시간 동안 서성대는 것이 낫다고 생각한다"고 하버드 비즈니스 스쿨의 딘 더범은 말했다.

참으로 중요한 말이기 때문에 다시 한 번 더 적는다.

"나는 면담할 때 무슨 말을 할 것인지 또 그에 대해 상대방이 어떤 관심이나 동기를 갖고 어떻게 대답할 것인지를 생각하지 않는다면, 차라리 사무실 밖에서 두어 시간 동안 서성대는 것이 더 낫다."

이 책을 다 읽고 난 후 단 한 가지 사실이라도 터득한다면, 즉 상대방의 입장에 서서 생각하고 상대방의 관점에서 사물을 보는 것을 배운다면, 이 책은 당신의 삶을 성공적인 방향으로 안내하는 계기를 마련해 줄 것이다.

원칙8
상대방의 관점에서 사물을 볼 수 있도록 성실히 노력하라.

9
모든 사람이
원하는 것

상대방으로 하여금 논쟁이나 적대적 감정 없이 선의를 가지고 나의 말을 주의 깊게 듣게 하고 싶지 않은가. 좋다. 여기에 그 비결에 해당하는 말을 소개하겠다.

"그렇게 생각하시는 것이 지당하십니다. 제가 당신이었 더라도 역시 그렇게 생각했을 테니까요." 아무리 고약한 사 람이라도 이렇게 대답하면 점잖아지지 않을 수밖에 없다.

알 카포네를 예로 들어보겠다. 당신이 그와 같은 신체와 성격, 정신 상태를 이어받았다고 치자. 그가 겪은 환경과 역 할도 모두 경험했다고 가정하자. 그러면 당신은 그와 똑같은 사람이 될 것이다. 알 카포네란 사람을 만든 것은 바로 그러한 것들이었기 때문이다. 예를 들어 당신이 늑대가 아닌 까닭은 부모님이 늑대가 아니었기 때문이다.

당신이 잘나서 오늘 날의 당신이 된 것이 아니다. 화를 참지 못하고 고집불통으로 비이성적인 사람들 또한 그렇게 된 데는 충분한 이유가 있다는 것을 명심하라.

불쌍한 영혼을 가엾게 여겨라. 동정하고 이해하라. 자기 자신에게 "하나님의 은총으로 말미암아 내가 있나니." 하고 말하라. 이 세상 사람들 중 반 이상은 동정에 굶주려 있다. 그들에게 동정심을 보이면 그들은 당신을 좋아할 것이다.

나는 『작은 아씨들』의 저자인 루이자 메이 앨코트의 이야기를 방송한 적이 있다. 나는 그녀가 매사추세츠 주의 콩코드에 살면서 불멸의 저서들을 집필한 것을 알고 있다. 그런데 어쩌다가 나는 뉴햄프셔 주의 콩코드에 있는 그녀의 집을 방문했다고 얘기하고 말았다. 뉴햄프셔라고 한 번만 말했으면 용서를 구할 수도 있었을 텐데 두 번씩이나 말해 버린 것이다. 곧이어 날카로운 비난 편지, 전보, 신랄한 메시지들이 쇄도했다. 많은 사람들이 화를 냈고 몇몇 사람은 모욕적인 말도 서슴지 않았다.

　매사추세츠 주의 콩코드에서 자라 지금은 필라델피아에 거주한다는 중년 부인은 나에게 분통을 터뜨렸다. 루이자 메이 앨코트를 뉴기니의 식인종이라고 했어도 그 부인을 그토록 화나게 하진 못했을 것이다. 그 편지를 읽으면서 나는 '하나님, 이런 여자와 결혼하지 않게 해주신 것을 진심으로 감사합니다'라고 혼자 중얼거렸다.

　나는 당장 그녀에게 편지를 써서 비록 지명을 잘못 말했지만 그녀는 더 큰 무례를 저질렀음을 지적해 주고 싶었다. 당장 속 시원한 내용으로 그녀에게 따지고 싶었지만 그렇게 하지 않았다. 그러한 짓은 어떠한 바보라도 다 할 수 있는 행동이다. 바보들은 대개 그렇게 한다. 나는 바보가 되고 싶지 않았다. 그래서 그녀의 적의를 호의로 바꿀 결심을 했다. 이것은 모험이자 일종의 게임이었다. 나는 나 자신에게 말했다.

　"내가 그녀였더라면 나도 그렇게 했을 거야."

　그래서 그녀를 이해하기로 했고, 그 후 필라델피아에 갔을 때 나는 그 부인에게 전화를 걸었다.

나: 부인, 일전에 편지를 주셔서 감사합니다.

부인: (예리하면서도 교양 있고 담담한 목소리로) 실례지만 누구시죠?

나: 제 이름은 데일 카네기라고 합니다. 몇 주일 전에 제가 한 루이자 메이 앨코트에 관한 방송을 들으셨더군요. 그때 전 그녀가 뉴햄프셔의 콩코드에 살았다고 말하는 큰 실수를 범했습니다. 바보 같은 실수였죠. 그래서 사과드리고 싶습니다. 시간을 내어 편지를 보내주셔서 정말 감사했습니다.

부인: 그런 편지를 보내서 죄송합니다. 카네기 씨, 제가 흥분했습니다.

나: 아닙니다. 그렇지 않습니다. 사과할 사람은 분명히 저입니다. 학교 다니는 애들도 저보다 나을 거예요. 그 방송이 나간 다음 일요일 날 방송을 통해 사과드렸지만, 부인께 개인적으로 다시 사과드리고 싶습니다.

부인: 저는 사실 매사추세츠 주의 콩코드에서 태어났어요. 저의 집안은 200년 동안 명문가였습니다. 그

314

래서 전 고향을 무척 자랑스럽게 여기고 있어요. 앨코트가 뉴햄프셔의 콩코드에서 살았다는 방송을 듣고 매우 기분이 나빴습니다. 그렇다고 그런 편지를 보내 정말로 부끄럽습니다.

나: 부인께서는 저보다는 기분이 덜 상하셨으리라 믿습니다. 저의 실수는 매사추세츠 주를 상하게 만든 것이 아니라 제 마음을 상하게 하더군요. 부인만한 위치와 교양을 갖춘 사람들 중에 방송하는 이들에게 일부러 시간을 내어 편지를 쓰는 사람들은 별로 없었습니다. 그러니 다음에 혹시 제가 또 실수를 하면 편지를 써서 가차 없는 지적을 해주십시오.

부인: 글쎄요. 아무튼 제가 한 비난을 이렇게 이해해 주시니 정말 감사합니다. 선생님은 정말 멋진 분이시군요. 선생님에 대해서 더 많이 알고 싶습니다.

이렇게 사과를 하고 그 부인의 입장을 이해했기 때문에 부인도 사과를 하게 되었고, 또 나를 이해해 주었다. 나는 감정을 억제함으로써 만족감을 성취했는데, 그것은 모욕에 대해 친절을 베풀어 얻게 되는 그런 만족감이었다. 분풀이로 그 부인에게 강으로 뛰어내리라고 소리치는 것보다 감정을 자제하고 상대방을 이해함으로써 오히려 나를 만족하게 만들어 더 큰 보람을 얻게 되었던 것이다.

대통령은 거의 매일을 골치 아픈 인간관계에 직면하게 된다. 태프트 대통령이라고 예외일 순 없었다. 그는 경험을 통해 악한 감정을 중화시키는 데에는 동정심이 절대적 힘을 갖고 있다는 것을 알았다. 그의 저서 『봉사의 윤리』에서 야심에 찬 어느 어머니의 분노를 어떻게 가라 앉혔는지 실화를 소개하고 있다.

"약간의 정치적 영향력을 가지고 있는 남편을 둔 워싱턴에 사는 한 부인이 자기 아들을 어느 보직에 넣어달라고 하면서 6주 동안이나 간청했다. 그 부인은 상, 하원 의원들의 도움까지 얻어 그 일을 계속했다. 그 자리는 전문적인 지식을 요구하는 것이었으므로 국장의 추천을 고려하여 그 자리에 맞는 사람을 임명하였다.

그러자 부인으로부터 편지가 왔다. 내가 마음만 먹으면

자기를 기쁘게 할 수 있었을 텐데 그것을 거절한 무례한 사람이라는 내용이었다. 부인은 내가 관심을 갖고 있던 어느 법안을 자신이 주 의회 의원을 설득시켜 통과시켜 주었는데도 불구하고 이것이 자기에 대한 보답이냐고 불평했다.

그런 편지를 받으면 누구나 순순히 받아들이지 못하고 무례함을 응징하고 싶어 바로 반박 편지를 쓰게 된다. 그러나 현명한 사람은 그것을 즉시 부치지 않는다. 책상 서랍에 넣어 두었다가 2, 3일 지나 다시 읽어본다면 분명히 그 편지는 부쳐지지 않을 게 뻔하다.

나도 이런 방법을 사용했다. 부인이 그런 상황에 처해 있다면 분명 실망하고도 남을 일인데, 아쉽게도 대통령 본인에게도 선택권이 없고 전문적인 자질을 갖춘 인물을 선택하여 국장의 추천을 받아야 한다는 점 등을 설명하면서, 가능한 한 정중한 편지를 부인에게 보냈다. 그녀의 아들이 원하는 자리를 얻게 되기를 나도 희망한다고 썼다. 편지를 받은 부인은 마음이 누그러져 그런 편지를 보내서 미안하다는 글을 보내왔다.

내가 제출한 그 임명 건은 즉시 확정되지 않았다. 얼마

후 그 부인의 남편이라는 사람의 편지를 받았다. 그 편지에는 부인이 이 일로 실망한 나머지 신경쇠약에 걸려 자리에 눕게 되었으며, 심각한 위암 증세를 보이고 있다는 내용이었다. 그러면서 그 임명 건을 철회하고 자신의 아들을 대신 임명하여 부인의 건강을 되찾게 해주지 않겠느냐고 했다. 나는 이번에는 그 남편에게 편지를 썼다. 그 진단이 오진이기를 바라고 그녀의 중병으로 인한 슬픔을 같이 나누고는 있지만 이미 제출한 임명 건은 철회할 수 없다고 설명했다.

내가 임명한 사람은 확정되었고, 그 편지를 받은 이틀 후 우리는 백악관에서 음악회를 열었다. 우리 부부에게 가장 먼저 인사를 건넨 사람은 바로 이들 부부였다. 최근 부인이 무척 심하게 앓고 있다고 했는데도 말이다."

제이 맹검은 오클라호마의 툴사에 있는 승강기 정비 공장의 사장으로 툴사의 어느 유명한 호텔과 정비계약을 맺었다. 그 호텔의 지배인은 손님에게 불편을 주지 않기 위해 에스컬레이터 운행이 두 시간 이상 중단되는 것을 원치 않았다. 그러나 수리하는 데는 적어도 여덟 시간이 필요했다.

그리고 그의 회사에도 호텔 측의 편의에 따라 수리해 줄 일류 수리공이 항상 대기하고 있지는 않았다.

제이 맹검은 일류 수리공에게 그 일을 맡길 계획을 세운 다음, 호텔 지배인에게 전화를 걸어 소요시간에 대해 옥신각신 논쟁하는 대신 이렇게 말했다.

"릭, 호텔이 매우 바빠 에스컬레이터 수리를 최단 시간 내에 끝내고 싶어 하는 것을 잘 알고 있네. 자네의 염려를 이해하고 편의를 도모하기 위해 최선을 다하고 싶어. 하지만 지금 완전무결하게 수리하지 않으면 앞으로 에스컬레이터가 더 자주 고장 나게 되고, 그때는 오랫동안 운행을 중지하게 될 걸세. 며칠씩이나 손님들에게 불편을 주고 싶어 하지 않는다는 것을 너무나도 잘 알고 있네."

그러자 지배인은 차라리 여덟 시간 운행을 중지하는 게 며칠 동안 중지하는 것보다는 낫다고 동의했다. 손님들을 편안하게 해주려는 지배인의 욕구를 이해함으로써 제이 맹검은 그 지배인이 적대감을 품지 않고 원만하게 스스로 생각할 수 있도록 했던 것이다.

세인트 루이스에서 피아노를 가르치고 있는 조리스 노리스 부인은 10대 소녀들을 가르칠 때 흔히 저질러 온 문제점을 어떻게 해결했는지 말해 주었다.

"바베트의 긴 손톱이 피아노를 치는 데 방해가 된다는 것을 알았지요. 처음 면담에서 저는 손톱에 대해서는 아무 말도 하지 않았습니다. 레슨을 시작하지 않을까 봐 그랬기도 했고, 또 그렇게 자랑스럽게 여기고 매력적으로 보이려고 정성껏 기른 손톱을 깎게 하고 싶지도 않았으니까요. 첫 레슨이 끝난 후, 저는 바베트에게 말했습니다.

'바베트, 너는 손도 예쁘고 손톱도 아름답구나. 하지만 네가 피아노를 능력껏 원하는 만큼 치고 싶다면 손톱을 조금 깎지 않겠니? 더 빠르고 쉽게 칠 수 있는 자신을 보면 아마 깜짝 놀랄 거야. 한번 생각해 보렴.'

바베트의 얼굴에는 거부하는 표정이 완연했습니다. 엄마에게도 말했지만 엄마 역시 거부반응을 보였습니다. 바베트에게는 그 아름다운 손톱이 정말 중요한 것 같다는 생각이 들었습니다.

다음 주 바베트가 두 번째 레슨을 받으러 왔을 때 놀랍게도 손톱을 자르고 왔습니다. 그래서 그런 굉장한 일을 한 그녀에게 칭찬을 아끼지 않았습니다. 그리고 바베트에게 영향을 끼친 어머니에게도 고맙다고 했죠. 그러자 어머니는 '어머, 저는 한 게 없어요. 바베트 혼자 결정한 걸요. 그 애가 다른 사람을 위해 손톱을 깎은 일은 이번에 처음이에요' 하고 대답했습니다."

노리스 부인이 바베트에게 겁을 줬던가? 손톱이 긴 학생은 가르치지 않겠다고 말했던가? 아니다. 그렇지 않다. 노리스 부인은 바베트의 손톱이 아주 예쁘고 그것을 자른다는 것은 쉽지 않으리라는 것을 인정했다. 노리스 부인의 말 속엔 '그래, 참으로 힘든 일이야. 쉽지는 않겠지만 손톱을 깎으면 피아노를 더 쉽게 칠 수 있어'라는 뜻이 포함되어 있었던 것이다.

솔 휴로크는 아마 미국에서 으뜸가는 무용 감독일 것이다. 거의 반세기에 걸쳐 샬리아핀, 이사도라 던컨, 파블로바 등과 같은 세계적 예술가들과 협업을 했다. 그가 개성이 강한 스타들과 접하면서 제일 먼저 터득한 교훈은 그들의 개성을 이해하고 동정심을 보여 주는 일이었다.

3년 동안 솔 휴로크는 피오드로 살리아핀—메트로폴리탄 오페라 극장에서 가장 수준 높은 관람객을 흥분시킨 위대한 베이스 가수—의 감독을 맡았다. 살리아핀은 항상 문제의 인물이었다. 그는 마치 버릇없는 아이처럼 행동했다.

휴로크는 "저 친구는 모든 면에서 아주 끔찍한 사람이야."라고 했다. 일화를 소개해 보기로 하겠다. 노래를 부르기로 한 날의 정오 경, 살리아핀의 전화가 왔다.

"솔, 몸이 좋지 않아. 목구멍이 마치 굽지 않은 햄버거 같아. 오늘 밤에는 노래를 할 수 없겠는 걸."

그렇다고 휴로크가 싸움을 했을까? 그렇지 않다. 흥행사는 예술가를 그런 식으로 대해서는 안 된다는 것을 잘 알고 있다. 그래서 살리아핀에게 달려가 진정한 동정심을 보였다.

"가없은 친구, 안됐구먼. 물론 노래는 무리지. 당장 약속을 취소하겠네. 자네는 몇천 달러를 손해 보겠지만 자네 명성에 비하면 아무것도 아니지."

살리아핀은 한숨을 쉬며, "나중에 다시 오는 게 좋겠네. 5

322

시 쯤 와서 내 상태를 좀 봐주게."라고 말했다.

5시가 되면 휴로크는 다시 살리아핀에게 가 동정심을 표한다. 다시 약속을 취소하자고 말하면 살리아핀은 또 한숨을 쉬면서 "글쎄, 나중에 다시 오게. 그때쯤이면 낫겠지." 하고 말한다.

7시 30분이 되면 이 위대한 가수는 노래 부르기를 승낙하면서, 휴로크에게 무대에 올라가 내가 지독한 감기에 걸려 목소리 상태가 좋지 않다고 관객들에게 말해 주도록 양해를 구했다. 휴로크는 그것이 이 가수를 무대에 서게 하는 유일한 방법임을 알고 있었기 때문에 그렇게 한다고 했다.

아더 I. 게이츠 박사는 그의 저서 『교육 심리학』에서 이렇게 말했다.

"인간은 모두 동정심을 갈망한다. 어린이는 자기의 상처를 무척 보여 주고 싶어 하며 심지어 동정심을 받고 싶은 나머지 상처를 만들기도 한다. 어른들도 마찬가지이다. 어떤 상황에서든 불행에 대한 '자기 연민'은 모든 인간이 느끼는 감정이다."

다른 사람으로부터 적극적인 호응을 얻길 바란다면 즉

시 실행하라.

원칙9

상대방의 생각이나 욕구에 공감하라.

10
모든 사람이
좋아하는 호소법

나는 제시 제임스가 활동하던 미주리 주의 변두리에서 자랐는데, 커니 지방에 있는 제임스 농장을 찾아간 적이 있었다. 그곳엔 제시 제임스의 아들이 살았는데 그의 아내는 제시가 어떻게 기차를 강탈하고 은행을 털었으며, 이웃 농부들에게 빚을 갚도록 어떻게 돈을 나누어 주었는지 등에 대하여 내게 자세히 얘기해 주었다. 제시 제임스는 아마 속으로는 더치 슐츠나 '쌍권총' 크로울리, 알카포네 그리고 여러 조직범죄단의 대부처럼 자신도 이상주의자라고 생각하였을지도 모른다.

분명한 사실은, 모든 사람들이 자신을 괜찮은 사람이고 훌륭하며 또 이기적이지 않다고 평가한다는 것이다.

J. 피어폰트 모건은 인간의 심리를 분석한 글에서, 인간이 어떠한 행위를 하는 데는 두 가지 이유가 있다고 했다. 하나는 그럴 듯하게 보이는 이유이고, 또 하나는 진짜 이유이다. 행위를 하는 사람은 그 진짜 이유를 알고 있다. 우리는 사실 내심으로는 모두 이상주의자이므로 그럴 듯해 보이는 이유를 좋아한다. 그러므로 사람들을 변화시키기 위해서는 좀 더 고상한 동기에 호소해야 한다.

사업에 적용할 방법으로는 너무 이상적인 것이 아닐까? 한 번 살펴보기로 하자.

파렐 미첼의 경우이다. 파렐의 집에 세 들어 사는 불만투성이의 사람이 갑자기 이사를 가겠다고 으름장을 놓았다. 남은 계약기간이 4개월이나 되는데도 막무가내로 당장 집을 비우겠다는 것이었다.

"그들은 겨우내 우리 집에서 살았습니다. 연중 월세가 가장 비쌀 때라서 아파트를 다시 세놓기가 어렵다는 것을 잘 알고 있었습니다. 임대수입이 끊어진다고 생각하니 화가 났습니다. 보통 때 같았으면 당장 달려가 계약서를 다시 읽어 보라고 말했을 것입니다. 이사를 간다하더라도 계약에 따라 나머지 임대료를 당장 지불해야 하며, 나도 법에 따라 조치를 취하겠다고 말입니다. 그러나 성질대로 하기보다는 방법을 달리하기로 하고 이렇게 말했습니다.

'그렇군요. 말씀은 잘 알겠습니다만, 저로서는 아무래도 당신이 이사를 하리라고는 생각하지 않습니다. 오랫동안 임대사업을 하다 보니 나름대로 사람 보는 눈이 생겼습니다. 당신을 처음 만났을 때 약속을 지키는 사람이란 걸 한눈에 알았죠. 며칠 동안만 더 생각을 해주시겠습니까. 다음 달 초까지도 이사를 가야겠다는 마음의 변화가 없으시면 그때 또 말씀해 주십시오. 그러면 말씀대로 하겠습니다. 이사 하실 수 있도록 처리해 드리고 제 판단이 잘못된 것이었음을 인정하겠습니다. 그렇지만 지금도 전 당신이 약속을 지키고 계약을 지킬 분이라고 굳게 믿고 있습니다. 어쨌든 우리가 인간이 되는가, 원숭이가 되는가 하는 선택은 우리가 해야 되니까요!'

다음 달에 이 분은 <u>스스로</u> 저를 찾아와 임대료를 지불했습니다. 부부가 이 문제를 놓고 상의한 끝에 그대로 살기로 결정했다는군요. 그들은 명예를 지키는 유일한 길은 임대기간을 채우는 것 밖에 없다는 결론을 내렸던 거지요."

　　노스크리프 경은 공개하고 싶지 않은 자기의 사진이 신문에 실린 것을 보고 편집장에게 편지를 보냈다. 그러나 그가 '내 마음에 들지 않으니 사진을 신문에 게제하지 마시오.'라고 썼을까?

　　아니다. 노스크리프 경은 보다 차원 높은 동기에 호소했다. 누구에게나 가슴에 품고 있는 어머니에 대한 존경과 애정에 호소해서 "제 사진을 신문에 싣지 말아 주십시오. 어머니께서 대단히 싫어하시니까요."라고 쓴 것이다.

　　존 D. 록펠러 2세도 자녀들의 사진이 신문에 실리는 것을 막기 위해 차원 높은 고상한 동기로 호소했다. '애들 사진이 실리기를 원치 않소.'라고 말하지 않고 아이들에게 상처주고 싶지 않은 모든 부모의 공통의 심정으로 호소했다.

　　"여러분들께서도 자녀를 기르고 있어 잘 아시겠지만 자녀의 얼굴이 너무 알려지면 좋지 않을 것 같습니다."

메인 주 출신의 가난한 소년인 사이러스 H. K. 커티스는 성공하여 《세터데이 이브닝 포스트》지와 《레이디스 홈 저널》지의 경영주로서 백만장자가 되었다. 하지만 초창기에는 기고가들에게 다른 잡지사만큼 원고료를 지불할 수가 없었다. 일류 작가들 글을 청탁할 형편이 되지못한 커티스는 좀 더 고상한 동기를 부여했다. 가령 당시 명성을 날리던 『작은 아씨들』의 작가 루이자 메이 앨코트 여사에게 원고를 청탁할 때, 그녀에게 고료를 지불하는 대신 그녀가 아끼는 자선단체 앞으로 수표를 발행하겠다고 제의함으로써 승낙을 받아냈다.

독자 가운데는 "그런 경우는 노스크리프 경이나 록펠러 또는 감상적인 소설가에게나 해당되는 일이오. 막상 돈을 받아내야 할 골칫거리 녀석들은 어떻게 대해야 되는지 알고 싶소!"라고 말할지 모른다.

당신의 말이 옳을 수도 있다. 모든 경우, 모든 사람들에게 다 해당되는 방법은 없는 법이다. 만일 지금 사용하고 있는 방법의 결과에 만족한다면 이런 방법을 사용할 필요는 없다. 그러나 만족하지 못한다면 이 방법을 한번 시험에 보시라.

다음 이야기는 제임스 L. 토마스라는 사람이 나의 강좌에서 발표한 체험담으로 꽤 흥미가 있다.

자동차 회사의 고객 여섯 명이 서비스 대금을 지불하지 않겠다고 했다. 청구서에 대해 항의한 사람은 없었으나 각자 항목 한 가지가 잘못 계산되었다고 주장했다. 회사 측에서는 고객들이 서비스 받은 항목마다 서명을 했기 때문에 하자가 없다고 생각했고, 또 그렇게 말했다. 이것이 첫 번째 실수였다.

신용관리부 직원들은 다음과 같은 방법으로 미수금을 받아내려고 했는데, 과연 성공했을까?

1. 각 고객에게 전화를 걸어 납부기한이 지난 대금을 받으려 한다고 퉁명스럽게 말한다.

2. 회사 측이 틀림없이 옳으며 따라서 고객이 틀렸다는 점을 분명하게 못 박는다.

3. 자동차에 대해서는 회사 측이 훨씬 잘 알고 있다. 그러니 논쟁의 여지가 없다고 말한다.

4. 그 결과 그들과 격렬한 논쟁을 하게 된다.

이 방법 중 어느 한 가지라도 고객을 설득시켜 대금을 지불하게 할 수 있겠는가. 신용관리부 책임자가 합법적인 조취를 취하려 할 즈음 지점장이 이 일을 알게 되었다.

지점장이 조사한 바로는 문제의 고객들은 평소에는 대금지불에 전혀 문제가 없는 사람들이었다. 수금 방법에 근본적인 착오가 있었던 것이다. 지점장은 토마스를 불러 이 문제를 해결하도록 지시했다. 토마스가 취한 방법은 다음과 같다.

1. 납부기한이 훨씬 지난 대금을 받기 위해 고객을 한 사람씩 찾아갔습니다. 우리로서는 절대적으로 틀림없다고 생각하는 대금이었지요. 그러나 그 점에 대해서는 한마디도 하지 않았습니다. 오직 지금까지의 서비스 상태를 조사하고자 방문한 것이라고 말했습니다.

2. 고객의 말을 듣기 전까지는 말씀드릴 의견이 없

다는 점을 분명히 했고 회사 측에서도 잘못이 있을지 모른다고 말했습니다.

3. 내가 관심이 있는 것은 오직 고객의 차이며, 아울러 고객의 차에 대해서는 고객이 권위자라고 말했습니다.

4. 나는 고객이 말하도록 기회를 주고 고객이 원하고 기대해 왔던 관심사에 이해심을 가지고 경청했습니다.

5. 드디어 고객의 기분이 차분히 가라앉았을 때에 자초지종을 얘기했습니다. 그리고 고객의 고상한 동기에 호소했습니다. "우리들이 부족한 탓으로 불편을 끼쳐 대단히 죄송합니다. 직원의 행동에 마음이 많이 상하셨을 줄 압니다. 정말 죄송합니다. 이런 일이 두 번 다시 일어나지 않도록 노력하겠습니다. 회사를 대표해서 진심으로 사과드립니다. 말씀을 들으면서 저는 공정하고 끈기 있는 선생님의 마음씨에 큰 감동을 받았습니다. 선생님은 인격을 갖춘 분이므로 부탁을 드리겠습니다. 누구보다도 선생님이 더 잘하실 수 있

고, 많이 아시고 있는 일입니다. 여기 청구서가 있습니다. 저희 회사의 사장이라 생각하시고 청구금액을 정정해 주시기 바랍니다. 선생님께 모두 맡기겠습니다. 어떠한 결정이든 말입니다." 하고 고객에게 말했습니다. 그러자 고객은 청구액을 정정했을까요. 물론 그렇게 하더군요.

그런데 재미있는 일이 일어났습니다. 청구서 금액은 150달러에서 400달러까지 되었는데, 그 고객이 그대로 금액을 지불하였느냐고요? 네, 그렇게 해주었습니다. 그 중 한 사람은 논란이 되었던 항목에 대해 한 푼도 지불하지 않았지만, 나머지 다섯명은 모두 지불하더군요. 더 재미있는 대목이 여기에 있습니다. 그로부터 2년 후, 고객 여섯 명 모두가 우리에게서 새 자동차를 구입한 것입니다!

토머스 씨는 이렇게 말한다.

"고객에 대한 정보가 분명하지 않을 때는, 그가 정직하고 진실된 사람이며 또한 옳다고 생각하는 것에 대해서는 지불하는 사람이라고 생각하는 것이 좋은 방법이라는 것을 경험을 통해 알게 되었지요. 다시 말하면 인간은 정직하고, 자신의 의무를 이행하기 원한다는 것입니다. 그것에 대한 예외는 적습니다. 상대를 속이는 사람이라도 상대로부터 신뢰받고 정직한 인물로 인정을 받으면 여간해선 부정한 짓은 할 수 없게 됩니다."

원칙10
보다 고매한 동기에 호소하라.

11
쇼맨십을
발휘하라

여러 해 전, 필라델피아의《이브닝 불리틴》지는 악성 루머에 시달렸다. 기사는 적고 대부분 광고뿐인 이 신문은 독자의 흥미를 잃어 광고를 내도 효과가 적다는 소문이 난 것이다. 황급히 대책을 세우지 않으면 안 되었다. 그래서 이러한 방법이 취해졌다.

《이브닝 불리틴》지는 평상시 하루 분의 지면에서 기사를 전부 뺀 뒤 그것을 분류하여 한 권의 책으로 발행했다. 책의 이름은 『하루』라고 지었으며 307쪽이나 되어 꽤 두툼하였다. 이 책을 몇 달러가 아닌 단돈 몇 센트에 판매했다.

이 책은《이브닝 불리틴》지에 재미있는 읽을거리가 많이 게재되어 있다는 사실을 극적으로 알리는 것이었다. 단순하게 숫자나 대담기사를 싣는 것보다 더욱더 생생하고 재미있으며 충격적으로 사실을 전달할 수 있었던 것이다.

현대사회는 극적인 효과가 필요하다. 단순히 사실을 말하는 것만으로는 충분하지 않다. 좀 더 흥미진진하고 관심을 이끌어 낼 내용이 있어야 한다. 쇼맨십이 필요하다. 영화에서도 텔레비전에서도 그렇게 하고 있다. 상대방으로부터 관심을 받길 원한다면 쇼맨십을 발휘하라.

쇼윈도 전문가들은 극적인 효과의 힘을 알고 있다. 예를 들어보기로 하자. 새로운 쥐약을 개발한 업체에서 대리점의 쇼윈도에 살아있는 쥐 두 마리를 이용한 진열을 선보였다. 그 주 매상고가 평상시보다 다섯 배나 많아졌다고 한다.

텔레비전 상업광고를 보면 상품을 홍보하는 데 극적인 테크닉을 사용한 예를 얼마든지 볼 수 있다. 텔레비전 앞에 앉아 광고인들의 연출기법을 면밀히 분석해 보라. 그러면 제산제가 어떻게 해서 시험관 속에 들어 있는 산성의 색깔을 경쟁회사와는 비교도 안 될 정도로 변화시킬 수 있는지, 그러므로 다른 상표를 사용했을 때는 누렇게 되는 셔츠가 어떤 브랜드의 비누나 세제로는 깨끗하게 빨아지는지도 알게 될 것이다. 어느 회사의 자동차가 급커브 길에서 말로만 듣던 것보다도 더 뛰어난 성능으로 달리는 모습도 보게 될 것이다. 상품을 사용하면서 행복해하는 표정도 비칠 것이다.

이러한 것들은 시청자에게 상품의 장점을 극대화시켜 보여줌으로써 사람들이 그 상품을 구매하게 만든다.

인생이나 비즈니스도 당신이 갖고 있는 생각을 극대화시킬 수 있다. 전자계산기 제조회사의 영업담당 짐 예맨스는 극적인 행동을 보여줌으로써 실적을 올리게 된 경위를 이렇게 설명했다.

"지난주에 어느 가게에 들렀었는데 계산대 위의 계산기가 구식이더군요. 나는 주인에게 '손님이 한 사람씩 다녀갈 때마다 사장님은 말 그대로 돈을 버리고 계시는 셈입니다.' 하고 말했죠. 그 말과 함께 동전 한 움큼을 바닥에 던져 버렸습니다. 그러자 주인은 제 말에 솔깃해 하더군요. 말로도 관심을 끌 수는 있었겠지만, 바닥에 떨어지는 동전 소리를 듣고 더 큰 관심을 갖게 된 것이지요. 그래서 낡은 계산기들을 모두 새것으로 교체해 달라는 주문을 받아 낼 수 있었습니다."

가정생활도 이와 마찬가지다. 어떤 사람이 애인에게 구혼할 때 단지 사랑한다는 말만 했을까. 천만의 말씀이다. 무릎을 꿇고 청혼함으로써 그 사랑을 진지하게 전했다. 남자들 중에는 청혼하기 전, 낭만적인 분위기를 조성하는 사람들이 아직도 많다.

어린아이에게도 마찬가지이다. 한 젊은 아빠는 다섯 살짜리 아들과 세 살짜리 딸아이에게 장난감을 정리하게 하는 일이 힘든 나머지 '기차놀이'라는 게임을 생각해 냈다. 아들을 세발자전거의 엔지니어로 임명하고 딸의 수레차를 뒤에 부착했다. 그리고 놀이가 끝나면 수레에다 '석탄'을 모두 싣게 하여 오빠가 동생을 태우고 방을 한 바퀴 돌게 했다. '석탄'은 널려 있던 장난감들에게 붙여 준 이름이다. 이런 방법을 사용했더니 방이 깨끗이 정돈되었다. 훈계하거나 나무라지 않아도 됐던 것이다.

매리 캐더린 울프는 직장문제로 사장과 의논해야겠다고 생각했다. 월요일 오전에 약속을 하려 하였으나 사장이 몹시 바빠 주말에 다시 한 번 비서를 통해 신청해 보라는 말만 들었다. 비서는 사장의 스케줄이 꽉 짜여 있지만 짬을 내도록 해보겠다고 하였다. 그녀는 그때의 일을 이렇게 말했다.

"일주일이 지났는데도 연락이 오지 않았습니다. 비서는 사장의 일정이 꽉 잡혀 있다는 이유만 대더군요. 금요일 아침이 되어도 분명한 언질이 없었어요. 저는 주말 전에는 사장을 만나야 했기에 방법을 연구해 보았습니다. 그래서 이렇게 했지요.

사장에게 공식적인 편지를 한 통 써서, 일주일 내내 바쁘신 건 잘 알고는 있지만 사장님께 상의드릴 일도 꽤나 중요하다는 뜻을 전했습니다. 편지 속에 기입용지와 제 이름 앞으로 된 봉투를 넣은 후, 저한테 다시 부쳐 주십사 하는 부탁을 드렸습니다. 기입용지는 이렇게 작성했습니다.

울프 씨, ○요일 ○시(오전, 오후)에 당신을 만날 수 있습

339

니다. 당신과 O분간 이야기할 수 있습니다.

저는 이 편지를 오전 11시에 사장의 우편함에 넣고, 오후 2시에 제 우편함을 열어보았습니다. 제 이름 앞으로 쓴 제가 쓴 봉투가 있더군요. 사장이 직접 답장을 쓴 것으로 그날 오후에 10분 동안 나를 만나주겠다고 했습니다. 저는 사장님을 만나 한 시간 넘게 이야기를 나누면서 제 문제를 매듭 짓게 됐습니다.

만일 제가 사장님을 만나고 싶어 한다는 것을 극적으로 표현하지 않았더라면 아마 지금까지도 마냥 기다리고만 있었을 겁니다."

보인톤은 많은 분량의 시장보고서를 제출해야 했다. 그 회사에서는 어느 유명한 콜드크림에 대해 철저한 연구를 방금 끝낸 상태로, 시장의 경쟁 상황에 관한 자료가 당장 필요했다. 보인톤이 만나야 할 사람은 광고계의 거물로 만만찮은 사람이었다. 첫 만남은 시작도 하기 전에 실패로 끝났다.

"처음 그를 만났을 때, 조사방법에 대한 시시한 이야기로 흘러 화제가 옆길로 새는 느낌이었고 서로 논쟁만 벌였죠. 그는 제 말이 틀렸다고 지적했고 전 옳다는 것을 증명해 보이려고 애를 썼지요. 결국 제 주장을 관철시키기는 했지만 시간이 다 되어 인터뷰는 끝났고, 전 아무런 결과도 얻지 못했습니다.

두 번째 만났을 때는 숫자나 작성표 따위로는 다투지 않았습니다. 대신 사실을 극적으로 표현했습니다.

사무실로 들어갔을 때 그는 전화를 받느라 바빴습니다. 그가 전화하는 동안 저는 경쟁사 제품 콜드크림 32개를 책상 위에 쏟아 놓았습니다. 병마다 거래 조사의 결과를 상세히 적은 꼬리표를 붙여 놓았는데 간략하고도 효과적인 내용들이었습니다. 그래서 어떻게 되었는지 아십니까? 더 이상 왈가왈부하지 않게 되더군요. 새롭고 색다른 상황이 벌어졌습니다.

그는 콜드크림 병을 하나씩 들고는 꼬리표의 글을 읽어보더군요. 그때부터 서로 우호적인 말이 오가면서 그가 몇가지 추가 질문을 했습니다. 드디어 관심을 보이기 시작한 거지요. 원래는 10분간만 저에게 말을 할 시간을 주기로 하였는데, 20분, 40분이 흐르고 거의 한 시간이 다 될 때까지 우리는 이야기를 나누었습니다.

이번에도 지난번에 말했던 것과 똑같은 사실을 보고했습니다. 그러나 이번에는 극적인 효과와 쇼맨십을 십분 발휘한 덕에 전혀 다른 결과를 얻어 낸 것입니다."

원칙11

당신의 생각을 극적으로 표현하라.

12
모든 방법이 소용없을 때
사용하는 방법

찰스 슈왑이 담당하고 있는 공장가운데 실적이 저조한 곳이 있었다. 슈왑은 공장장을 불러 물었다.

"공장장님은 유능하고 상당한 수완가이신데 의외로 실적이 오르지 않는 것은 어쩐 일이오?"

"저도 모를 일입니다. 어르고 달래고 해고시키겠다고 위협도 해보았지만 무소용입니다. 일을 하려 하지 않으니까요." 하고 대답했다.

이런 이야기는 그날 야간 근무조가 교대하기 전에 오고 갔다. 슈왑은 분필 한 개를 달라고 하더니 가까이 있는 종업원에게 물었다.

"오늘 용해작업을 몇 번이나 했소?"

"여섯 번입니다."

슈왑은 아무 말도 하지 않고 바닥에 6이라는 숫자를 크게 쓴 다음 나가 버렸다.

야간 근무조가 들어와서 6이라는 숫자를 보더니 무슨 뜻이냐고 물었다.

"사장님이 다녀가셨는데 오늘 용해작업을 몇 번 했냐고 묻기에 여섯 번 했다고 말씀 드렸더니 저렇게 써 놓고 나가시더군." 하고 낮 근무조의 사람이 대답했다.

다음 날 아침 슈왑이 다시 공장에 나타났을 때, 야간 근무조가 6자를 지워버리고 큰 글씨로 7자를 써놓았다. 그 다음 날 아침 주간 근무조가 작업을 하러 들어갔을 때, 바닥에 7이라는 글씨를 보게 되었다. 아니, 야간 근무조가 주간 근무조보다 일을 더 많이 했단 말이야?

주간 근무조는 야간 근무조에게 뭔가 보여 주겠다고 열심히 일한 끝에, 그날 작업이 끝난 후엔 10이라는 숫자를 적었다.

항상 생산량이 뒤져 있었던 이 공장은 그 뒤 얼마안가 다른 공장보다 더 많은 상품을 생산해 냈다. 어떤 방법으로 그렇게 했을까. 찰스 슈왑의 말을 그대로 옮겨 보기로 하자.

"경쟁심을 자극하는 방법이죠. 돈벌이에 급급한 경쟁이 아니라 남보다 뛰어나려는 욕구에 호소하는 방법입니다."

남보다 뛰어나려는 욕구! 도전! 용감히 맞서서 도전하라! 이것이 발전하고자 하는 소망을 가진 사람들에게 호소할 수 있는 절대적인 방법인 것이다.

이러한 도전 정신이 없었더라면 시어도어 루즈벨트는 미합중국의 대통령이 되지 못했을 것이다. 쿠바에서 막 귀국한 루즈벨트는 뉴욕 주의 지사로 선출되었다. 그러나 반대파에서 법적으로 주의 거주민으로서 자격이 없다고 들고 일어나자 겁이 난 루즈벨트는 사퇴할 결심을 했다.

그러자 뉴욕 출신의 상원의원인 토머스 콜리어 플래트가 호통을 쳤다. 그는 루즈벨트에게 갑자기 항변하듯이 떨리는 목소리로 이렇게 말했다.

"산후안 언덕의 영웅이 갑자기 겁쟁이가 되었다는 말인가!"

루즈벨트는 두 발을 힘 있게 딛고 일어서서 싸울 결심을 했다. 그 후의 일은 역사가 증명한다. 루즈벨트를 자극한 이 한마디는 그의 생애를 바꿔 놓았을 뿐 아니라 미합중국의 역사에도 중대한 영향을 끼쳤던 것이다.

고대 그리스에서 왕의 호위병들의 모토는 "모든 이들이 두려워해도 용감한 자는 이를 떨쳐 버리고 전진하여 설령 죽게 되더라도 언제나 승리를 거두게 되느니라."였다. 이렇게 두려움을 극복할 기회를 주는 것보다 큰 도전이 어디 있겠는가.

알 스미스가 뉴욕 주지사이던 시절 어려운 문제에 봉착한 적이 있었다. 당시 데블 섬 서쪽의 악명 높던 싱싱 교도소에는 교도소장이 없었다. 스캔들과 추문이 난무하는 교도소를 관리할 강력한 사람이 필요했다. 누가 적임자일 것인가. 스미스는 뉴 햄프턴에 사는 루이스 E. 로즈를 불렀다. "자네가 싱싱 교도소를 맡아 보지 않으려나?" 하고 주지사는 로즈에게 쾌활하게 물었다. "그곳에는 경험자가 필요하다네." 그러자 로즈는 소스라치게 놀랐다. 위험한 곳으로 알고 있었기 때문이다. 또한 그곳은 변덕스러운 정치기류에 따라 임명과 파면이 제멋대로인 그런 자리였다. 교도소장은 수없이 바뀌었고 3주일밖에 견뎌내지 못한 사람도 있었다. 심사숙고할 일이었다. 과연 모험 가치가 있을까?

로즈가 망설이는 것을 본 주지사는 빙긋 웃으면서 "여보게, 자네가 겁먹는다고 책망할 생각은 없네. 위험한 곳이니까. 그런 곳은 정말 대단한 사람만이 갈 수 있지."라고 말했다. 스미스 주지사의 이 말이 로즈에게 도전정신을 불러일으켰다.

그는 '대단한 사람을 필요로 하는 직업을 가져보는 것'도 좋겠다고 생각했다. 그 후 로즈는 당대의 가장 유명한 교도소장이 되었다.

그가 쓴 책 『싱싱 교도소의 2만 년』은 수십만 부나 팔려 나갔으며, 감옥 생활에 대한 그의 얘기가 영화화되었다. 그가 죄수들을 인간적으로 대한 것이 그들을 교화시키는 데 기적을 낳은 것이다.

고무제조 회사를 운영하는 파이어스톤은 "월급만으로

사람이 모이고 인재가 확보되는 것은 아니다. 일 자체가 그렇게 한다."라고 했다.

위대한 행동과학자인 프레드릭 헤르츠버그의 의견도 이와 같다. 헤르츠버그는 인부에서 최고 경영자에 이르기까지 여러 사람들의 근무태도에 관해 깊이 연구했다.

당신은 헤르츠버그가 발견한 동기유발의 가장 큰 요인이 무엇이라고 생각하는가.

일에 있어서 가장 보람을 주는 요소는 무엇일까. 돈? 양호한 근무조건? 보너스? 이러한 것들 중 어느 것도 아니었다. 사람들에게 동기를 유발시키는 가장 주된 요인은 '일' 그 자체였다. 일이 신명 나고 재미있으면 그 일에 대해 기대가 되고 더 잘해 보려는 동기도 생기게 된다.

성공한 사람들이 좋아하는 것이 바로 일 자체이며 자기표현의 기회를 놓치지 않는다는 것이다. 자기의 값어치를 증명하고, 남보다 뛰어나고 싶고, 이기려고 하는 자존심이 팽배해진다.

도보경주나 돼지 묶기 대회, 파이 먹기 대회가 열리는 것도 이런 이유 때문이다.

뛰어나고자 하는 욕구, 자기 중요감을 얻고 싶은 욕구인 것이다.

> **원칙12**
>
> 도전의욕을 불러 일으켜라.

4부

리더가 되는 9가지 방법

1
칭찬과
감사의 말로 시작하라

내 친구가 캘빈 쿨리지 대통령의 초대로 주말을 백악관에서 보냈다. 대통령 집무실로 들어가려고 하자 대통령이 비서에게 이렇게 말하는 것이었다.

"오늘은 아주 예쁜 옷을 입고 왔군요. 당신은 참으로 매력적인 여성이오."

평소에 말수가 적은 대통령이 비서를 칭찬하는 것은 매우 드문 일이었다. 갑작스런 칭찬에 여비서는 당황하며 얼굴을 붉혔다. 그러자 대통령은 "그렇게 굳어질 거 없어요. 기분이 좋아지라고 한 말이니까…… 이제부터는 구두점을 찍을 때 좀 더 주의를 기울여야겠어요."

쿨리지 대통령의 방법이 약간 노골적인 것인지는 모르겠지만, 인간의 심리에 대한 그의 이해는 훌륭한 것이었다. 우리는 칭찬받은 뒤라면 약간의 잔소리를 들어도 그다지 기분 나빠하지 않기 때문이다.

이발사는 손님에게 면도하기 전에 비누칠을 하여 면도날의 충격을 줄인다.

맥킨리가 1896년 대통령 선거에 출마했을 때 사용한 것이 바로 이 방법이다. 당시 유력한 공화당 간부가 선거 연설문을 써왔다. 그 사람은 자신의 글이 어떤 명연설가가 쓴 것보다 훌륭한 것이라고 자신하고 있었다. 자기 도취감에 빠져 있던 그는 자신의 불멸의 연설문을 맥킨리에게 큰 소리로 읽어 주었다. 그러나 그 연설문은 몇 군데 쓸 만한 곳이 있기는 했지만 별 볼일 없는 내용이었고, 비난을 일으킬 여지의 내용도 있었다.

그러나 맥킨리는 그의 감정을 상하게 하고 싶지 않았다. 또한 그 사람의 불같은 열정에 찬물을 끼얹고 싶지도 않았다. 그가 얼마나 멋지게 난관을 뚫고 나갔는지 살펴보기로 하자.

"여보게, 참으로 훌륭한 글이군!"하고 맥킨리가 말했다.

"그 누구도 이 이상의 연설문을 쓸 수는 없을 거야. 이 연설문을 적시에 사용하면 백 퍼센트 효과가 나타날 것일세. 그러나 이번 상황에서 보면 조금은 적당하지 않다는 생각이 들기도 하네. 자네의 관점에선 이만큼 훌륭한 것은 없겠지만 나는 당의 관점에서 문제를 생각하지 않을 수 없는데, 어떨까. 자, 당의 노선에 따라 다시 한 번 써 줄 수 없겠나? 그리고 완성되면 사본을 나에게 보내주게나."

그는 맥킨리가 시키는 대로 했다. 맥킨리는 그가 다시 연설문을 쓸 수 있도록 도와주었고, 그는 선거운동 기간 중에 가장 영향력 있는 연사 중의 한 사람이 되었다.

에이브러햄 링컨이 쓴 편지 중 두 번째로 유명한 편지가 있다(가장 유명한 것은 빅스비 부인에게 보낸 것으로, 전장에서 잃은 그녀의 다섯 아들에 대한 조의를 나타낸 편지이다).

링컨 대통령이 이 편지를 쓰는 데는 5분밖에 안 걸렸겠지만 1926년 공개입찰에서 이 편지는 1만 2,000달러에 팔렸다. 50년 동안 그가 애써 벌어 저금한 돈보다 훨씬 많은 액수였다.

그 편지는 남북전쟁이 가장 어려운 시기였던 1863년 4월 26일 조셉 후커 장군에게 보낸 것이다. 18개월 동안 링컨의 장군들은 연일 패배의 쓴 잔을 마시고 있었다. 그것은 무모하고 어리석은 인간의 도살극이었다. 온 국민은 절망의 늪에 빠져 있었다. 수천 명의 병사들이 전쟁터를 이탈했으며, 심지어 공화당 상원의원 조차 링컨을 퇴진시키려 했다.

"우리는 지금 파멸 직전에 놓여 있소. 하나님조차 우리를 버리신 것 같소. 희망의 빛이라고는 아무데서도 찾아볼 수 없다오." 링컨의 말이다.

편지는 이토록 혼란과 비탄에 쌓였을 때 쓰였다. 내가 여기에서 이 편지를 인용하는 이유는 국가의 운명이 한 사람의 장군 손에 달려 있을 수도 있었던 시점에서 링컨 대통령이 어떻게 제멋대로인 장군을 바로 잡으려고 노력했는가를 보여 주기 위해서이다.

이 편지는 링컨이 대통령이 되고 난 후에 쓴 것 중 가장 통렬한 내용일 것이다. 그러나 링컨이 치명적인 실패를 탓하기 전에 후커 장군을 칭찬하고 있음을 주목해야 한다.

그렇다. 장군의 전략들은 치명적인 실패를 불러왔지만 링컨의 생각은 달랐다. 온건했고 보다 외교적이었다. 그는 이렇게 쓰고 있다.

"내가 당신에게 만족을 느끼지 못하고 있는 일들이 몇 가지 있습니다."

이 얼마나 재치 있고 외교적인가!

나는 귀관을 포토맥 전선부대의 지휘관으로 임명했습니다. 물론 확신을 가진 결정입니다만 귀관에게 몇 가지 만족을 느끼지 못하는 점도 있다는 것을 명심해 주었으면 합니다. 나는 귀관이 용감하고 지략을 갖춘 군인이라고 믿고 있고, 물론 나는 그러한 군인을 좋아합니다. 귀관은 또 정치와 귀관의 임무를 혼동하지 않으리라고 믿고 있습니다. 그 점에서 귀관은 정당합니다. 귀관은 자기에 대해 자신을 갖고 있습니다.

그것은 불가결한 요소는 아니지만 소중한 것입니다.

　귀관은 야심적인 의욕을 가지고 있습니다. 정도를 넘지 않는 한 좋은 일입니다. 그러나 번사이드 장군의 지휘 하에 있는 동안 귀관은 지나치게 야심에 사로잡혀 명령에 불복종함으로써 국가에 혁혁한 공훈을 쌓은 명예로운 상관에게 중대한 과실을 범했습니다.

　믿을 만한 소식통에 의하면 귀관은 최근 군대와 정부는 모두 독재자를 필요로 한다는 이야기를 했다고 들었습니다. 귀관이 그런 주장을 했기 때문이 아니라 그런 주장을 했음에도 불구하고 나는 귀관에게 지휘를 맡겼습니다. 성공을 거둔 장군들만이 독재자로서 추대될 수 있는 것입니다. 지금 내가 귀관에게 요구하는 것은 군사적 성공이며, 전쟁의 승리를 위해 독재정치의 위험도 무릅쓸 생각입니다.

　우리는 정부가 지닌 최대한의 능력을 기울여 귀하를 지원할 것입니다. 그러한 노력은 비단 귀하뿐만 아니라 모든 지휘관에게 똑같이 행해져 왔고, 또 앞으로도 행해질 것입니다. 귀관의 언동에 영향을 받아 군대

내에서 상관을 비판하고 사기가 떨어지는 풍조가 일어 그것이 귀관에게 되돌아가는 것이 아닌가 걱정이 됩니다만, 나는 될 수 있는 한 귀관을 도와 그와 같은 사태발생을 막으려고 합니다.

그러한 풍조가 군대에 팽배해 있다면 귀관이나 또는, 나폴레옹이 다시 살아난다 하더라도 우수한 군대를 만드는 것은 불가능할 것입니다. 그러니 경솔한 언동은 삼가 주십시오. 경거망동을 삼가고 전심전력을 다하여 우리에게 승리를 안겨주기 부탁하는 바입니다.

우리는 캘빈 쿨리지도 아니고 맥킨리도 링컨도 아니다. 우리는 이러한 철학이 일상적인 비즈니스 거래에서 사용 가능한 것인지 알고 싶은 것이다. 가능한 것일까? 문제를 살펴보기로 하자. 와크 건축회사의 가우의 예를 들어보겠다.

와크 건축회사는 필라델피아에서 대규모의 사무실 빌딩 신축공사를 청부 받아 특정기일까지 공사를 완성하기로 되어 있었다. 공사는 예정대로 진행되어 거의 완성단계에 들어갔다. 그때 갑자기 외장공사에 사용할 청동장식 세공을 맡은 하청업자가 납품기일을 지킬 수 없다고 통보해 왔다. 큰일이었다. 빌딩 전체의 공사를 중단해야 하지 않은가. 막대한 벌과금은 어떻게 하지. 엄청난 손해다. 그것도 한 사람 때문에!

장거리 전화를 걸어 논쟁을 해봤으나 별 소용없었다. 그때 가우가 청동사자를 잡기 위해 사자굴인 뉴욕으로 파견되었다.

"사장님과 같은 이름을 가진 사람은 브루클린에 사장님뿐이라는 사실을 알고 있었습니까?"

가우는 자기소개가 끝난 뒤 하청회사 사장에게 물었다. 사장은 놀라서 되물었다.

"아니오, 전혀 몰랐는데요?"

"아침에 기차에서 내려 사장님 주소를 알기 위해 전화번호를 보았더니 같은 이름을 가진 사람은 한 명도 없더군요." 하고 가우가 말했다.

"저는 전혀 모르는 일인데요." 하고 그는 신기한 듯이 말했다. 그리고는 흥미를 느끼는 듯 책상에 놓인 전화번호부를 뒤적였다.

"제 이름이 약간 희귀한 이름이니까요." 하며 자랑스러운 듯 말했다.

"우리 집안은 약 200년 전에 네덜란드에서 이민을 와 뉴욕에 정착했지요."

그는 몇 분 동안 가족과 조상들에 관한 이야기를 계속했다. 하청회사 사장이 이야기를 끝냈을 때, 가우는 자신이 방문했던 다른 공장들과 비교해 볼 때 그의 공장이 얼마나 큰지 칭찬했다.

"제가 본 청동 공장 중에서 가장 청결하고 정리정돈이 잘 된 공장 중 하나군요." 하고 가우는 말했다.

"나는 이 사업에 평생을 바쳤기 때문에 이 공장을 아주 자랑스럽게 생각합니다. 공장안을 둘러보시겠습니까?" 하고 사장이 말했다.

공장을 견학하는 동안, 가우는 공정이 능률적이라고 칭찬을 하고 경쟁 업체들과 비교해서 무엇이 어떻게 뛰어난가를 이야기했다. 가우는 처음 보는 기계들에 대해서 질문하고, 하청업자는 그 기계들은 자신의 발명품이라고 설명했다. 그는 기계들을 직접 운전해 보여 주면서 우수성에 대해 설명하였다. 하청회사 사장은 가우에게 점심 식사를 굳이 함께하자고 고집했다. 그때까지도 가우는 방문목적에 대해선 한마디도 언급하지 않았다는 것을 유의해 주기 바란다. 점심 식사가 끝나자 사장은 이렇게 말했다.

"그럼 이제 일에 관해 이야기해 볼까요. 물론 저도 당신이 온 목적을 알고 있습니다. 저는 우리의 회합이 이렇게 즐거운 것이 될 줄은 몰랐습니다. 당신은 그냥 필라델피아로 돌아가셔도 좋습니다. 다른 주문이 늦어지더라도 당신의 물건만은 기일 내에 꼭 완성해 보내드릴 것을 약속하겠습니다."

가우는 요구조차 하지 않고 자신이 원하는 것을 얻을 수 있었다. 물건은 제 날짜 안에 도착했으며, 건물은 약속기간 내에 완공되었다.

그가 그러한 상황에서 흔히 보듯이 강압적인 태도를 취했다면, 과연 이러한 결과를 도출할 수 있었을까.

신용조합 지점장 도로시 러블류스키는 우리 강좌에서 어떻게 한 종업원의 생산성을 향상시킬 수 있는지에 대해 보고했다.

"최근에 한 젊은 여성을 견습 출납원으로 채용했습니다. 고객을 대하는 태도도 훌륭했고 개인구좌를 다루는데도 정확하고 능률적이었습니다. 문제는 마감시간이 되어 장부를 맞출 때 일어났습니다.

출납계장이 나에게 와서 그녀를 당장 파면시키겠다고 강력하게 주장했습니다. 장부를 맞추는 것이 너무 느려 다른 사람 모두가 지체되고 있다는 것이었습니다. 답답해서 몇 번을 되풀이해 가르쳐 주었는데도 전혀 이해를 못한다는 것이었습니다.

다음 날 저는 그녀가 정확하고 신속하게 고객들과 개인구좌를 처리하는 것을 지켜보고 있었습니다. 고객들에게도 더할 수 없이 친절했습니다.

그녀가 장부를 맞출 때 왜 느린가를 알아내는 데는 오랜 시간이 걸리지 않았습니다. 사무실 문이 닫힌 뒤, 제가 그녀에게 다가가자 몹시 긴장하며 혼란스러운 모습이었습니다.

저는 그녀에게 고객을 대하는 태도가 아주 친절하고 사교적이어서 보기 좋다고 칭찬하고, 일할 때도 정확하고 빨라서 좋다고 칭찬해 주었습니다. 그 다음에 입금과 출금을 맞출 때 우리가 사용하고 있는 방법을 상세히 설명해 주었습니다.

그녀는 일단 제가 자신을 신뢰하고 있다는 것을 깨닫게 되자 저의 지시를 쉽게 이해하고 그 방법을 곧 터득했습니다. 그 이후 그녀는 아무런 문제없이 일을 잘하고 있습니다."

칭찬으로 일을 시작하는 것은 마취를 한 후 일을 시작하는 치과의사와 같다. 환자는 이를 뽑히지만 마취제가 아픔을 억제해 주고 있는 것이다.

지도자는 그러한 방법으로 사람을 다루어야 한다.

원칙1
칭찬과 감사의 말로 시작하라.

2
미움을 사지 않고
비평하는 방법

찰스 슈왑은 그의 제철공장을 돌아보고 있던 중 종업원 몇 명이 담배를 피우고 있는 모습을 보게 되었다. 그들의 머리 위엔 '금연'이라는 푯말이 붙어 있었다. 슈왑이 팻말을 가리키며 "당신들은 글씨도 못 읽나?" 하고 말했을까. 천만의 말씀이다. 그는 그럴 사람이 아니었다.

그는 그들에게 다가가 담배를 한 개비씩 주고는 "밖에 나가 피워주면 참 고맙겠네, 여보게들." 하고 말했다.

그들이 규칙을 어긴 것을 알고 있음에도 불구하고 그 점에 대해서는 일언반구도 없이 오히려 조그만 선물까지 해서 그들의 자기 중요감을 깨닫게 해준 슈왑을 종업원들은 존경하게 되었다. 이런 사람을 좋아하지 않을 수 있을까.

존 워너메이커도 똑같은 방법을 사용했다. 그는 매일 필라델피아에 있는 자신의 가게를 둘러보곤 했다. 그러던 어느 날, 손님이 혼자 카운터에서 기다리고 있는 것을 보게 되었다. 아무도 그 여자 손님을 거들떠보지 않았다. 점원들은 무엇을 하고 있었을까. 점원들은 카운터 구석에서 잡담을 하느라 정신이 없었다. 워너메이커는 아무 말도 하지 않았다. 카운터 뒤쪽으로 살그머니 들어가 손님을 직접 받고 나서는 점원에게 물건을 포장하라고 건네주고는 나가 버렸다.

공직자들은 지역주민들의 편의를 못 맞춰 준다는 이유로 가끔 비난의 대상이 된다. 그들이 바쁜 일정에 쫓기고 많은 방문객으로부터 시달리게 되는 것을 막기 위해 과잉보호하는 보좌관들에게 잘못이 있는 경우가 있다.

디즈니 월드의 고장인 플로리다의 올랜도 시에서 여러 해 동안 시장을 지낸 카알 랭코드는 사람들이 자신을 자주 만나볼 수 있도록 하라고 보좌관에게 말했다. 시장이 개방주의 정책을 펴고 있는데도 지역주민들이 그를 찾아오면 비서관들과 사무관들은 그들을 제지했다.

마침내 랭코드 시장은 해결책을 찾았다. 그는 자신의 사무실 문을 아예 없애 버렸다. 그러자 비로써 보좌관들도 시장의 심중을 헤아리게 되었으며, 문이 상징적으로 제거 된 바로 그날부터 시장은 참된 개방정책을 펴게 되었다.

세 글자로 된 단어를 어떻게 쓰느냐에 따라 상대방의 기분을 언짢게 하거나, 비난을 받지 않고서도 상대방의 기분을 편하게 만들 수도, 그렇게 만들지 못할 수도 있다.

많은 사람들이 비난을 하기 시작할 때, 처음에는 솔직한 칭찬을 하다 '그러나'란 단어와 함께 비난하는 말로 끝을 맺는다. 예를 들면 아이의 산만한 학습태도를 고칠 때 이렇게 말한다.

"자니야, 이번 학기에 성적이 올라가 네가 정말 자랑스럽구나. 그러나 산수를 조금만 더 열심히 하면 성적이 더 좋아질 거야."

이런 경우 아이는 '그러나' 소리를 듣기 전까진 자신감이 생길지도 모른다. 그러고 나서 원래의 칭찬의 순수성에 의문을 갖게 될 것이다. 그에게는 그러한 칭찬의 말이 나쁜 성적을 비난하기 위해 꾸며낸 궁여지책의 서론에 불과한 것처럼 보일지도 모른다. 그렇게 되면 신뢰감이 없어지고 아이의 학습 태도를 고쳐 보겠다는 목적은 이룰 수 없을 것이다.

이런 경우 '그러나'를 '그리고'로 바꾸어 말한다면, 이 문제는 쉽게 해결될 수 있다.

"자니야, 이번 학기에 성적이 올라가 네가 정말 자랑스럽구나. 그리고 다음 학기에도 꾸준히 노력한다면 산수 성적도 올라갈 것이 틀림없어."

나쁜 성적에 대한 언급이 뒤따르지 않았기 때문에 아이는 칭찬의 소리를 제대로 받아들일 것이다. 앞으로 바라는 아이의 행동도 간접적으로 암시해 줬기 때문에 아이는 기대에 어긋나지 않도록 노력할 것이다.

간접적으로 실수를 암시하는 방법은 직접적인 비난에

화를 내는 예민한 성격의 사람들에게 놀라운 효과가 있다.

마지 제이콥 부인은 집을 증축할 때 인부들이 일과를 끝낸 후, 어떻게 주변 정리를 깨끗이 했는지에 대해 강좌에 나와 들려주었다.

공사를 시작하고 며칠 동안, 제이콥 부인은 직장에서 귀가하면서 앞뜰에 나뭇조각들이 널려져 있는 것을 보았다. 훌륭한 솜씨를 가진 일꾼들이었기 때문에 화를 내고 싶지 않았다. 그래서 그들이 퇴근한 후 아이들과 함께 나뭇조각들을 주워 한쪽에 쌓아 놓았다. 그 다음 날 아침 부인은 십장을 한쪽으로 불러 "어제는 앞뜰을 저렇게 깨끗이 치워 주셔서 정말 기쁘군요. 이웃에게도 전혀 폐가 안 되었어요." 하고 말했다.

그날 이후부터 인부들은 일과 후 남은 나뭇조각들을 주워 한 쪽에 반듯하게 쌓아 놓았다. 그리고 십장도 앞뜰이 깨끗한지 조사하기 위해 매일 집안에 들어와 묻곤 했다.

예비군과 현역교관들 사이에 말다툼이 생기는 가장 주된 이유는 머리 모양 때문이다. 예비군들은 자신을 민간인이라고 생각하기 때문에 짧게 깎기를 싫어한다.

제542예비역 교육대의 카이저 상사는 예비역 하사관들을 지휘할 때 바로 이러한 문제에 부딪히게 되었다. 고참 현역 상사인 그가 고함을 지르거나 위협을 가할 것이라고 다들 예상했지만, 그는 넌지시 암시하는 방법을 택했다.

"귀관들은 리더이다. 모범적이어야만 효과적으로 리드를 할 수 있는 것이며 마땅히 부하들의 모범이 되어야한다. 귀관들은 머리모양에 관한 규칙을 숙지하고 있을 것이다. 귀관들 머리보다는 더 짧지만 내 머리부터 당장 자르겠다. 거울을 한번 보라. 만약 모범을 보이기 위해 머리를 잘라야겠다고 생각하면 귀관들이 부대 내의 이발관에 갈 수 있도록 시간을 내 주겠다." 하고 카이저 상사가 말했다.

결과는 예상대로였다. 몇몇 하사관이 거울을 본 후 이발관에 가서 규칙대로 머리를 잘랐다. 카이저 상사는 그 다음 날 아침, '몇몇 하사관'에게 이미 지휘관으로서의 자질을 엿볼 수 있다고 말해 주었다.

1887년 3월 8일. 뛰어난 설교가인 헨리 워드 비처가 사망했다. 그 다음 월요일 아침, 비처의 사망으로 비어버린 선교대에서 연설을 해달라는 부탁이 라이언 애보트에게 왔다. 최선을 다 해 보려는 나머지 소심할 정도로 내용을 지우고 고치고 다시 쓰는 일을 되풀이했다. 그러고 나서 아내에게 읽어 주었다. 글로 쓴 설교문이 대개 그렇듯 그 글도 형편없었다. 아내가 사려 깊지 못한 여자였다면 이렇게 말했으리라.

"정말 형편없군요. 이런 내용이라면 사람들이 전부 하품을 할 거예요. 이건 뭐 백과사전을 읽는 것 같군요. 몇 년을 설교를 했는데 아직 이 모양이니 원, 아니 사람이 말하는 것처럼 할 수는 없어요? 자연스럽게 말이에요. 이런 내용을 읽는다면 망신만 당할 거예요."

그의 아내는 이렇게 말할 수 있었다. 하지만 그 다음의 사태는 짐작되고도 남는다. 아내도 이 점을 익히 알고 있었다. 그래서 남편의 글이 《노스 아메리칸 리뷰》지에 실리면 훌륭한 기사가 될 것이라는 말만 했다. 다시 말해 칭찬을 하면서도 한편으로는 글이 논문이라면 몰라도 연설문으로는 적당하지 않다는 것을 넌지시 암시했던 것이다.

애보트는 그 뜻을 이해하고 열심히 준비했던 연설문을 찢어버리고 노트도 사용하지 않은 채 연설을 했다.

사람의 실수를 바로잡아 주는 데 진정으로 효과적인 방법은 잘못을 간접적으로 알게 하는 데 있는 것이다.

원칙2

잘못을 간접적으로 알게 하라.

3
자신의 실수를
먼저 이야기하라

조카인 조세핀 카네기가 내 비서가 되려고 뉴욕에 왔다. 그녀는 19살로 3년 전에 고등학교를 졸업했지만 직장경험이라고는 전혀 없었다. 훗날 조세핀은 수에즈 서부지역에서 가장 유능한 비서가 되었지만 처음에는 너무 미숙했다. 어느 날, 그 애를 야단치려고 할 때 나는 자신에게 이렇게 말했다.

'데일 카네기, 기다려, 기다려 보라고! 자네는 그녀보다 두 배는 많은 나이지 않은가. 일의 경험도 비교할 수조차 없지. 어떻게 어린 그녀에게 자네가 가진 생각, 판단, 창의력 등을 기대할 수 있겠는가. 그러니 이봐 데일, 잠시만 참아보게나. 자네는 19살 때 어떠했지? 자네가 저지른 우둔하기 짝이 없는 실수들이 기억나지 않는가. 여러 가지로 미흡했던 일들이 기억나지 않느냐고.'

나는 그 문제들을 놓고 솔직하게 심사숙고 한 뒤, 조세핀이 내가 19살 때보다 더 나을 뿐더러 말하기 부끄럽지만, 그런 그녀에게 칭찬 한번 제대로 해주지 못했다는 결론을 내렸다.

그 이후부터 그녀의 실수에 대해 말하고 싶을 때, 나는 "조세핀, 실수를 했구나. 하지만 내가 저질렀던 실수에 비하면 아무것도 아니야. 판단력은 태어날 때부터 있는 게 아니라 경험을 통해 생기는 것이지. 네 나이 때의 나는 아무것도 몰랐어. 멍청하고 어리석었던 나 자신이 부끄럽게 생각되기 때문에 너를 나무랄 생각은 없단다. 그렇지만 네가 이렇게 해본다면 더 현명한 일이 아니겠니?" 하고 말문을 열곤 했다.

야단을 치는 쪽이 먼저 자기 또한 완벽한 사람이 아니라는 것을 인정하면서, 상대방의 실수를 지적해 주면 별로 듣는 데 거북하지 않을 것이다.

　엔지니어인 딜리스톤은 새로 들어 온 비서 때문에 골치를 썩고 있었다. 편지를 비서에게 타이핑하게 한 후 서명을 할 때면, 쪽당 두세 군데에서 오타가 보였다. 딜리스톤은 이 문제를 어떻게 해결했는지 말해 주었다.

　"저도 다른 엔지니어들처럼 영어에 서툴렀고 철자도 정확하지 못했지요. 그래서 저는 몇 해 동안 자주 틀리는 철자만 모아 놓은 색인사전을 갖고 활용했습니다. 비서에게 오자를 지적해 준다 하더라도 그녀가 교정과 사전 찾는 일을 잘 할 거라는 보장도 없고 해서, 다른 방법을 강구하기로 했습니다. 다음 번 편지에도 오자가 찍힌 것을 보고 저는 그녀와 마주 앉아 이렇게 말했습니다. '이 글자는 틀린 것 같은데…… 나도 항상 틀리던 글자야. 그래서 이 사전을 갖게 되었지(사전을 펴 보이면서). 맞아. 여기 있군. 글씨나 오자를 보고 판단하는 사람들은 우리를 직업의식이 투철하지 못하다고 여기겠지. 그래서 나는 철자에 대해 무척 신경을 쓰는 편이야.'

그녀가 내 방식대로 따라했는지는 모르겠지만 그 이후
부터는 오자를 치는 횟수가 현저하게 줄더군요."

기품이 넘치는 베르하르트 폰 뷜로 왕자도 이미 1909년에
이런 일을 해야 하는 절대적인 필요성에 대해 배웠다. 당시
폰 뷜로는 독일제국 수상이었는데 국왕은 빌헬름 2세였다.
오만하고 안하무인격이며 독일 최후의 황제로서 살쾡이보
다 더 날쌘 육군과 해군을 육성하고 있다고 자랑하던 바로
그 빌헬름 2세.

그때 놀랄 일이 벌어졌다. 황제가 도저히 믿기 어려운 폭
언을 한 것이다. 유럽대륙을 뒤흔들고 세계도처에서 큰 반
향을 일으킨 사건이었다. 사태의 결정적인 악화는 황제가
대중 앞에서 한 우매하고 자기중심적이며 앞뒤가 맞지 않
는 발표 때문이었다. 그것도 영국을 공식 방문한 자리에서
였으며 그 발표를《데일리 텔레그래프》지에 게재해도 좋다
고 윤허까지 내렸던 것이다.

예를 들어 황제는 자기가 영국인들에게 호감을 갖고 있
는 유일한 독일인이라고 선언했는가 하면, 일본의 위협에

대처하기 위해 대 해군을 육성했다든가, 영국이 러시아와 프랑스로부터 굴욕을 당할 뻔했을 때 자신이 구해주었다느니, 영국이 로버트 경으로 하여금 남아프리카의 보어 족을 무찌르게 한 일이 사실은 자신의 정복계획이었다는 등등의 발언을 했던 것이다.

평화로울 때, 유럽의 한 국왕 입에서 그렇게 놀라운 말이 흘러나온 것은 최근 100여 년간 한 번도 없었던 일이어서, 대륙 전체가 마치 벌집을 쑤셔 놓은 것처럼 야단법석이었다.

영국은 격분했고 독일 정치가들은 망연자실했다. 소란을 일으킨 황제는 당황하며 폰 뷜로 왕자에게 책임을 떠넘겨 버렸다. 황제는 왕자가 이 모든 것이 자기 책임이며 자신이 국왕에게 허무맹랑한 사실을 이야기하도록 조언했노라고 발표하기를 원했던 것이다.

그런데 폰 뷜로 왕자는 이렇게 항의했다.

"폐하, 제가 생각하기에는 독일이나 영국의 그 누구도 감히 제가 폐하께 그런 발언을 하도록 조언할 수 있으리라고는 생각하지 않을 것입니다."

왕자의 말을 들은 황제는 자신이 엄청난 실수를 저질렀음을 깨닫고 화를 벌컥 냈다.

　"경의 말뜻은 내가 도저히 저지를 수 없는 실수를 저지른 바보라는 거로군!" 하고 황제는 소리쳤다. 폰 뷜로는 황제를 비난하기에 앞서 칭찬을 먼저 했어야 했음을 깨닫게 되었다. 그러나 이미 때는 늦었다. 그는 차선책을 강구했다. 비록 비난한 후지만 칭찬을 늘어놓았던 것이다. 그리고 그것은 기적을 이루어 냈다.

　폰 뷜로 왕자는 황송스러운 듯 대답했다.

　"그럴 리가 있겠습니까. 현명하신 폐하를 어떻게 제가 감히 따라갈 수 있겠습니까. 해양이나 군대에 대한 지식은 두말할 것도 없고 무엇보다도 자연과학에 있어서 더욱 그렇습니다. 전 폐하께서 무선전신이나 기압계 또는 뢴트겐선에 대해 설명하시는 것을 들을 때마다 감탄을 금치 못했습니다. 저는 자연과학 분야에 대해서는 창피할 정도로 무식하고, 화학이나 물리학도 마찬가지이며 자연현상의 단순한 이치를 설명하는 것도 저로서는 도저히 불가능한 일입니다. '그러나'," 하고 폰 뷜로는 계속 말을 이어갔다.

"역사에 대한 지식은 조금 갖고 있는 편이어서 정치학 특히, 외교 분야에 있어서는 약간의 유용한 지식을 갖고 있습니다."

황제는 밝은 미소를 지었다. 왕자는 황제를 극구 칭찬하면서 자신을 낮추었던 것이다.

그러자 황제는 그 어떤 일도 다 용서할 수 있었다. 황제는 흥분하여 이렇게 말했다.

"그래서 자네와 난 천생인연이라고 내가 말하지 않았는가. 우리는 서로 도와야 하니 그렇게 하세!"

황제는 폰 뷜로의 손을 잡고 몇 번이고 흔들며 악수를 나누었다. 그날 오후 황제는 흥분한 나머지 주먹을 불끈 쥐고는 "만일 나에게 왕자를 이간하는 자가 있다면 코를 한 방 멋지게 갈겨주겠노라!" 하고 외쳤다.

다행히도 폰 뷜로는 화를 모면했지만, 빈틈없어야 할 외교관으로서 한 가지 실수를 범한 것이다. 처음부터 황제를 바보로 취급하는 이야기가 아닌, 자신의 부족한 점과 황제의 뛰어난 점에 대한 이야기로 먼저 시작했어야 했다.

자신을 낮추고 상대방을 칭찬해 주는 몇 마디 말이 모멸

감을 느낀 거만한 황제를 다시없이 다정한 사람으로 만들
수 있었다. 겸손과 칭찬이 우리 생활에서 어떤 결과를 빚어
낼지 다시 한 번 상상해 보라. 적절히 사용한다면 인간관계
에 정말로 기적을 만들 수 있을 것이다.

　자신의 실수를 인정하면 비록 그 실수를 계속 범하고 있
더라도 다른 사람의 행동을 바꿀 수 있다.

　15세의 아들이 담배를 피운다는 사실을 안 엄마가 이러
한 방법을 썼다.

　"물론 저는 아들이 담배 피우는 것을 원치 않습니다. 그
런데 엄마인 저는 담배를 피웠지요. 말하자면 제가 아이에
게 나쁜 본보기를 보인 셈이죠. 저는 아들에게 내가 그 애
나이 또래에 담배를 피우기 시작했던 일과 니코틴 때문에
건강을 해치게 된 상황과, 이제는 담배 끊기가 불가능해졌
다는 것을 설명해 주었습니다. 기침을 할 때의 괴로움이란
이루 말할 수 없고, 몇 년 전까지만 하더라도 네가 나에게
담배를 끊으라고 하지 않았느냐 같은 이야기도 했습니다.
저는 아들에게 담배를 끊으라고 설교하거나 흡연의 위험성

에 대해 협박이나 경고 따위는 하지 않았습니다. 그저 어떻게 해서 내가 담배에 중독되었고 그 결과가 어떠했는지를 설명한 것뿐이었지요.

아들은 잠시 생각하더니 고등학교 졸업할 때까지는 담배를 피우지 않겠다고 했습니다. 세월이 지났지만 아들은 더 이상 흡연을 하지 않았고 담배를 피울 생각조차 하지 않습니다. 그 대화 이후 저 자신도 담배를 끊기로 결심했고 가족의 도움을 받아 드디어 담배를 끊는 데 성공했습니다."

훌륭한 리더는 다음의 원칙을 따른다.

원칙3
상대방을 비평하기 전에 자신의 잘못을 먼저 인정하라.

4
아무도 명령받기를
좋아하지 않는다

미국 전기 작가 협회장인 아이다 타벨 여사와 식사를 할 기회가 있었다. 내가 이 책을 집필하는 중이라고 말하자 화제는 자연스럽게 인간관계에 관한 주제로 옮겨져 활발하게 의견교환을 하였다. 그녀는 오웬 D. 영의 전기를 쓸 당시 영과 같이 3년간 같은 사무실에서 근무한 사람과 인터뷰를 했다고 하였다. 그의 말에 의하면 영은 누구에게든 직접적으로 명령한 적이 없다고 했다. 명령이 아니라 제안을 했다는 것이다.

영은 "이렇게 하시오. 저렇게 하시오." 또는 "이렇게 하지 마시오. 저렇게 하지 마시오."하는 식의 이야기는 결코 하지 않았다고 한다. 그 대신 이렇게 말하곤 했다. "이렇게 생각해 볼 수도 있지 않을까요?" 또는 "그렇게 하면 될까요?" 편지를 구술한 뒤에도 "이 점에 대해서 어떻게 생각하십니까?" 하고 묻곤 했다. 직원이 기안한 공문을 보고 나서는 "이렇게 하면 더 좋을 것 같은데." 하고 말하곤 했다. 그는 언제나 사람들에게 스스로 일할 기회를 주었다. 결코 직원들에게 일을 하라고 시킨 적이 없다. 스스로 실수를 통해 배우도록 했다.

이러한 방법은 사람들로 하여금 잘못을 쉽게 바로잡을 수 있도록 해준다. 상대방의 자존심을 세워주고 자기중요성을 갖게 해주며 반감 대신 협조를 구할 수 있게 된다. 함부로 내리는 명령으로 생겨난 불쾌감은 오래 지속된다. 분명한 나쁜 상태를 바로 잡기 위한 명령일지라도!

실업학교 교사인 댄 산타렐리는 교내 매점 입구에 한 학생이 불법주차로 매점진입로를 막아 버렸던 일에 대해 이야기하였다. 다른 교사 한 명이 교실을 박차고 들어와 거만한 목소리로 "진입로를 막고 있는 차가 누구 차야?" 하고 소리쳤다. 그 학생이 대답하자 그 선생은 꽥 소리를 지르면서 말했다.

"차를 당장 치워. 당장! 안 채우면 차에 체인을 감아 끌어낼 테니까."

그 학생이 분명 잘못했다. 그곳에 차를 세워두면 안 되는 것이었다.

그러나 그날 이후, 그 선생이 하는 일에 그 학생이 반발하였을 뿐만 아니라 그 반의 모든 학생들이 반발해서 그 선생은 모든 일에 불편을 겪었다.

그 선생은 그 상황을 다른 방법으로 해결할 수는 없었을까? 만일 그가 다정하게 "진입로의 차가 누구 것이지?" 하고 물으면서 사람들이 드나들 수 있도록 차를 옮겨 주면 좋겠다고 말했으면 그 학생은 기꺼이 그렇게 했을 것이고, 급우들도 기분이 상하거나 반감을 품지는 않았을 것이다.

질문은 명령을 보다 부드럽게 만들어 줄 뿐 아니라 창의력을 자극하기도 한다. 사람들은 명령을 내리는 결정에 자신들이 참여하게 되면 그 명령을 쉽게 받아들이는 경향이 있다.

　이안 맥도널드는 정밀기기 부품을 전문으로 생산하는 조그만 공장의 공장장이었는데, 대규모의 주문을 받게 되었다. 하지만 아무리 궁리해 보아도 납품기한을 맞출 수 없을 것 같았다. 주문을 받아들이기에는 역부족이었다. 그러나 해 보고 싶었다.

　그래서 그는 직공들을 독려해 전력을 다해 주문량을 달성하기 위해 모두를 한 곳에 모아놓고 상황설명을 하였다. 그리고는 제 날짜에 주문량을 생산할 수만 있다면 회사와 본인들에게 얼마나 이득이 되는지에 관해서도 말해 주었다. 그리고 나서 질문을 하기 시작했다.

　"우리가 이 주문량을 처리할 방법이 정말 없을까요?"

　"이 주문을 받아들일 수 있도록 할 획기적인 생산방식을 누가 생각해 낼 수 있습니까?"

　"작업시간이나 개인별 임무를 조정할 방법은 없을까요?"

　직공들은 여러 가지 아이디어를 내놓았고, 그 주문을 받아들이라고 했다. 그들은 '할 수 있다'는 태도로 그 문제에 임했고, 따라서 주문량을 제 날짜에 납품할 수 있었다.

능률적인 지도자는 다음의 원칙을 사용한다.

원칙4
직접적으로 명령하지 말고 요청하라.

5
상대방의
체면을 세워 주어라

제너럴 일렉트릭 사는 찰스 스타인메츠를 부서장 자리에서 내보내야 하는 상황에 처하게 되었다. 그는 전기에 관해서는 천재였으나 기획 부서장으로서는 적격인물이 아니었다. 그러나 회사는 그의 감정을 상하게 하고 싶지 않았다.

그는 필요한 존재였으며 무척 예민한 성격이었으므로 회사에서는 새로운 직책을 주었다. 담당하는 일은 같았지만 회사의 고문 엔지니어라는 새로운 직책을 부여하고 그가 맡았던 부서장 자리는 다른 사람에게 맡겼다. 스타인메츠는 전혀 기분이 상하지 않았다.

회사의 간부들 역시 기분이 좋았다. 회사로서는 가장 성미가 괴팍한 인물의 인사문제를 그 사람의 체면을 세워줌으로써 아무 탈 없이 처리한 것이었다.

체면을 세워 주는 일! 더 할 나위 없이 중요한 일이다. 그런데도 이 문제에 대해 심사숙고하는 사람들이 우리 주위에 얼마나 될 것인가. 우리는 상대방의 자존심의 상처 따윈 아랑곳 없이 감정을 짓밟고 자기주장만 내세우며, 남들 앞에서 함부로 꾸짖고 윽박지르며 비난한다.

이와는 반대로 진지한 사고 끝에 사려 깊은 한두 마디의 말, 또는 상대방의 태도에 대한 진실된 이해는 이러한 상황을 크게 바꾸어 놓을 것이다.

종업원을 해고하거나 꾸짖어야 할 달갑지 않은 상황에 처할 때 이 말을 기억하도록 하자.

해고하는 일은 괴로운 일이다. 하물며 해고당하는 일이란 더 괴로운 일이다.

공인 회계사인 그랜저가 내게 보낸 편지에서 한 말이다.

"우리가 하는 비즈니스는 일정한 시기를 타는 경우가 많습니다. 예를 들어 소득세 신고 기간이 끝나면 많은 사람들을 해고해야 합니다. 이 계통의 직업인들은 해고하기를 좋아하는 사람은 없다고 말합니다. 그래서 될 수 있으면 그 일을 빨리 마무리 짓는 습관이 생겼죠.

대개는 시작하는 말이 이렇습니다.

'여기 앉으시죠 스미스 씨. 이젠 세금철도 끝났고 당신이 해야 할 일도 더 이상 없는 것 같습니다. 하기야 바쁜 한철 동안만 고용되었음을 아시고 계셨겠지만……'

이런 말을 들으면 이들은 실망과 함께 '버림받은 느낌'을 갖게 됩니다. 대부분 평생을 회계 분야에 종사한 사람들이며, 자신을 그토록 아무렇지도 않은 듯 해고하는 회계 법인에 대해 특별한 애정을 가질 리가 없습니다.

최근에 저는 임시직 직원들을 좀 더 지혜롭고 사려 깊은 방법으로 해고하기로 마음을 정했습니다. 그래서 한 사람씩 면담을 할 때마다 우선 그 사람이 세금 시즌에 한 일에 대해 곰곰이 생각해 봅니다. 그리고는 이렇게 말문을 열었습니다.

'스미스 씨, 일을 참 잘 해 주셨습니다. 지난 번 뉴욕의 일은 매우 어려운 일이었죠. 그런데도 그처럼 훌륭하게 일을 처리해 주셔서 우리 회사에서는 당신을 무척 자랑스럽게 여기고 있습니다. 워낙 능력이 뛰어난 분이니 어디에서 일하시든지 잘 해 내실 겁니다. 우리 회사는 당신의 능력을 믿으며 당신을 성원하고 있다는 점을 잊지 마시기 바랍니다.'

그 효과가 어땠냐고요? 사람들은 해고 후에도 훨씬 좋은 감정으로 떠날 수 있었습니다. 버림받은 느낌이 들지 않았던 것이죠. 그들은 우리 회사가 시킬 일자리가 있다면 해고하지 않았을 것이라는 점을 알고 있었습니다. 그러므로 우리가 다시 그들을 필요로 할 때는 따뜻한 애정을 가지고 우리를 찾아오게 됩니다."

우리 강좌에서 다른 사람을 비난할 경우의 부정적인 효과와, 체면을 세워 줄 경우의 긍정적인 효과에 대해 두 사람의 반원들이 토론을 벌인 적이 있었다. 클라크는 자기회사에서 일어난 일을 이렇게 말했다.

"회사의 생산회의에서 부사장이 생산 감독자에게 생산

공정에 대한 날카로운 질문을 던졌습니다. 부사장은 강압적인 목소리로 감독자의 잘못을 꼬집어 내려 했습니다. 감독자는 동료들 앞에서 무안당하기 싫어 대답을 얼버무렸습니다. 부사장은 화를 내었고, 감독자를 거짓말쟁이로 몰아세웠습니다.

그 회의가 열리기 이전의 두 사람 사이의 모든 신뢰감은 그 짧은 순간 모조리 파괴되었습니다. 전에는 일을 잘해내던 감독자는 그 이후로 회사에서 쓸모없는 사람이 되어 버렸습니다. 몇 달 후 감독자는 다른 경쟁사로 전직하게 되었는데, 제가 듣기로는 지금 그곳에서 아주 일을 잘하고 있다고 합니다."

또 다른 반원인 마조네는 자신의 직장에서 그와 비슷한 일이 있었지만 대처방식의 차이에 따라 결과가 엄청나게 달라진 경우를 얘기했다. 마조네는 식품포장회사의 마케팅 전문가였는데, 신상품을 테스트 마케팅 하는 첫 중대한 임무가 그녀에게 주어졌다. 마조네 양은 우리 강좌에서 다음과 같이 말했다.

"실험결과를 본 저는 당황했어요. 기획단계에서 중대한

실수를 저질렀고, 실험전체를 다시 해야 할 지경에 처했지요. 엎친 데 덮친 격으로 이 프로젝트에 대해 보고하게 되어 있는 회의가 열리기 전까지도 저는 상사와 이 문제를 협의할 시간조차 없었습니다.

보고를 하라는 말을 들었을 때 저는 두려움으로 몸이 떨렸습니다. 눈물이 쏟아지려 했지만, 역시 여자란 관리직에는 부적합하다는 남자들의 눈총에 당당하려고 참아냈습니다.

저는 보고를 간단히 끝낸 후, 실수를 범했기 때문에 다음 번 회의 때까지 다시 연구하겠노라고 말했습니다. 상사가 펄쩍 뛸 것이라고 예상하면서 자리에 앉았습니다.

그러나 상사는 오히려 제가 한 일에 대해 고맙다고 하더니 새로운 프로젝트를 맡을 땐 실수도 하는 법이라면서, 다시 하는 연구는 정확히 될 것이고 회사에도 도움이 될 것으로 확신한다고 말하는 것이었어요. 상사는 동료들이 보는 앞에서 저를 신뢰하고 있으며 제가 최선을 다 했음을 알고, 실패의 원인은 능력부족이 아니라 경험부족이라고 확인시켜 주었습니다.

회의장을 나오면서 전 자신감을 느꼈습니다. 다시는 그 상사를 실망시켜 들리지 않으리라 굳게 다짐했죠."

설령 내가 옳고 상대방이 분명 잘못했다 하더라도 그 사람의 체면을 손상시키면 곧 자존심에 상처를 주게 된다. 프랑스의 전설적인 비행사이자 작가인 생떽쥐베리는 이런 글을 썼다.

"누구에게도 그 자신을 과소평가하도록 만드는 말이나 행동을 할 권리가 내게는 없다. 중요한 것은 내가 그 사람을 어떻게 생각하느냐가 아니라 그가 그 자신을 어떻게 생각하느냐이다. 사람의 존엄성에 상처를 주는 것이야말로 죄악이다."

진정한 지도자는 다음의 원칙을 언제나 지킬 것이다.

원칙5

상대방의 체면을 세워줘라.

6
사람들을
성공으로 이끄는 법

피트 발로는 나의 오랜 친구이다. 그는 평생을 서커스와 곡마단을 따라 돌아다니며 동물 쇼를 하였다. 나는 피트가 개에게 재주를 가르치는 것을 구경하기를 좋아했다. 개가 잘하면 피트는 쓰다듬고 칭찬해 주면서 고기를 던져주고 추켜올려 주었다.

동물 조련사들은 오랫동안 이 방법을 사용해 왔다. 새로운 방법이 아니다. 그런데 이 상식을 사람을 변화시키려고 할 때는 왜 적용하지 않는 것일까? 회초리 대신 고기를, 비난 대신 칭찬을 왜 하지 않는가. 조그만 진전이라도 보이면 칭찬을 해주자. 그것은 그 사람을 분발하게 해 그를 더욱 발전시킨다.

심리학자인 제스 레어는 자신의 저서 『나는 대단하지 않지만 나에게는 내가 전부이다』에서 이렇게 말하고 있다.

"칭찬은 인간의 정신에 비치는 따뜻한 햇살과 같아서 칭찬 없이는 자랄 수도 꽃을 피울 수도 없다. 그런데도 우리들 대다수는 상대방에게 걸핏하면 비난을 퍼붓기 일쑤고, 주위 사람들에게 칭찬이라는 따뜻한 햇살을 주는데 인색하다."

돌이켜보면 몇 마디 칭찬이 나의 인생을 완전히 바꾸어 놓았음을 알 수 있다. 당신의 인생에는 이러한 일이 없었는가. 역사는 칭찬으로 해서 발생한 마술 같은 일들을 우리에게 수없이 보여 주고 있다.

예를 들어보자. 열 살짜리 소년이 나폴리의 어느 공장에서 일했다. 소년은 가수가 되는 것이 꿈이었지만 첫 번째 선생님이 기를 꺾어 버렸다.

"넌 노래를 할 수 없어. 가창력이 전혀 없다고. 네 목소리는 마치 문틈에서 새어 나오는 바람소리 같아."

그러나 가난한 농촌 부인에 지나지 않던 소년의 어머니는 어깨를 감싸며 칭찬해 주었다. 어머니는 아들이 노래를 잘한다고 생각하고 있으며 노래솜씨가 많이 좋아졌다고 말해 주었다. 어머니는 아들을 음악수업을 받게 하려고 열심히 일해서 돈을 저축했다. 농사꾼 어머니의 노력, 칭찬과 격려가 이 소년의 생애를 바꾸어 놓았다.

소년의 이름은 엔리코 카루소로서 그는 당대의 가장 훌륭하고 유명한 성악가가 되었다.

19세기 초 런던의 한 젊은이가 작가가 되기를 열망했다. 그러나 뜻대로 되질 않았다. 학교도 4년 이상을 다녀보지 못했고 빚을 진 아버지는 감옥에 갇히는 신세가 되었으며, 자신도 배고픔의 고통에서 헤어날 길이 없었다. 마침내 이 젊은이는 쥐가 득실거리는 창고에서 구두약 용기에 상표를 붙이는 일자리를 구하게 되었고, 밤에는 런던 빈민가를 떠돌아다니는 부랑아 두 명과 함께 음침한 다락방에서 잠을 잤다.

이 젊은이는 자신의 글재주에 너무 자신이 없었기 때문

에 사람들의 웃음거리가 되지 않으려고 한밤중에 몰래 밖으로 나가 자신의 첫 원고를 잡지사에 우송했다. 계속해 원고를 보냈으나 모두 거절당했다.

그러나 마침내 그에게도 기쁜 날이 찾아왔다. 작품이 채택된 것이다. 이 젊은이는 너무나 감격한 나머지 눈물을 펑펑 흘리며 거리를 돌아다녔다.

한 편의 글이 출판되면서 이 젊은이가 받은 칭찬과 인정은 그의 전 생애를 바꾸어 놓았다. 만일 그러한 격려가 없었다면 이 젊은이는 평생 쥐가 들끓는 공장에서 일하며 지냈을지도 모른다. 당신은 이 친구의 이름을 들어본 적이 있을 것이다. 그는 다름 아닌 찰스 디킨스였다.

런던의 또 다른 소년은 의류상 점원으로 생계를 꾸려 나갔다. 그는 새벽 5시에 일어나 가게를 청소하는 일로 시작하여 열네 시간을 노예처럼 일해야만 했다. 힘들고 지친 그는 진절머리가 났으며 2년이 지나자 더 이상은 참을 수 없어, 어느 날 아침 일어나자마자 가정부로 일하고 있는 어머니와 의논하려고 15마일을 씩씩대며 걸어갔다.

그는 미칠 것 같은 심정으로 어머니께 호소하면서 눈물

을 흘렸다. 가게에 더 이상 있느니 차라리 죽어 버리겠다고 작심했다. 그러고 나서 옛 교장 선생님한테 더 이상 살고 싶지 않다는 비관적인 편지를 썼다.

교장 선생님은 그의 총명함을 칭찬하면서 똑똑한 만큼 그에 걸맞은 일을 해야 한다면서 교사 자리를 제의했다. 그 칭찬은 소년의 미래를 바꾸어 놓았고 영문학사에 길이 남을 유산을 남기게 했다. 소년은 수없이 많은 베스트셀러 작품들을 발표했고, 펜 하나로 백만장자가 되었다.

그의 이름은 바로 H. G 웰즈이다.

비난 대신 칭찬을 해 주는 것은 B. F. 스키너의 기본교육 개념이다. 위대한 심리학자인 스키너는 동물과 인간의 실험을 통해 비난을 최소화시키고 칭찬을 극대화시킬 때, 사람들이 행하는 좋은 일은 더욱 좋아지게 되고, 좋지 않은 일은 관심 밖으로 밀려 끝내는 소멸한다는 것을 입증하였다.

링겔스포는 자녀들에게 이 방법을 사용했다. 대부분의 가정이 그렇듯 부모 자식 간의 대화법은 주로 잔소리를 하는 것이다. 그리고 잔소리 후에는 서로가 기분이 더 상한다. 이 문제는 끝없는 숙제 같은 것이다.

링겔스포는 이 상황을 타개하기 위해 우리 강좌에서 배우고 있던 몇 가지 원칙을 사용하기로 하였다.

"우리는 아이들의 잘못에 대해 잔소리 대신 칭찬을 해보기로 했습니다. 눈에 띄는 것이라고는 잘못하는 것뿐, 칭찬거리를 찾는 일이 쉽지 않았습니다. 힘들게나마 몇 가지 칭찬거리를 찾아내었죠. 칭찬을 하기 시작했지요. 그러자 하루 이틀이 지나고 나면서 아이들이 저지르던 못된 버릇들이 없어지는 거였어요. 그리고 다른 결점들도 사라지기 시작했습니다. 아이들이 칭찬을 듣고는 신명이 났어요. 심지어는 좋은 일을 하려고 애쓰기까지 하는 것이었습니다.

아내와 저는 도저히 믿어지지 않았습니다. 물론 그런 상태가 오랫동안 계속되진 않았지만 모든 게 다시 제자리로 돌아왔을 때 상황은 이전보다 훨씬 나아졌습니다. 더 이상은 전에 하던 식으로 아이들을 다룰 필요가 없어진 거죠. 나쁜 일보다는 착한 일을 훨씬 더 많이 하니까요."

이 모든 것은 나쁜 일에 비난을 하는 대신 조금이라도

나아지는 것에 칭찬을 해 준 결과이다.

　직장에서도 마찬가지이다. 키드 로퍼는 이 원리를 회사에 적용해 보았다.

　로퍼는 자신의 인쇄소에서 품질이 뛰어난 제작물을 보게 되었다. 이 제작물을 찍어낸 인쇄공은 낯선 일에 적응하느라고 애를 먹던 신입사원이었다. 그 신입사원의 관리자는 그의 부정적인 작업태도에 불만을 가져 해고시킬 참이었다.

　이런 사실을 안 로퍼는 직접 그 젊은이에게 가서 이야기를 나누었다. 로퍼는 제작물을 보고 매우 기분이 좋았다는 이야기와 함께, 최근에 제작된 것 중 가장 뛰어난 것이라고 알려주었다. 그리고 그 제작물이 어떤 점에서 다른 것보다 뛰어난지 그 이유와, 젊은이가 회사에 기여하는 바가 매우 크다는 점을 말해 주었다.

　그 젊은 인쇄공이 이 일로 인해 회사에 대한 태도가 바뀌었으리라고 생각하는가. 물론 그렇다. 며칠이 지나자 그는 완전히 180도로 변해 있었다. 이 신입사원은 동료들에게 사장과의 대화를 얘기하면서, 이 회사에는 훌륭한 것을 고맙게 여기는 사람이 있더라고 말했다. 그리고 그날부터 충성스럽고 헌신적인 사원이 되었다.

로퍼가 한 일은 그저 젊은 인쇄공을 칭찬해 주면서 자네 참 잘했네 하고 말한 것뿐만이 아니었다. 제작물의 우수함을 구체적으로 지적해 주었다. 일반적인 찬사의 나열이 아니라 구체적 업적을 얘기했기 때문에 그의 칭찬은 받아들이는 사람에게 더 의미가 깊은 것이 되었다.

사람은 칭찬받기를 좋아한다. 그러나 그 칭찬도 구체적일 때 진지함이 가슴에 와 닿는 것이며, 그저 기분 좋으라고 한 소리가 아니라는 느낌을 줄 수 있는 것이다.

명심하라. 우리 모두는 감사와 인정을 갈망하고 있으며, 그것을 위해서라면 무슨 일이든 다 한다. 그러나 위선이나 입에 발린 칭찬을 바라는 사람은 없다.

이 책에서 가르치는 원칙은 진정으로 마음에서 우러나와 실천할 때 비로소 효과가 있다. 나는 잔꾀에 대해서 이야기하고 있는 것이 아니다. 인생을 근사하게 살 수 있는 확실한 방법에 대해 말하고 있는 것이다.

사람들은 바뀔 수 있다. 만나는 사람들로 하여금 그들의 숨겨진 보물을 깨닫게 할 수만 있다면, 우리는 그 사람들을 바꾸는 것 이상의 일을 해 낼 수 있다. 문자 그대로 그들을 변화시킬 수 있는 것이다. 과장이라고? 그렇다면 미국이 배출해 낸 가장 뛰어난 심리학자인 윌리엄 제임스의 말을 들어보기로 하자.

"우리에게 내재해 있는 가능성에 비하면 우리는 반만 깨어 있다. 우리의 육체적, 정신적 능력의 일부만을 사용하고 있을 뿐이다. 좀 더 자세히 말하자면 인간은 자신의 능력 한계에 훨씬 못 미치는 삶을 살고 있다는 것이다. 인간은 무한한 능력을 소유하고 있는데 습관적으로 그 능력을 사용하지 못하고 있다."

그렇다. 이 책을 읽고 있는 당신은 습관적으로 사용하지 못하고 있는 여러 가지 능력을 지니고 있다. 당신이 제대로 사용하지 않고 있는 능력 가운데 하나는, 상대방을 칭찬하여 그로 하여금 자신의 잠재력을 일깨워 주는 능력일지도 모른다. 능력은 비난 속에서는 시들지만 격려 가운데서는 찬란히 꽃을 피우는 법이다.

훌륭한 리더가 되기 위해 다음과 같은 원칙을 사용하라.

원칙6

아주 작은 진전에도 칭찬을 아끼지 마라.

또한 진전이 있을 때마다 칭찬을 해주어라.

동의는 진심으로, 칭찬은 아낌없이 하라.

7
개에게도
좋은 이름을 지어 주어라

일을 잘하던 사람이 갑자기 형편없어 진다면 당신은 어떻게 하겠는가?

당신은 그 사람을 해고시킬 수 있지만 그것으로 해결되는 건 아니다. 야단을 칠 수는 있지만 반감만 불러일으킨다.

화물 자동차 대리점 고객 서비스 부장인 헨리 헨키는 데리고 있던 기술자가 하는 일이 만족스럽지 못하자 그에게 고함을 치거나 윽박지르는 대신 조용히 불러 마음을 터놓고 대화를 나누었다.

"여보게 빌, 자넨 훌륭한 기술자야. 여태껏 이 일을 완벽하게 해왔지 않은가. 수많은 자동차를 수리해서 고객들에게 만족을 주었지. 자네가 한 일에 대해 고객들이 얼마나 칭찬을 많이 하는지 아나? 그런데 최근 들어서는 시간도 걸리고 하는 일도 예전 같지 않은 것 같네. 자네가 뛰어난 기술자이기 때문에 내가 지금의 상태에는 만족하고 있지 않다는 것을 알아주기 바라네. 우리 서로 협력해서 문제를 풀어 보세."

빌은 자신이 하는 일의 질이 그렇게 떨어지고 있는지 모르고 있었다면서 지금 하는 일이 자신의 전공분야이니 만큼 앞으로 더 잘해 보겠다고 약속했다.

빌이 과연 더 잘했을까. 물론이다. 그는 다시 신속하고 뛰어난 기술자가 되었다. 헨키가 그의 직업적인 평판에 대해 이야기했기 때문에 일을 해낸 것이다.

사무엘 보크레인이 볼드윈 기관차 공장의 사장으로 있을 때 이런 말을 한 적이 있다.

"보통 사람은 대개, 당신이 그의 존경을 받고 있고 또 당신이 그의 능력을 존경하고 있다는 것을 보여 주면 쉽게 이끌어 나갈 수 있다."

간단히 말하면, 어떤 사람의 특정한 일면을 개선시키고자 한다면 바로 그 특정한 일면이 그 사람의 장점인 것처럼 이야기하라는 것이다.

셰익스피어는 말했다.

"만일 그대가 장점이 없다면 장점을 가진 것처럼 생각하라."

그러므로 상대방에게도 계발시켜 주고 싶은 장점이 있다고 생각하고 그것에 대해 자주 말하라. 그에게 좋은 평판을 생각하게 해 주어라. 그러면 그는 당신을 실망시키지 않으려고 온갖 노력을 기울일 것이다.

로제트 르블랑은 그녀의 저서 『메테를링크와 함께 한 내 생애의 선물』 중에서 벨기에 출신의 볼품없는 신데렐라에 대해 이렇게 쓰고 있다.

"우리 집 근처의 호텔에서 일하는 소녀가 식사를 배달해 왔다. 소녀의 이름은 '접시닦이 마리'였는데 그것은 허드렛일을 거드는 일로 시작했기 때문이었다. 소녀는 사팔뜨기에다 밭장다리였으며 피부도 거친 촌스런 아이였다. 나는 그녀에게 이렇게 말했다.

'마리야, 넌 네가 지니고 있는 보배로운 것들을 잘 모르고 있구나.'

자신의 감정을 숨기는 데 익숙했던 마리는 일이 잘못되기라도 한 듯 꼼짝 않고 서 있었다. 그러더니 그 애는 식탁위에 접시를 놓고는 한숨을 쉬며 천진스럽게 이렇게 말했다.

'부인, 부인의 그 말씀이 아니었더라면 저는 정말 그것을 몰랐을 거예요.'

그 아이는 의심하거나 의문을 제기하지 않았다. 부엌으로 돌아가서는 내가 한 말을 몇 번이고 되뇌었을 것이다. 신념의 힘이란 바로 이런 것이다.

그날 이후부터 나는 그 소녀에게 배려를 해 주었다. 무엇보다도 신비한 일은 마리 자신에게 일어났다. 자신이 감춰진 보물이라고 믿게 되자, 얼굴과 몸을 정성껏 가꾸기 시작했다. 곧 소녀 특유의 젊음이 피어나고 못생긴 얼굴도 어느 정도 감춰지는 것 같았다.

두 달 뒤 마리는 주방장의 조카와 결혼하면서 이런 말을 했다.

'저도 이제는 숙녀가 될 거예요.'

그리고 나에게 감사하다고 했다."

작은 칭찬 한마디가 한 소녀의 인생을 바꾸어 놓았던 것이다. 로제트 르블랑 부인은 '접시닦이 마리'에게 맞추어 할 수 있는 좋은 평판을 생각했고, 이것이 소녀를 변화시켰다.

식품회사 판매 책임자인 빌 파커는 자신의 회사에서 신제품을 출시하게 되어 마음이 들떠 있었지만, 어느 대형 식료품점에서 그 상품을 취급하지 않겠다고 하자 속이 상했다. 빌은 이 거절에 대해 곰곰이 생각한 끝에 그날 퇴근길에 다시 그 식료품점에 들려 한 번 더 알아보기로 했다.

"지배인님, 아침에 여길 다녀간 뒤 전 지배인님께 우리의 새로운 상품에 대하여 충분히 설명을 드리지 못했다는 것을 알게 되었습니다. 그래서 보충 이야기를 할 수 있게 시간을 좀 내주셨으면 고맙겠습니다. 지배인님께서는 다른 사람의 말을 기꺼이 경청할 뿐만 아니라 근거가 확실하면 상대방의 마음도 바꿀 수 있을 만큼 큰 인물이라는 점을 저는 항상 존경해 왔습니다."

지배인은 나머지 이야기를 거절했을까. 그런 평가를 들었는데 그럴 수 있겠는가.

치과의사 마틴 피츠휴 박사는 어느 날 아침 한 환자가 입을 헹굴 때 사용하는 컵받침이 불결하다고 지적하는 것에 충격을 받았다. 그 환자는 컵받침 위의 종이컵의 물을 마셨지만 불결함을 방치한 것은 큰 실수였다.

환자가 돌아간 후, 그는 일주일에 두 번씩 청소하러 오는 파출부 브리지트 아주머니에게 편지를 썼다.

브리지트 아주머니께.

제가 아주머니를 직접 만나는 일이 자주 없어서 아주머니께서 사무실 청소를 말끔히 해 주신데 대해 편지로라도 감사드리고자 합니다. 일주일에 두 번씩 두 시간은 너무 짧은 시간이기 때문에, 가끔 한 번씩 더 해야 할 일이 있을 때는 30분 정도씩 초과근무를 하셔서 쇠 컵받침을 닦는다거나 하는 일을 하셔도 좋습니다. 물론 초과근무에 대해서는 수당을 드리겠습니다.

피츠휴 박사는 이런 이야기를 들려주었다.

"다음 날 아침, 사무실에 와 보니 내 책상이 마치 거울처럼 반짝거렸고 의자도 마찬가지여서 하마터면 의자에서 미끄러질 뻔했습니다. 진료실도 지금까지 본 적 없이 청결하였고 반짝반짝 윤이 나는 컵받침이 용기에 넣어져 있더군요. 나는 단지 그동안의 노고에 감사드렸을 뿐인데, 이 작은 선심으로 그 아주머니는 여태까지 했던 것보다 더 많은 정성을 쏟았던 것입니다. 그녀가 이 일을 하는데 시간이 얼마나 걸렸냐고요? 전혀 걸리지 않았습니다."

이런 속담이 있다.

"개에게 나쁜 이름을 지어 주느니 차라리 목을 매달아 버리는 편이 낫다."

그러나 좋은 이름을 붙여 주고 나면 어떠한 일이 벌어지는지 한번 보기 바란다.

뉴욕 시의 브루클린에서 4학년 담임을 맡고 있는 루스

홉킨스는 새 학기 첫날 학급명단을 살펴보았다. 명단을 보는 순간 새 학기를 시작하는 기쁨과 흥분은 걱정으로 변했다. 학교에서 가장 말썽꾸러기로 소문난 토미가 자기반이 되었기 때문이다. 토미는 단순한 말썽꾸러기 수준을 넘어선 지 오래였다. 규율을 무시하는 건 물론이고, 아이들과의 싸움질, 여자아이들을 골탕 먹이는가 하면 선생님의 이야기조차 무시하는 등 하는 짓이 점점 더 심해져 갔다.

토미의 유일한 장점은 사물을 금방 익히고 수업을 쉽게 마스터하는 능력이었다.

홉킨스 선생은 즉시 '토미 문제'를 다루기로 하였다. 반 학생들과 처음 인사하는 자리에서 홉킨스 선생은 모든 아이들에게 한마디씩 칭찬을 해 주었다.

"로즈, 입고 있는 옷이 아주 어울리는 구나."

"알리샤, 넌 그림을 잘 그린다면서?"

"그랜져, 너의 농구실력은 학교 내에서 소문이 자자하더 구나."

토미의 차례가 되었을 때 홉킨스 선생은 토미의 눈을 똑바로 쳐다보면서 이렇게 말했다.

"토미야, 내가 듣기로는 너는 타고난 리더라더구나. 금년에 우리 학교 4학년 학급 중에서 우리 반을 최고로 만드는데 네가 도와줄 거라고 나는 믿는다."

홉킨스 선생은 처음 며칠 동안 토미가 하는 일마다 칭찬해 주고 정말 훌륭한 학생이라고 추켜세우기도 했다. 그러한 평가는 비록 아홉 살짜리 어린이이긴 했지만 토미는 선생님을 실망시킬 수 없었다.

당신이 다른 사람의 태도나 행동을 바꾸는 훌륭한 지도자가 되고 싶다면 다음과 같이하라.

원칙7
상대방에게 훌륭한 명성을 갖도록 해주어라.

8
실수는
고치기 쉽다

친구 중에 40대 독신 남성이 있는데 약혼을 하게 되었다. 그 약혼녀가 그에게 댄스교습을 받으라고 했다는 것이다.

"20년 전 처음 춤을 배울 때 수준이어서 댄스 교습을 받을 필요가 있었지. 그래서 찾아간 교사는 나에게 친절하게 말했어. 내 춤은 모두 엉망이라는 거야. 과거에 알던 것들을 모두 잊어버리고 새로 시작해야 한다는 거였지. 그 말에 난 의욕을 잃고 말았어. 배울 생각이 싹 가셔서 그 교사를 만나는 것을 그만두었다네.

그 다음 교사는 거짓말인지 모르겠지만 기분은 좋은 얘기를 했지. 교사는 부드러운 태도로 내 춤은 약간 구식이긴 하지만 기초만은 괜찮다고 말해주더군. 그리고 몇 가지 새로운 스텝을 배우는 데 아무런 문제가 없을 거라고 하더군. 처음 교사는 나의 잘못된 점만을 지적해서 의욕을 꺾어 버렸지만 두 번째 교사는 첫 번째 교사와는 정반대의 태도를 보여준 것이지. 두 번째 교사는 내가 잘하는 것은 칭찬을 아끼지 않았고 잘못된 점은 먼지만 하게 줄여 주었거든.

'선생님은 리듬에 센스가 뛰어나시군요. 타고난 댄서이십니다.' 하더군. 물론 내가 봐도 난 옛날이나 지금이나 4류 댄서밖에 못 된다는 것을 알고 있지. 그렇지만 마음 한 구석에는 그 교사의 말이 맞을지도 모른다는 믿고 싶은 뭔가. 하여간 나는 그런 말을 듣고 싶어 수강료를 지불하고 있었지만, 뭐 그런 걸 생각할 필요가 있나.

어쨌든 내가 타고난 리듬감을 갖고 있다고 그 교사가 말해 주지 않았더라면 춤을 배우러 다니지 않았을 걸세. 그 말이 용기를 주었지. 희망을 주었어. 더 잘하고 싶은 충동을 일으키게 하였던 거야."

당신의 배우자나 자녀, 종업원에게 무능하다거나, 재능이 없다거나, 하는 일이 모두 잘못되었다고 말해 보라. 그것은 잘해 보려는 마음의 싹을 모조리 잘라버리는 어리석은 짓이다. 그 반대방법을 사용해 보라. 즉 격려를 아끼지 않고, 일을 쉽게 할 수 있다고 생각하게 하고, 능력을 믿고 있다는 것을 알려주면서, 그 일에 대해서 아직 계발되지 않은 재능을 갖고 있다고 말하면, 그 사람은 자신의 우수성을 보여 주기 위해 의욕을 갖고 성공할 때까지 꾸준히 그 일을 해 나갈 것이다.

인간관계에 있어서 뛰어난 재능을 지녔던 로웰 토머스는 이런 방법을 사용했다.

그는 사람들에게 자신감을 불어넣어 주고 용기와 신념을 갖도록 격려했다. 예를 들어 나는 토머스 부부와 함께 주말을 지낸 적이 있는데, 토요일 저녁 브리지게임을 하지 않겠느냐는 권유를 받았다. 브리지 게임이라고? 안되지! 브리지는 나에게는 영원히 수수께끼 같은 것이었다. 암, 절대 안 되고말고.

"데일! 브리지 게임은 아주 쉬운 거야. 따로 비결이 있는 것도 아니라고. 그저 기억력과 판단력만 있으면 돼. 자네는 기억력에 대한 글도 많이 썼잖아. 자네에게 안성맞춤인 게임이지."

그리고는 무슨 생각을 할 겨를도 없이 난생처음 브리지 게임을 하게 되었다. 이것은 순전히 나한테 가장 잘 어울린다는 말에 마음이 동한 나머지 게임이 아주 쉽게 느껴졌기 때문이었다.

브리지 게임이라면 일라이 컬버트슨이란 사람이 떠오른다. 브리지게임에 관해 쓴 그의 책은 10여 개 국어로 번역되었고 100만 부 이상 팔려 나갔다. 그는 한 젊은 여성이 브리지게임에 뛰어난 재능이 있다고 확신시켜 주지 않았더라면, 직업으로 삼지는 못했을 것이라고 말한 적이 있다.

1922년 미국에 첫 발을 디뎠을 때 컬버트슨은 사회학과 철학을 가르치는 직장을 구하려고 노력했으나 얻을 수 없었다. 그래서 석탄 장사를 해 보았으나 실패였다. 커피장사를 했는데 그것도 실패로 끝났다. 그는 몇 번 브리지게임을 했지만, 장차 그가 그것을 가르치게 될 줄은 꿈에도 몰랐다.

그는 서툴렀을 뿐만 아니라 고집도 셌다. 카드가 끝난 다음엔 너무나 번거롭게 게임의 원인을 분석하곤 했기 때문에 아무도 그와 게임을 하려 하지 않았다.

그 뒤 컬버트슨은 브리지게임 교사인 조세핀 딜론을 만나 사랑 끝에 결혼을 한다. 그녀는 컬버트슨이 얼마나 세밀하게 카드를 분석하는지 주목하고 그가 브리지게임에 뛰어난 소질이 있음을 말해 주었다. 컬버트슨은 나에게, 아내의 그러한 격려가 자기를 직업적인 브리지게임 플레이어로 만들었다고 말했다.

우리 강좌 강사인 클레런스 M. 존스는 격려하고 잘못을 고치기 쉬운 것으로 보이게 만드는 것이 어떻게 아들의 인생을 완전히 바꿔 놓았는지에 대해 이렇게 얘기하고 있다.

"1970년 당시 15세이던 데이비드는 저와 함께 살기 위해 신시내티로 왔습니다. 아이는 어린나이에도 불구하고 많은 어려운 생활을 했습니다. 1958년에 아이는 자동차 사고로 머리를 수술해야 했고, 그 흉터가 이마에 크게 남아 있었습니다. 1960년에 아이 엄마와 나는 이혼했고, 데이비

417

드는 엄마를 따라 텍사스 주 댈러스로 갔습니다.

15세가 될 때까진 아이는 댈러스의 교육제도에 따라 지진아를 위한 특수학급에서 생활을 해야만 했습니다. 크게 난 머리의 상처를 본 학교당국이 뇌가 정상적이지 않을 것이라 생각했던 것 같습니다. 데이비드는 또래 아이들보다 2년 아래 학급에 속해 있어서 15세인데도 7학년밖에 안 되었습니다. 그런데도 데이비드는 곱셈도 못했고 손가락으로 덧셈해야 했고, 잘 읽지도 못했습니다.

데이비드가 좋아하는 것은 라디오나 텔레비전을 만지는 것이었습니다. 기술자가 되기를 원하고 있어서 저는 격려해 주며 기술자가 되려면 수학을 배워야 한다고 말해 주었습니다.

저는 아이가 수학에 익숙해지도록 돕기로 하고 곱하기, 나누기, 더하기, 빼기의 암기 카드를 구입했습니다. 우리는 매일 밤 수북이 쌓여 있는 카드 앞에서 정답 맞히는 연습을 하였습니다.

데이비드가 답을 못 맞히면 답을 알려주고 못 맞힌 카드를 따로 쌓아 놓았다가 못 맞힌 카드가 다 없어질 때까지 놀이를 했습니다. 아이가 한 카드 한 카드 답을 맞힐 때마다 저는 열렬히 칭찬해 주었고, 특히 전에 틀렸던 카드를 맞힐 때는 더 그랬습니다. 카드의 정답을 다 맞힐 때까지 내기를 했습니다. 매일 밤 카드가 없어질 때까지 했습니다.

저는 아이에게 8분 이내에 틀리지 않고 모든 카드를 다 맞히면 내기를 그만두겠다고 약속했습니다. 이러한 목표가 데이비드에게는 불가능한 것처럼 보였습니다. 처음에는 52분이 걸렸고 두 번째는 48분, 45, 43, 41······ 그리고는 40분 이내로 줄었습니다.

우리는 시간이 줄 때마다 축하를 했습니다. 아내도 불러, 우리 부부는 아이를 포옹하고 춤을 추었습니다. 한 달 후 아이는 8분 안에 모든 카드의 정답을 맞혔습니다. 아이는 진전이 있을 때마다 다시 하겠다고 하였습니다. 차츰 배우는 것이 쉽고 재미있다는 것을 알게 된 것이지요.

이제 데이비드의 수학 점수는 놀라울 정도로 높아졌습니다. 곱셈을 할 수 있게 되면 수학이 얼마나 쉬운 것인지 여러분도 알고 있을 겁니다. 데이비드는 수학에서 B학점을 받자 스스로도 놀랐습니다. 다른 과목들도 믿을 수 없을 정도로 성적이 올랐습니다. 독서능력도 급속히 향상되었고 그림에도 탁월한 재능을 보였습니다.

학년이 끝나갈 무렵에는 과학교사가 과학전시회에 작품을 출품해 보라고 권했습니다. 데이비드는 지렛대의 효과를 나타내는 매우 복잡한 일련의 장치들을 만들기로 결정했습니다. 그것은 제도를 해야 하고 모델 제작뿐 아니라 복잡한 수학을 적용해야 하는 것이었습니다. 그 작품은 교내 전시회에서 1등을 차지했고, 신시내티 전체의 과학 전시회에서도 3등 상을 획득했습니다. 데이비드는 드디어 해낸 것입니다.

다른 아이들보다 2학년이나 뒤떨어지고 뇌에 손상을 입었다고 지진아 학급에 보내졌던 아이가, 친구들로부터 '프랑켄슈타인'이라고 놀림을 받던 아이가, 정상적인 아이들을 제치고 수상을 한 것입니다.

어느 순간, 데이비드는 자기가 배울 수 있고 어떤 일들을 성취할 수 있다는 것을 발견했던 것입니다. 그 후로는 8학년 2학기부터 고등학교를 마칠 때까지 데이비드는 한 번도 우등생 대열에서 빠지지 않았습니다. 고등학교 때는 전국

우등생협회 회원으로 선출되었습니다. 배우는 것이 쉽다는 것을 알게 되자 그 아이의 인생은 변한 것입니다."

　다른 사람이 발전하도록 도와주기를 원한다면 다음의 원칙을 이용하라.

원칙8

격려해 주어라.
잘못은 쉽게 고칠 수 있다고 느끼게 하라.

9
즐거운 마음으로
협력하게 만들어라

1915년, 미국은 난처한 입장에 처해 있었다.

유럽의 여러 나라들이 1년 이상 일찍이 그 유래를 찾아 볼 수 없을 정도의 대대적인 규모로 살상을 거듭하고 있었다. 평화는 과연 다시 올 수 있을까?

아무도 그 대답을 알 수 있는 사람은 없었다.

우드로 윌슨 대통령은 노력해 보겠다고 결심하고 유럽의 전쟁 당사국 지도자들과 협의하기 위해 평화사절단을 파견하기로 했다.

평화론자인 국무장관 윌리엄 제닝스 브라이언은 그 임

무를 굉장히 맡고 싶어 했다. 그는 인류의 평화에 기여함은 물론, 자신의 이름을 영원히 역사에 남길 수 있는 기회라고 생각했다. 그러나 윌슨 대통령은 국무장관의 절친한 친구인 국무성 고문 에드워드 M. 하우스 대령에게 그 임무를 맡겼다. 따라서 브라이언 국무장관의 감정을 상하지 않게 하면서 그 반갑지 않은 소식을 전하는 것이 하우스 대령으로서는 난감한 임무였다.

"내가 대통령의 평화특사로 유럽에 가게 되었다는 이야기를 들은 브라이언은 매우 실망하는 표정이었다."고 하우스 대령은 일기에 기록하고 있다.

"그는 자신이 그 일을 추진할 계획을 세우고 있었다고 말했다. 나는 대통령이 이번 일을 공적인 지위에 있는 사람에게 맡기는 게 현명하지 못하다는 생각을 갖고 있다고 말했다. 국무장관이 가면 많은 사람들의 시선을 끌게 될 것이고, 저 사람이 왜 이곳에 왔을까 하고 궁금하게 생각하게 될 것이고 결국 일이 더욱……"

당신은 이 말이 암시하는 것을 알 수 있을 것이다. 하우스 대령은 브라이언 국무장관에게 이번 일을 맡기에는 당신은 너무 중요한 인물이라고 넌지시 말하고 있는 것이다. 브라이언 국무장관은 만족했다. 현명하고 경험 많은 하우스 대령은 이쪽의 제안에 '즐거운 마음으로 협력하게 만들라'는 인간관계의 중요한 법칙을 지킨 것이다.

우드로 윌슨 대통령은 윌리엄 깁스 맥아두를 각료로 입각시킬 때도 이런 방법을 사용했다. 그것은 그가 다른 지위를 줄 때, 상대방의 자기 중요감을 배가시키는 그러한 방법을 썼던 것이다.

당시의 상황을 들어보자.

"윌슨 대통령은 지금 내각을 조각 중인데 내가 재무장관 자리를 맡아 준다면 더할 나위 없이 기쁘겠다고 말했다. 그는 아주 호감이 가도록 표현을 해서, 이 명예의 자리를 맡는다면 그것으로 내가 도리어 그에게 은혜를 베푸는 느낌이 들게 했다."

그러나 불행하게도 윌슨 대통령이 항상 그러한 방법을 쓴 것은 아니었다. 그가 만일 그렇게 했다라면 역사가 크게 달라졌을지도 모른다.

윌슨 대통령은 국제연맹에 미국을 가입시키려 함으로

써 상원과 공화당에 커다란 반발을 불러일으켰다. 월슨 대통령은 공화당의 거물급 지도자들과 함께 평화회담에 참석하는 것을 거절했다. 오히려 그는 자기 당의 무명 인사들을 발탁해 데리고 갔다. 그는 공화당원들을 냉대하고 국제연맹이 그의 아이디어일 뿐, 그들의 아이디어이기도 하다는 생각을 갖지 못하도록 하였고, 그들이 국제연맹에는 얼씬도 못하게 가로막았다.

따라서 그는 결과적으로 자신의 정치생명을 망치고 건강을 해치게 되었으며 자신의 생명을 단축시키고, 끝내는 미국의 국제연맹 가입이 좌절되어 세계의 역사를 뒤집어 놓았던 것이다.

외교관과 정치가만이 '상대방으로 하여금 원하는 일을 기꺼이 하도록 만드는' 이러한 원칙을 사용하는 것은 아니다.

데일 O. 페리어는 그가 어떻게 자녀로 하여금 자진해서 심부름하게 만들었는지 들려준다.

"제프가 할 일 중 하나는, 배나무 밑에 서 있다가 지나가는 사람이 떨어진 배를 줍지 못하도록 미리 배를 줍는 일이었습니다. 제프는 그 일 하는 걸 달가워하지 않았기 때문에 전혀 신경을 안 쓰거나 지나가는 사람이 제프가 못 주운 것을 집어 갈 정도로 대충 했습니다. 나는 꾸짖기보다 다른 방법을 쓰기로 하고, 어느 날 제프에게 말했습니다.

'제프야 너하고 흥정할 일이 있단다. 배를 한 바구니 주워 올 때마다 1달러를 주겠다. 그러나 네가 일을 끝낸 다음에 한 개라도 흘린 것이 있으면 너한테서 1달러를 벌금으로 받겠다. 어떠냐 내 제안이?'

기대했던 대로 제프는 배를 모두 주워 왔을 뿐만 아니라 바구니를 채우기 위해 나무에 달린 배까지 모두 흔들어 떨어뜨릴까 봐 감시해야 했습니다."

친구들이나 피치 못할 사람들로부터 오는 많은 강연의 뢰를 항상 거절하는 사람을 나는 알고 있다. 그런데 거절 방법이 하도 현명해서 거절당한 측에서도 별 불만이 없는 것이다.

어떻게 거절하였을까?

그는 자신이 바쁘다든가 어쨌다든가 하는 변명을 늘어

놓지 않는다. 강연의뢰는 감사하지만 받아들이지 못해 유감이라고 하지 않고, 자기를 대신할 다른 강연자를 추천하는 것이다. 바꿔 말하면 그는 거절한 것에 대해 불쾌한 생각을 가질 시간적 여유를 주지 않는 것이다. 그는 상대방의 생각을 강연의뢰를 받아 줄 수 있는 다른 강연자 쪽으로 돌려 버리는 것이다.

군터 슈미트는 그가 경영하는 대규모 식료품점의 한 여종업원 이야기를 했다. 그녀는 선반 위의 상품들에 가격표를 붙이는 일을 게을리해 혼란을 야기했고 손님들의 불평을 샀다.

여러 번에 걸친 주의와 경고, 그리고 훈계도 별 효과가 없었다. 슈미트는 할 수 없이 그 종업원을 사무실로 불러 전 점포의 '가격표 부착 감독주임'으로 임명한다고 말하고, 그녀가 모든 상품의 가격표가 제대로 붙어 있는지를 감독하는 책임을 맡게 되었다고 발표했다.

새로운 책임과 새로운 직함을 주자 그녀의 태도는 완전히 바뀌었고 그 후로 그녀는 자신의 의무를 만족스럽게 잘

이행하였다.

어린애들의 병정놀이 짓 같다. 나폴레옹이 '레종 도뇌르' 훈장을 제정하여 1만 5,000명의 병사들에게 수여하고, 장군 중 18명에게 '대원수'란 계급을 임명해 자신의 군대를 '1등 군대'라고 자칭하였을 때도 사람들은 그렇게 말했다. 역전의 용사들을 '장난감'으로 속였다는 비난을 받게 되자 나폴레옹은 태연히 이렇게 대답했다.

"병사들은 장난감에 의해 움직인다."

직함이나 권위를 부여하는 방법을 나폴레옹은 적절하게 사용했고, 이 방법은 우리에게도 많은 도움을 줄 것이다. 예를 들어보자.

내 친구인 어니스트 겐트 부인은 아이들이 잔디밭에서 뛰어다니면서 놀아 잔디가 망가지는 것이 속상했다. 아이들을 달래도 보고 윽박질러 보기도 했지만 허사였다. 그래서 그녀는 개구쟁이들 가운데 가장 말썽꾸러기인 아이에게 직함을 주고 권위의식을 심어 주기로 작정하였다. 부인은 그 아이에게 '탐정'이란 직함을 붙여 주고 잔디밭에 침입하는 아이들을 단속하는 책임을 맡겼다. 두통거리는 깨끗이 해결되었다. 겐트부인의 '탐정'은 뒤뜰에 불을 피워 놓고 밤 늦게까지 침입자를 감시하는 것이었다.

훌륭한 지도자는 사람의 행동이나 태도를 바꿀 필요가 있을 때 다음과 같은 지도지침을 항상 염두에 두어야 한다.

1. 성실해야 한다. 자신이 할 수 없는 일은 어떠한 경우 일지라도 약속하지 말라. 자신에 대한 이익은 잊고 상대방의 이익에 대해 집중하라.

2. 상대방이 무엇을 하기를 원하는지 정확하게 알고 있어야 한다.

3. 동정적이어야 한다. 상대방이 진심으로 원하는 것이 무엇인지 자신에게 물어보라.

4. 자신이 제의하는 일로 상대방에게 어떤 이익이 돌아가는가를 생각하라.

5. 그러한 이익을 상대방의 소망과 일치시키도록 하라.

6. 요구를 할 때에는 그 일을 함으로써 이익이 돌아간다는 것을 암시하는 식의 방법을 취해서 하라.

우리는 무의식적으로 무뚝뚝하게 명령하곤 한다.

"존, 내일 손님이 찾아오니 창고를 청소해야겠네. 그러니 깨끗이 하고 물건도 제대로 정리해 주게. 그리고 카운터도 말끔히 청소해 두게."

같은 내용이라도 그 일에서 존이 얻을 이익을 강조하면서 다음과 같이 표현할 수 있다.

"존, 지금 당장 해야 할 일이 있네. 지금 이 일을 해두면 나중에 수고를 덜 수 있지 않겠나. 내일 우리 점포에 많은 손님들이 찾아오는데, 창고를 보여 줄 생각일세. 그런데 너무 지저분한 것 같아. 자네가 청소도 하고 물건을 깨끗이 정리해 준다면 손님들에게 좋은 인상도 심을 수 있고, 우리 점포의 이미지뿐만 아니라 자네의 이미지 또한 좋아질 것 아니겠나?"

존은 제의한 일을 신나서 할까. 아마 크게 기뻐하지는 않겠지만, 자신의 이익을 암시하지 않는 것보다는 훨씬 더 일할 의욕을 가질 것이다. 존이 창고의 청결함에 자부심을 느끼고 점포의 이미지 향상에 기여하는 데 관심을 갖고 있다는 것을, 책임자가 알고 있다고 가정한다면 그는 일에 더욱 협조적일 것이다. 또한 그에게, 결국은 이 일을 해야 하는데 지금 하게 되면 나중에 수고를 안 해도 된다는 것을 지적하고 있다.

이러한 방법의 사용으로 항상 우호적 반응을 볼 것이라고 믿는 것은 어리석은 일이다. 그러나 많은 사람들의 경험을 비추어 볼 때, 이러한 방법을 사용하지 않는 것보다 사용하는 편이 상대방의 태도를 바꾸는 데 도움이 된다는 것을 보여준다. 그리고 이 방법으로 10퍼센트라도 성공을 거둔다면 당신은 현재보다 지도자로서 10퍼센트 더 유능해지는 것이다. 그리고 그만큼 당신에게 도움이 될 것이다.

사람들은 당신이 원하는 일을 기꺼이 해 줄 것이다. 당신이 다음과 같은 원칙을 따른다면 말이다.

원칙9
당신이 제안하는 것을 상대방이 기꺼이 하도록 만들어라..

작품 해설

데일 카네기(Dale Carnegie)는 1888년 11월 24일 미국 미주리 주 매리빌에 있는 가난한 농장주의 둘째 아들로 태어났다. 그의 나이 16세에 그의 가족은 워렌스버그로 이주하였고, 카네기는 이곳에서 고등학교와 센트럴 미주리 사범대학을 졸업했다. 이후 아머 컴퍼니(Armour & Company)에서 비누, 베이컨, 라드 등을 팔며 세일즈맨으로 일하였고, 500달러(현재 가치 1500만 원)를 모은 뒤에 뉴욕에 있는 아메리칸 아카데미 오브 드라마틱 아트 스쿨의 연기과정을 수강하며 배우가 되는 꿈을 키우기도 했다. 하지만 배우로서 성공하지는 못했다.

1912년, 카네기는 실업자인 상태로 뉴욕의 125번가에 위치한 YMCA에 살게 되었다. 그러던 중 이곳에서 아이디어를 얻어 성인을 대상으로 한 YMCA 대중 연설 강의를 시작했다. 강의에 대한 반응이 뜨거웠으며 데일 카네기라는 이름을 세상에 알리게 되었다. 그리하여 1914년에는 매주 500달러를 받는 유명 강사가 되었다.

그가 강의했던 당시에는 인간관계에 관해 참고할 만한 제대로 된 교재가 없었다. 그래서 카네기는 자신이 직접 교재를 만들겠다고 결심했다. 오랜 연구 끝에 그는 1936년 『인간관계론(How To Win Friends & Influence People)』을 출간했다. 이 책은 『자기관리론(How to Stop Worrying & Start Living)』, 『성공대화론(Public Speaking & Influencing Men In Business)』과 함께 카네기의 '불후의 3부작'으로 꼽히고 있다.

카네기의 강의는 사례를 중심으로 진행하는 것이 특징이었으며 책 또한 그러했다. 당시의 선풍적인 인기에 더불어 카네기는 카네기 연구소를 설립하고 인간경영과 자기계발 강좌를 개설했다.

카네기의 저서들은 80년이 지난 지금도 꾸준한 사랑을

받고 있다. 그가 쓴 다른 책으로는 『데일 카네기 1% 성공 습관』, 『데일 카네기 나의 멘토 링컨』, 『화술 1, 2, 3의 법칙』 등이 있다.

작가 연보

1888년 11월 24일 미국 미주리 주 매리빌의 가난한 농장
　　　주인 제임스 윌리엄 카네기와 아만다 엘리자베
　　　스 하비슨의 둘째 아들로 태어남.

1904년 워렌스버그로 이주. 고등학교를 다니며 다양한
　　　하계 문화 교육(Chautauqua) 프로그램에서 하는
　　　스피치 수업에 관심을 보임.

1906년 고등학교 졸업 후 University of Central Missou
　　　ri(당시 Central Missouri State University)에 입학.

1908년 대학을 졸업함. Armour & Company에서 판매원
　　　으로 일함.

1911년 뉴욕에 있는 American Academy of Dramatic Ar
　　　ts에서 공부했지만 배우로서 성공하지 못함.

1912년 실업자인 상태로 뉴욕 YMCA에 기거하며 스피치 수업에 대한 아이디어를 얻고, 강의를 시작함.

1914년 주급 500달러(현재 가치 1500만원)를 받는 강사가 됨.

1920년 『YMCA의 대화강좌(Public Speaking: the Standard Course of the United Y. M. C. A. Schools)』 출간.

1926년 『성공대화론(Public Speaking: a Practical Course for Business Men)』 출간.

1932년 『데일 카네기의 멘토 링컨(Lincoln the Unknown)』 출간.

1936년 『인간관계론(How to Win Friends & Influence People)』 출간.

1937년 『성공대화론(Public Speaking & Influencing Men in Business)』 보충하여 재출간.

1948년 『자기관리론(How to Stop Worrying and Start Living)』 출간.

1955년 11월 1일 뉴욕 포레스트 힐에 위치한 자신의 집에서 사망.

데일 카네기

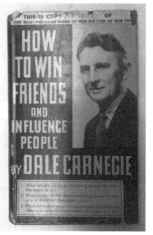

『인간관계론』 1937년 초판본 표지